JOSÉ-ÁLVARO PORTO DAPENA

MANUAL
DE
TÉCNICA LEXICOGRÁFICA

Colección: *Bibliotheca Philologica*
Dirección: LIDIO NIETO JIMÉNEZ

Juan Bautista de Toledo, 28. 28002 Madrid
ISBN: 84-7635-508-4
Depósito Legal: M-10.204-2002
Printed in Spain. Impreso en España por Ibérica Grafic, S. A. (Madrid)

ÍNDICE GENERAL

INTRODUCCIÓN

La lexicografía, que hasta hace algo más de veinte años era una actividad poco conocida y, desde luego, raramente cultivada, ha pasado a ser en los últimos tiempos algo que viene atrayendo con insistencia y cada vez más la atención de los profesionales de la lingüística. Desde luego la bibliografía sobre el tema podemos decir que se ha multiplicado –y sigue multiplicándose– en progresión geométrica, y, por otro lado, hoy es rara la universidad española que no incluya la lexicografía en los planes de estudio de sus facultades de filología o humanidades. No voy, naturalmente, a ahondar ahora en las causas que han determinado este repentino auge, entre las que cabe señalar sobre todo el espectacular desarrollo de la informática, cuya aplicación en la elaboración de diccionarios hace de ésta algo razonablemente abarcable y no, como hasta hace bien poco, un trabajo capaz –por su minuciosidad y extremada lentitud– de desalentar al más pintado. Pero, además, la lexicografía en los últimos años ha pasado de ser considerada como una mera actividad práctica, más propia por cierto de un simple artesano que de un auténtico científico del lenguaje, a convertirse en todo un conjunto de conocimientos teóricos, que hoy se puede decir que han cristalizado en una nueva disciplina a la que algunos llamamos *metalexicografía* y a cuyo desarrollo ha contribuido sin duda el descubrimiento, por parte de los investigadores de nuestra historiografía lingüística, de un campo prácticamente virgen como era el de la producción lexicográfica en general y del español en particular.

Es ésta precisamente la razón de que la bibliografía hoy existente en materia lexicográfica tenga sobre todo un carácter marcadamente descriptivo e histórico, y, aunque todavía seguimos careciendo –esperemos que por poco tiempo– de una historia completa de la lexicografía hispánica, no cabe duda de que el camino recorrido en este campo es afortunadamente más extenso cada día. Ahora bien, el aspecto ciertamente menos cultivado hoy por hoy dentro de los estudios metalexicográficos o de lexicografía teórica es el concerniente a las técnicas empleadas en la elaboración de diccionarios, y de hecho los programas que hoy se explican en nuestras facultades universitarias están más enfocados a informar al alumno sobre el desarrollo histórico de nuestra lexicografía que a la formación de posibles futuros lexicógrafos o, por lo menos, a enseñar al alumno cómo se gesta un diccionario, cuáles son sus características internas y, por supuesto, cómo hay que manejarlo.

Pues bien, justamente este hueco es el que pretende rellenar el presente libro, concebido como un pequeño manual de introducción a las técnicas lexicográficas. Se trata ante todo de poner en las manos del alumno universitario unas bases o principios generales –desde luego imprescindibles– que, por una parte, le sirvan para iniciarse en el arte de hacer diccionarios y, por otra, le sean de paso útiles tanto para el análisis de una obra lexicográfica concreta como, en general, para la adecuada elección y correcto manejo de un determinado tipo de diccionario. A este último respecto no es exagerado observar que todavía son muchas las personas, incluso con formación universitaria, que no saben utilizar debidamente el diccionario, pues o le piden demasiado o, simplemente, no saben sacarle todo el partido posible, precisamente porque desconocen esos elementales principios relativos a su contenido y estructura. Falta en realidad una formación lexicográfica que debería iniciarse ya en la escuela con la enseñanza del manejo del diccionario, cosa que evidentemente no se reduce, como a veces tiende a pensarse, al mero conocimiento del orden alfabético, deficiencia que, por otro lado, se manifiesta en algunos tópicos frecuentes como, por ejemplo, centrar la calidad de un diccionario en el número de sus entradas, confundir la información lingüística con la enciclopédica y pensar, en fin, que el diccionario está para resolver cualquier tipo de duda en relación con las palabras del idioma.

El presente libro, con todo, no está pensado propiamente para enseñar el manejo de un diccionario o tipo concreto de diccionarios, puesto que para eso están sus respectivos prólogos o introducciones, que por cierto la gente suele pasar por alto, incapacitándose así para una correcta y completa utilización de la obra (es como si, cuando compramos un electrodoméstico, no leyéramos la instrucciones de manejo). Tampoco este libro está pensado para mostrar cómo se elabora –o las características que definen– un determinado diccionario, puesto que para eso están las correspondientes plantas o planes que con frecuencia suelen escribirse antes de emprender la elaboración de una obra lexicográfica. Tampoco, en fin, este libro está pensado para servir como manual de redacción a quienes tomen o vayan a tomar parte en la composición de un diccionario específico. Como queda señalado, nuestro objetivo al escribir el presente libro es mostrar tan solo principios generales, esto es, que atañen por igual a todos los diccionarios, bien es verdad que, dadas las enormes diferencias entre sus diversos tipos, algunos de los capítulos aquí desarrollados están, evidentemente, pensados en función de lo que comúnmente se viene considerando como diccionario prototípico, a saber: un diccionario monolingüe y, por tanto, con definiciones, semasiológico o alfabético y, asimismo, de carácter general.

El libro por lo demás está constituido por nueve capítulos, cuyo contenido puede sintetizarse así:

a) En el capitulo 1 se intenta definir el ámbito de la lexicografía, término que se viene interpretando de muy diversas maneras, lo que obliga a establecer todos los tipos posibles, entre los que se halla la lexicografía teórica, que hoy preferimos llamar *metalexicografía*, cuya vertiente técnica es precisamente el objeto aquí estudiado, frente a la vertiente estrictamente histórica o descriptiva. También tratamos de ahondar en los rasgos caracterizadores de un diccionario, objeto desde luego tan variado que resulta poco menos que imposible definir adecuadamente.

b) La variedad o tipología de los diccionarios es el tema desarrollado en el capítulo 2. Debemos advertir que no se trata de una clasificación de los diccionarios existentes, reales, y, por lo tanto, de una especie de historia de la lexicografía española o universal. Lo que se pretende es el establecimiento de una serie de categorías o tipos teóricos ideales, esto es, no necesariamente materializados en obras lexicográficas concretas, realmente existentes en estado puro.

c) Nos referimos en el capítulo 3 a los pasos que habrán de darse antes de emprender la elaboración de un diccionario, es decir, a lo que constituye la planificación de una obra lexicográfica, planificación que cristalizará en lo que se llama **planta**. Ésta incluirá un plan técnico, en el que se expliquen con la mayor minuciosidad posible las características del futuro diccionario, junto con un plan práctico, relativo al personal colaborador, presupuesto económico, tiempo necesario para llevar a cabo el trabajo, etc.

d) El capítulo 4 desarrolla los puntos generales relativos a la constitución del corpus lexicográfico en que se va a basar el diccionario. Se tratan en primer lugar las fuentes tanto desde el punto de vista cualitativo como cuantitativo, para pasar en la segunda parte a describir las distintas técnicas utilizadas para el acopio de materiales lexicográficos: manuales (en sus diversas modalidades) y, sobre todo, la mecánica o realizada por medios informáticos.

e) Los capítulos siguientes se dedican ya a aspectos concretos del diccionario, representados básicamente por la **macroestructura,** a la que se dedica precisamente el capítulo 5, y la **microestructura**, estudiada por el resto. En lo concerniente a la macroestructura nos planteamos en primer lugar la unidad o tipos de unidades léxicas que deberán adoptarse como entradas (y subentradas) del diccionario, unidades que, como la palabra, la locución, el modismo o la expresión fija en general, son a su vez consideradas desde una perspectiva conceptual, teórica o más propiamente lexicológica. Este aspecto, sin duda imprescindible, se complementa con el más específicamente lexicográfico relativo a la elección, forma y organización de esas unidades al ser tomadas como entradas del diccionario.

f) En el capítulo 6 nos referimos a la organización del artículo lexicográfico, señalando en primer lugar las partes que lo conforman así como todas las posibles informaciones que se pueden encontrar en él, para centrarnos en la segunda parte en una de las cuestiones más problemáticas en la redacción lexicográfica: la separación de acepciones y subacepciones, especificando todos lo criterios que habrán de ser tenidos en cuenta para llevar a cabo esa separación. También, finalmente, en relación con el concepto de 'lema', que aquí diferenciamos de 'entrada' y 'enunciado' o 'encabezamiento', se plantea la cuestión teórica, sin duda muy importante en lexicografía, de la distinción entre **homonimia** y **polisemia**.

g) El discurso lexicográfico, de carácter metalingüístico, presenta unas características especiales que son estudiadas en la primera parte del capítulo 7. Se habla comúnmente, sobre todo desde los trabajos de Rey-Debove, de dos metalenguas, que en realidad no son tales, sino distintos planos del discurso metalingüístico. En la segunda parte de este capítulo se pasa revista a los problemas relacionados con la marcación así como a sus distintos tipos, todo ello desde una perspectiva general, esto es, sin referencia a ningún diccionario concreto.

h) Los dos últimos capítulos, esto es, el 8 y 9 están dedicados íntegramente a una cuestión sin duda tan importante y básica en lexicografía como es la definición. En el primero ésta se estudia, en primer lugar, en sus presupuestos generales, como son los principios de equivalencia, conmutabilidad, transparencia, etc., para pasar en la segunda parte a estudiar con cierto detalle los diversos tipos y subtipos de definición lexicográfica. En el capítulo 9, por su parte, se aborda la cuestión del uso de los distintos tipos de definición, esto es, su aplicación a las diversas categorías léxico-gramaticales de palabras y se termina con la consideración de los problemas planteados por las definiciones de los diccionarios, como son los círculos viciosos y las pistas perdidas.

Quisiera terminar esta introducción agradeciendo de antemano la acogida que pueda dispensarse a esta pequeña obra y, sobre todo, deseando que ésta cumpla el fin que se propone, que no es otro que el ser útil a nuestros alumnos universitarios, posibles lexicógrafos futuros.

EL AUTOR

1
LEXICOGRAFÍA Y DICCIONARIO

0.1. **Lexicografía** y **diccionario** representan dos nociones que se presuponen, que van necesariamente unidas, pero cuyas respectivas definiciones resultan bastante problemáticas. La primera suele tomarse como equivalente de lexicología, la cual, por otro lado, no se diferenciaría según algunos de la semántica. Otros, sin embargo, prefieren ver en la lexicografía una especie de «mercenaria» de la lexicología, disciplina lingüística de tipo especulativo, frente a aquélla, que tendría un carácter eminentemente práctico y no estrictamente lingüístico. Y por lo que toca al término *diccionario*, suele asimismo emplearse con valores significativos diversos, llegando a confundirse a veces con *enciclopedia, vocabulario, léxico* y hasta con *nomenclatura* y *concordancia*. Ni siquiera, en fin, existe acuerdo en cuanto al contenido y forma de los diccionarios, puntos en los que, por cierto, se han centrado las más importantes críticas contra el diccionario alfabético tradicional.

0.2. Esto supuesto, el panorama no puede ser más desalentador para quien pretenda consagrarse al quehacer lexicográfico, al desconocer dónde verdaderamente empieza y termina su misión. A ello hay que añadir la injusticia e incomprensión de que comúnmente es objeto el lexicógrafo por lo poco que se le da y lo mucho que se le exige, pues, por una parte, suele minusvalorarse su trabajo –sin duda arduo, complejo e inevitablemente lento– manteniéndolo casi siempre en el más injusto anonimato o plagiándolo impunemente; pero, por otra, se le pide que encarne un híbrido de filólogo, lexicólogo, gramático, dialectólogo, sociólogo, historiador y sabe Dios cuántas cosas más. Sorprendentemente, la tarea del lexicógrafo es considerada a veces como algo que excede el ámbito de lo lingüístico y, desde luego, con un valor muy relativo y secundario en el campo de la investigación científica.

1. Concepto y límites de la lexicografía

1. Una cosa hay cierta, y es que el quehacer del lexicógrafo consiste, como es bien sabido, en la elaboración de diccionarios, obras cuyo objetivo no es otro que la recopilación del léxico de una o varias lenguas, lo cual hace de la lexicografía algo necesariamente relacionado con otras disciplinas lingüísticas, en especial con aquellas que, como la lexicología, la semántica y la gramática, se ocupan en alguna medida del estudio de las palabras. Esto supuesto, para aclarar y definir convenientemente el concepto de 'lexicografía', hemos de plantearnos ante todo sus diferencias y relaciones respecto a estas otras disciplinas lingüísticas.

1.1. *Lexicografía y lexicología: la metalexicografía*

1.1. Comencemos por la distinción entre lexicografía y lexicología, cuestión en la que, por cierto, no se ha llegado a un acuerdo unánime. Prescindiendo de quienes, como Marouzeau[1], las consideran una misma cosa, esto es, distintas denominaciones de la disciplina encargada del estudio del léxico –idea bastante extendida, aunque ya superada–, las posiciones que al respecto han venido siendo adoptadas pueden reducirse a dos grupos fundamentales: en primer lugar la de aquellos que, partiendo de una identidad de objetos, consideran que ambas disciplinas son como las caras de una misma moneda, de suerte que sus diferencias corresponderían más bien a su extensión o a una diversidad de puntos de vista, y en segundo término, la de quienes son partidarios de una separación más neta, atribuyendo a lexicografía y lexicología objetos completamente diferentes.

1.1.1. La identidad de objetos parece, desde luego, evidente si nos atenemos a lo que podríamos llamar definiciones nominales; paralelamente a lo que ocurre con otros pares de ciencias tales como geografía - geología, cosmografía - cosmología, etnografía - etnología, la lexicografía vendría a ser, literalmente, 'la descripción del léxico', frente a la lexicología, que, por otra parte, representaría 'el tratado del léxico'. Ambas disciplinas poseerían un objeto común, el léxico, pero enfocado desde perspectivas diferentes.

[1] Cfr. J. Marouzeau, *Lexique de la terminologie linguistique*, Paris, 1943, pág. 131.

1.1.1.1. Siguiendo, precisamente, esta línea, Matoré[2] basa la distinción entre lexicografía y lexicología en el punto de vista analítico de la primera frente al sintético de la segunda, dado que aquélla estudia atomísticamente el vocabulario, esto es, palabra por palabra, mientras que la lexicología se preocupa por los principios y leyes generales que rigen el vocabulario. Dicho de otro modo, estas disciplinas se distinguirían por el carácter concreto y particular de una frente al abstracto y general de la otra; ambas, como hemos dicho, estudiarían el léxico pero en niveles diferentes.

1.1.1.2. H. Josselson[3], por su parte, atribuye a la lexicología una tarea más precisa, al afirmar que ésta consiste en la recopilación de materiales léxicos, mientras que la lexicografía vendría a ser el proceso que implica la recolección y organización de esos materiales con vistas a la elaboración de diccionarios. Si no interpretamos mal el pensamiento de este autor, la lexicografía no vendría a ser más que una actividad particular de otra más amplia y general representada por la lexicología. En realidad esta consideración de la lexicografía como una parte o capítulo de la lexicología es idea mantenida hoy por algunos lingüistas[4] y que nosotros no compartimos. Curiosamente, existe también la opinión contraria, esto es, la de considerar a la lexicología como una parte o capítulo de la lexicografía, que es lo que piensa J. Martínez de Sousa[5] al igualar la lexicografía teórica con la lexicología.

1.1.1.3. Más acertado nos parece el punto de vista defendido por R. Werner[6], para quien tanto la lexicografía como la lexicología

---

[2] Cfr. G. Matoré, *La méthode en Lexicologie*, Paris, 1953, pág. 88.

[3] Cfr. H. Josselson, «Automatization of Lexicography», *CL*, IX (1966), pág. 73.

[4] Véase, por ejemplo, R. Cerdà, *Diccionario de Lingüística*, Anaya, Madrid, 1986, s.v.

[5] Cfr. J. Martínez de Sousa, *Diccionario de Lexicografía práctica*, Biblograf, Barcelona, 1995, pág. 228, donde leemos lo siguiente:

> «Así pues, hay una lexicografía teórica (la lexicología), que estudian y tratan ciertos lingüistas, los lexicólogos, y una lexicografía práctica, que llevan a cabo los lexicógrafos, término que generalmente se aplica al que compila o realiza diccionarios y no al que estudia lingüísticamente la lexicografía, que, sencillamente, es un lingüista».

Esto, sin embargo, se contradice, como veremos, con lo que luego observa en las págs. 252-254.

[6] Cfr. R. Werner, «Léxico y teoría general del lenguaje», en G. Haensch *et al.*, *La Lexicografía*, Gredos, Madrid, 1982, págs. 92-93.

serían descripciones del léxico de un sistema lingüístico individual o colectivo, pero con la diferencia de que, mientras la primera se ocuparía de las unidades léxicas individuales o concretas, esto es, sin referencia al paradigma de que forman parte, la segunda estudiaría las regularidades formales referentes al significante y al significado, por lo que constaría de dos partes claramente diferenciadas: la morfología léxica y la semántica léxica, que se ocuparían respectivamente de estos planos.

1.1.2. Sin embargo la mayor parte de los lingüistas modernos ven entre lexicografía y lexicología una distinción mucho más neta, al atribuir a ambas objetos relativamente dispares. Según ellos, en efecto, la primera, frente a la segunda, que tendría por objeto el estudio del léxico en cualquier nivel, no se ocuparía propiamente del vocabulario, sino más bien de los métodos y técnicas que habrán de seguirse en la elaboración de diccionarios. De acuerdo, pues, con esta posición, la lexicografía, al contrario que la lexicología, no sería una ciencia, sino una pura técnica o arte en el sentido amplio de la palabra, es decir, como una *recta ratio factibilium*.

1.1.2.1. Entre los múltiples representantes de esta opinión cabe citar ante todo a S. Ullmann[7], para quien la lexicología junto con la fonología y la sintaxis constituyen las tres ramas estructuradoras de la lingüística, en tanto que la lexicografía es una técnica especial, fuera de lo específicamente lingüístico, encaminada exclusivamente a la confección de diccionarios. De esta misma opinión participan otros lingüistas, como Greimas y Courtes[8], para quienes la lexicografía, así entendida, constituiría un aspecto de la lingüística aplicada. Y dentro de nuestras fronteras hispánicas, hemos de citar, entre otros, a J. Casares[9], que ve en la lexicografía la aplicación práctica de los conocimientos proporcionados por la lexicología, que sería una disciplina de orden teórico, opinión parecida a la de G. Mou-

[7] Cfr. S. Ullmann, *Semántica. Introducción a la ciencia del significado*, Madrid, 1965, págs. 34-35. Véase también del mismo autor *Précis de sémantique française*, Berne, 1952, pág. 33, nota 2.

[8] Cfr. A. J. Greimas y J. Courtes, *Semiótica. Diccionario razonado de la teoría del lenguaje*, Gredos, Madrid, 1982, s.v. *Lexicografía*.

[9] Cfr. J. Casares, *Introducción a la lexicografía moderna*, C. S. I. C., Madrid, 1969, págs. 10-11; F. Lázaro Carreter, *Diccionario de términos filológicos*, Gredos, Madrid, 1953, s.v. *Lexicografía*.

nin[10], quien señala en la lexicología dos vertientes: por una parte, el estudio del vocabulario y, por otra, la reflexión teórica sobre los problemas planteados por la elaboración de diccionarios, actividad esta última que constituye precisamente la lexicografía. De la misma idea de Casares, que ellos consideran la postura tradicional, participan I. A. Mel'čuk, A. Clas y A. Polguère[11], quienes puntualizan que estas disciplinas, lo mismo que la física y la ingeniería, se caracterizan, respectivamente, por representar un conocimiento científico frente a la aplicación del mismo, articulándose a su vez cada una, lo mismo que éstas, en una parte práctica o experimental junto a otra de orden teórico: el resultado práctico de la lexicología sería un diccionario de carácter abstracto, ideal, mientras que el de la lexicografía correspondería al diccionario concreto tradicional. Finalmente, otro autor, el lexicógrafo alemán G. Haensch[12] observa que la lexicología es el estudio científico del léxico que combina elementos de etimología, historia de las palabras, gramática histórica, semántica, formación de palabras e incluso también a veces elementos del estructuralismo cuando se estudia el léxico de una lengua como un sistema estructurado; frente a ella la lexicografía consiste, por un lado, en la elaboración de diccionarios y, por otro, en el estudio de éstos y la metodología en ellos empleada.

1.1.2.2. Así las cosas, la lexicografía, al igual que la antigua gramática, vendría a ser un «arte», frente a la lexicología, que, como la gramática moderna, de carácter teórico y especulativo, representaría una auténtica disciplina científica. Y esto supuesto, podríamos preguntarnos, siguiendo a J. Fernández-Sevilla[13], si la consideración de la lexicografía como arte no se deberá al hecho de no haber alcanzado todavía la madurez y desarrollo necesarios como para poder atribuirle el rango de ciencia. Evidentemente, no hay nada de esto, pues, si bien la lexicografía de hecho se ha beneficiado relativamente poco de los modernos avances en materia lingüística, no es cierto que ello sea

[10] Cfr. G. Mounin, *Diccionario de Lingüística*, Labor, Barcelona, 1979, s.v. Lexicografía, Lexicología.

[11] Cfr. J. A. Mel'čuk, A. Clas y A. Polguère, *Introduction à la lexicologie explicative et combinatoire*, Éditions Duculot, Louvain-la-Neuve, 1995, págs. 26-27.

[12] Cfr. G. Haensch, *Los diccionarios del español en el umbral del siglo XXI*, Univ. de Salamanca, 1997, pág. 29.

[13] Cfr. J. Fernández-Sevilla, *Problemas de lexicografía actual*, Instituto Caro y Cuervo, Bogotá, 1974, pág. 14.

debido a su carácter «artístico» y que éste constituya ni mucho menos un signo de atraso o subdesarrollo, pues no hay ninguna razón para sobrevalorar los conocimientos científicos sobre los de orden artístico o técnico, cuando precisamente hoy estamos asistiendo a una auténtica simbiosis de estas dos facetas del saber humano.

1.1.3. Tratando de sacar conclusiones a propósito de las anteriores consideraciones sobre la distinción entre lexicografía y lexicología, digamos que existe una base de razón tanto en los que les asignan una identidad de objetos, como en los que, por el contrario, se la niegan. La razón es porque la lexicografía en realidad puede entenderse, efectivamente, como arte o técnica, esto es, como saber teórico-práctico encaminado a la elaboración de diccionarios, que es justamente como aquí nos proponemos estudiarla nosotros; pero también puede interpretarse como verdadero saber científico, y en este sentido consiste o bien, como la lexicología, en un estudio especial del léxico, que no es otro que el contenido en los distintos diccionarios, o bien en el estudio de éstos mismos en sus diversas facetas. A este tipo de lexicografía es a la que aludimos cuando hablamos, por ejemplo, de la lexicografía románica, la inglesa o la del siglo XVIII, o, en fin, cuando describimos un determinado diccionario o realizamos una crítica sobre él.

1.1.3.1. En esta misma línea, algunos autores[14] nos hablan asimismo de dos tipos de lexicografía: la que ellos llaman **lexicografía práctica**, que vendría a coincidir con la de tipo técnico, junto a otra de orden **teórico**, que unas veces hacen coincidir, al menos en parte, con la lexicología, y otras con el estudio de los diccionarios u obras lexicográficas ya elaboradas.

1.1.3.1.1. En la identificación de la lexicografía teórica con la lexicología parece estar de acuerdo, según ya hemos observado, J. Martínez de Sousa, aun cuando con posterioridad a esta asunción atribuye a aquélla el análisis de los diccionarios desde el punto de vista de su historia, estructura, tipología, metodología, etc.[15], y define, por otra

[14] Tal es la postura que parece subyacer, desde el propio título, a lo largo de la obra, ya citada, de G. Haensch, L. Wolf, S. Ettinger y R. Werner, *La lexicografía. De la lingüística teórica a la lexicografía práctica*, donde se mezclan, efectivamente, cuestiones de lingüística teórica con aspectos lexicográficos relativos a la técnica lexicográfica.

[15] Cfr. *Op. cit.*, pág. 253.

parte, la lexicología como la ciencia que estudia el léxico de una lengua en su aspecto sincrónico[16]. No se comprende, por cierto, muy bien la distinción que este autor ve entre la lexicografía teórica y la de tipo práctico, al definir esta última como «estudio de los diccionarios desde el punto de vista de su estructura interna y externa, presentación bibliológica y tipográfica, redacción, técnica, etc.»[17].

1.1.3.1.2. Más coherente a este respecto resulta la postura de J. Dubois[18], para quien el término *lexicografía* junto con el de *lexicógrafo* resultan ambiguos, ya que, por una parte, aluden a la práctica lexicográfica o confección de diccionarios y, por otra, al análisis lingüístico –o tratamiento teórico– de las técnicas utilizadas en los mismos. La primera, según este autor francés, sería una técnica, la empleada por el lexicógrafo entendido como autor de un diccionario, mientras que la segunda consistiría en una ciencia, realizada por el lexicógrafo como lingüista.

1.1.3.2. A nuestro modo de ver, el fallo está precisamente en la identificación que hacen estos autores entre, por una parte, los aspectos práctico y técnico, y, por otra, entre el teórico y el científico de la lexicografía. Es natural que ésta en su vertiente científica tenga un carácter exclusivamente teórico; pero no puede decirse lo mismo de la lexicografía técnica, que puede y debe entenderse, efectivamente, como praxis o actividad, esto es, como la elaboración misma de los diccionarios, pero también a su vez como conjunto de conocimientos metodológicos –de tipo teórico, por tanto– para llevar a cabo esa actividad. Existirá, pues, sin salirnos de la lexicografía técnica o «arte de hacer diccionarios» tanto una lexicografía de tipo práctico como otra de orden teórico. Y esta última, por supuesto, no podrá nunca confundirse con la lexicografía científica, que, a su vez, abarcará dos campos o aspectos diferentes: por un lado, vendrá representada, según ya queda dicho, por la descripción o estudio del léxico realizado en los diccionarios –será la lexicografía entendida como producto, identificada, pues, con la propia obra lexicográfica– y, por otro, consistirá en el análisis de esos mismos diccionarios tanto desde su punto de vista externo o histórico como interno o descriptivo y crítico.

---

[16] *Ibid.*, pág. 254.

[17] *Ibid.*, pág. 252.

[18] Cfr. J. Dubois y otros, *Diccionario de lingüística*, Alianza Editorial, Madrid, 1979, s.v. Lexicografía.

1.1.3.2.1. Esto supuesto, solo la lexicografía científica como estudio o descripción del léxico de una o varias lenguas es la que, en todo caso, se podría confundir con la lexicología, de la que, no obstante, se diferencia precisamente porque aquélla se ocupa siempre de un léxico concreto y particular, materializándose en obras a las que llamamos *diccionarios*, en tanto que la lexicología –menos antigua que la lexicografía– se ocupa del léxico desde un punto de vista o bien general o, si lo hace particularmente, el resultado se materializa en una obra que por su metodología y objetivos perseguidos difiere absolutamente de lo que tradicionalmente venimos entendiendo como diccionario. Excusamos observar, por lo demás, que disentimos absolutamente de quienes, como Mounin o Dubois, consideran asimismo como ámbito de la lexicología los aspectos estrictamente teóricos concernientes al estudio de los diccionarios o de su elaboración. Por el contrario, esto último pertenece también al ámbito de la lexicografía, la cual, como muy bien observa H. Hernández, junto a la actividad práctica de recolección de materiales y redacción del diccionario, comprende asimismo la teoría general, la historia de la lexicografía, la investigación sobre el uso del diccionario y la crítica lexicográfica[19].

1.1.3.2.2. Esta última postura, por cierto, parece responder a la tendencia, hoy prácticamente generalizada[20], a unir los aspectos teórico-técnicos o metodológicos con los teórico-científicos, representados fundamentalmente por los estudios histórico-críticos acerca de los diccionarios. Hemos de subrayar que se trata, sin embargo, como hemos visto, de perspectivas diferentes, puesto que, mientras en la primera se pretende responder a la pregunta ¿cómo se hace o debe hacerse un diccionario?, en la segunda el interés se centra más bien en dar noticia acerca de cómo son de hecho los diccionarios; de donde el nombre de **lexicografía descriptiva** utilizado por algunos. Notemos que ambos enfoques tienen fines y destinatarios diferentes: en el primer caso el estudio va destinado al futuro lexicógrafo, al que se le dan pautas, normas o principios para llevar a cabo una obra

[19] Cfr. H. Hernández, «El Diccionario entre la semántica y las necesidades del los usuarios», en *Aspectos de Lexicografía contemporánea*, Biblograf, Barcelona, 1994, pág. 109.

[20] Así lo hace, por ejemplo G. Haensch en su obra *Los diccionarios del español en el umbral del siglo XXI*, pág. 28. Asimismo I. Ahumada en su artículo «La lexicografía teórica y los últimos diccionarios monolingües del español», en *Diccionarios e informática. III Seminario de Lexicografía Hispánica*, Jaén, 1998, pág. 75.

lexicográfica ideal, en tanto que en el segundo lo que se pretende es iniciar a los destinatarios en el conocimiento de los diccionarios, de su uso, historia, etc. No hay duda, sin embargo, de que las dos perspectivas son en cierto modo complementarias, pues, de hecho, la primera ha de nutrirse con los resultados de la investigación llevada a cabo por la segunda; pero a su vez los análisis efectuados por esta última no pueden consistir más que en la aplicación de las normas y principios proporcionados por aquélla, y, en fin, en ambas existe –excusamos decirlo– multitud de puntos comunes como los relativos a nociones lexicográficas elementales, clasificación de diccionarios, tipos de definiciones, etc. Precisamente a este estudio conjunto de las dos perspectivas es a lo que muchos llamamos hoy **lexicografía teórica** o también **metalexicografía**, por consistir en un estudio cuyo objeto es la lexicografía como producto, esto es, los propios diccionarios, que son, por su parte, el resultado de la actividad lexicográfica o **lexicografía práctica**. Y a propósito de esta última, todavía, siguiendo a B. Quemada[21], cabría distinguir dos etapas diferentes, a las que el lexicógrafo francés llama **fase lexicográfica**, representada *grosso modo* por las actividades correspondientes a la recolección de datos o materiales, junto a la **fase diccionarística** o **diccionárica** (*dictionnairique*), representada por la realización propiamente dicha del diccionario.

1.1.3.2.3. En resumidas cuentas, todo lo dicho puede representarse esquemáticamente así:

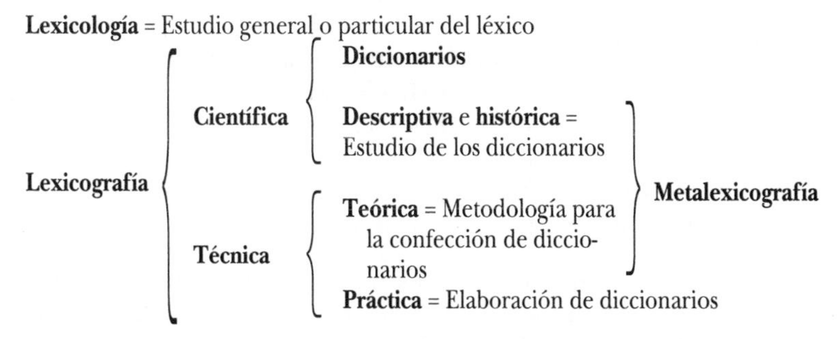

Podemos decir, en definitiva, que lexicografía es la disciplina que se ocupa de todo lo concerniente a los diccionarios, tanto en lo

[21] Cfr. B. Quemada, «Notes sur lexicographie et dictionnairique», *Cahiers de Lexicologie*, 51-2 (1987), págs. 229-242.

que se refiere a su contenido científico (estudio del léxico) como a su elaboración material y a las técnicas adoptadas en su realización o, en fin, al análisis de los mismos; cuando se refiere a estos dos últimos aspectos hablamos de **lexicografía teórica** o **metalexicografía**, que estará, insistimos, estructurada en dos partes: una de tipo descriptivo, crítico e histórico, que se ocupa del estudio de los diccionarios existentes, junto a otra de carácter técnico o metodológico, que a su vez puede tener carácter general, al estudiar cuestiones que atañen por igual a la elaboración de cualquier obra lexicográfica, o bien particular, como la representada, por ejemplo, por la planta o el prólogo de un diccionario concreto[22]. No hace falta decir, finalmente, que cualquier otro estudio concerniente al léxico y no contenido dentro de un diccionario corresponderá exclusivamente al ámbito de la lexicología.

1.2. *Lexicografía y semántica*

1.2. Después de todo lo dicho, la lexicografía teórico-técnica (o mejor metalexicografía) ha quedado, pensamos, clara y suficientemente caracterizada frente a cualquier otra disciplina y, por lo tanto, sería ocioso, por innecesario, oponerla a ninguna otra parte de la lingüística. No podemos, sin embargo, decir lo mismo de la lexicografía de tipo científico, representada por el estudio concreto del léxico en el diccionario, la cual como acabamos de ver se halla muy cercana a la lexicología, y por consiguiente, lo mismo que ésta, se relacionará tanto con la semántica como con la gramática, en vista de que los diccionarios se ocupan fundamentalmente del significado y comportamiento gramatical de las palabras. Vamos a referirnos, pues, a continuación a las diferencias y relaciones de la lexicografía, en su vertiente científica, representada por el propio diccionario, con la semántica.

1.2.1. La semántica, como es bien sabido, constituye una disciplina relativamente joven, con poco más de un siglo de existencia y, por ello, con un desarrollo hasta cierto punto precario. Por otra parte, aunque todo el mundo está de acuerdo en considerar-

[22] Naturalmente, todavía cabe otra posibilidad de estudio, que es el concerniente al desarrollo histórico de la metalexicografía y al que por lo tanto habría que llamar «ultrametalexicografía».

la como 'ciencia de la significación', no hay unanimidad absoluta a la hora de asignarle unas metas y puntos de vista concretos, los cuales incluso se salen a veces de lo específicamente lingüístico (pensemos en la semántica lógica y psicológica, por ejemplo, o en el curioso uso que de esta palabra hacen a veces los políticos), por lo que se trata de una disciplina variable en cuanto a su delimitación y concepto[23].

1.2.1.1. La fundación de la semántica viene atribuyéndose, como es sabido, a M. Brèal, quien en 1883 proclama la necesidad de construir una «ciencia de las significaciones», cuya consideración es «tan reciente que ni siquiera ha sido bautizada», por lo que propone como denominación la palabra *semántica,* del griego *semaínein* 'significar'[24]. No obstante, antes que él, los alemanes Reisig y Haase se habían preocupado por el mismo objeto, al hablar de una ciencia del significado a la que ellos llamaron *semasiología* y que consideraron como un capítulo o parte de la gramática al lado de la etimología y la sintaxis[25]. Tanto para Brèal como para sus antecesores el objeto principal de la nueva ciencia se centraba en averiguar las leyes que determinaban los cambios de sentido en las palabras; es decir, la semántica o semasiología dedicaba su atención a un punto de vista puramente histórico o diacrónico, actitud que prevalece a lo largo de todo el siglo XIX y se explica por la tendencia en boga durante esa época de explicar los hechos lingüísticos como resultado de un proceso evolutivo.

1.2.1.2. Pero, como ya hemos señalado, la semántica llega a traspasar la esfera de lo estrictamente lingüístico para penetrar en los dominios de la filosofía. Así se explica la existencia de una **semántica lingüística**, que es la que aquí nos interesa, junto a una **semántica psicológica**, cultivada a partir de Wundt, Rosenstein y Darmesteter[26], y una **semántica lógica**, muy cultivada hace pocos años

---

[23] Cfr. R. Trujillo, *Elementos de semántica lingüística,* Cátedra, Madrid, 1976, pág. 11.

[24] Cfr. M. Bréal, «Les lois intellectuelles du langage, fragments de sémantique», en *Anuaire de l'Association pour l'encouragement des études greques en France,* XVII (1983).

[25] Cfr. C. Ch. Reisig, *Volesungen über lateinische Sprachwissenschaft,* Leipzig, 1839, 2ª pte., y la obra del mismo título de F. Haase, Leipzip. 1874 y 1880.

[26] Las obras representativas de éstos son, respectivamente, *Volkerpsychologie* (Leipzip, 1900), *Die Psychologischen Bedingungen des Bedeungswandels der Wörter* y *La vie des mots,* 1887.

merced al desarrollo de la lógica matemática o logística, y cuyo principal representante es R. Carnap[27].

1.2.1.3. Con la aparición del estructuralismo, cuyos principios, expresados por Saussure, preconizan el estudio del lenguaje en su doble vertiente diacrónico-sincrónica, así como la idea de que una lengua es una estructura o sistema en que cada elemento se apoya en todos los demás, se produce un cambio rotundo en la concepción de la semántica, que, como hemos visto, era un estudio exclusivamente diacrónico y consideraba además los significados aisladamente. A partir del estructuralismo comienza a desarrollarse la semántica sincrónica o estructural, que es la que hoy impera al menos en Europa y a la que hay que asociar nombres ilustres como los de Ullmann, Baldinger, Mounin, Pottier, Greimas y tantos otros. La semántica invade hoy el campo de la lexicología[28], cuya existencia, por ello, ha sido puesta en tela de juicio[29], siendo especialmente conocida entre nosotros la denominada **lexemática**, estudio estructural del léxico que ha sido desarrollado por E. Coseriu y cultivado en nuestro país por los semantistas asociados a la denominada Escuela de La Laguna, tales como G. Salvador y R. Trujillo[30].

1.2.1.4. Señalemos, por último, que con la aparición de la gramática generativa, surge en los tiempos actuales un nuevo tipo de semántica, la denominada **semántica generativa**, entre cuyos cultivadores hay que citar a Katz, Postal, Fodor, Lakoff y al propio Chomsky, fundador de la corriente. Conocidas son las polémicas que

---

[27] Véase, por ejemplo, S. Ullmann, *Précis de sémantique française*, pág. 4 y ss.; P. Guiraud, *La semántica*, México, 1960, pág. 10.

[28] Responde, pues, a una visión trasnochada la distinción establecida por Lázaro Carreter (*Diccionario de términos filológicos*, Gredos, Madrid, 1977, s. v. Lexicología), según la cual la lexicología es «una disciplina que estudia el léxico de una lengua en su aspecto sincrónico, a diferencia de la semántica, que opera dentro del plano diacrónico».

[29] Cfr. R. Trujillo, «Para una dialectología estructural, a propósito de un ejemplo canario», en *Homenaje a Elías Serra Ráfols*, Univ. de La Laguna, IV (1973), pág. 393 y ss.

[30] Cfr., entre otras obras y trabajos, E. Coseriu, *Principios de Semántica estructural*, Gredos, Madrid, 1977; del mismo autor, *Gramática, semántica, universales*, Gredos, Madrid, 1978; R. Trujillo, *Elementos de Semántica lingüística*, ya citado, así como *Introducción a la Semántica española*, Arco/Libros, Madrid, 1988; G. Salvador, *Semántica y Lexicología del español*; Paraninfo, Madrid, 1985.

en torno al lugar que la semántica debe ocupar dentro de la lingüística han venido absorbiendo el interés de los generativistas, quienes se encuentran divididos en dos bandos, desde los que, como Chomsky, le atribuyen un papel meramente interpretativo, hasta los que, como McCawley, por el contrario, defienden su carácter central o esencial en la generación de oraciones. Al lado de estas dos tendencias, conviene recordar asimismo el surgimiento a partir de la gramática generativa de una **semántica presuposicional** o **pragmática**, basada en presupuestos de tipo lógico[31]. Finalmente, como reacción e intento de superación tanto de la semántica estructural como de la generativa, hay que hablar hoy de la llamada **semántica de prototipos**, desarrollada en el seno de la la reciente lingüística cognitiva, de base psicológicista y entre cuyos cultivadores hay que citar a G. Kleiber y G. Lakoff[32].

1.2.2. Conviene observar que, ya sea en su enfoque histórico e individual, ya sincrónico y estructural, los estudios de semántica se han venido centrando desde siempre casi exclusivamente en la palabra; de donde la frecuente definición de esta disciplina como 'ciencia que se ocupa del significado de las palabras', tan repetida, por otra parte, en los manuales[33]. Ahora bien, notemos que la semántica, así entendida, se confundiría totalmente con la lexicología[34], de la que en realidad no vendría a ser más que una parte o capítulo, por cuanto que tan solo estudiaría el plano significativo de los vocablos, esto es, sin atender al otro plano, el del significante o expresión. En relación con la lexicografía, que, contrariamente a lo

---

[31] Existe una amplia y extensa bibliografía sobre semántica generativa. Quizás entre los trabajos más representativos, pueden citarse J. J. Katz y F. A. Fodor, «The structure of a semantic theory», *Language*, XXXIX (1963), págs. 170-210; J. J. Katz y P. M. Postal, *An integrated theory of linguistic description*, Cabridge Mass., 1964; J. O. McCawley, «The role of semantics in a grammar», en E. Bach y R. Harms (comp.), *Universals in linguistic theory*, N. York, 1968, págs. 125-169; G. Lakoff, «Sobre la semántica generativa», en V. Sánchez de Zabala (comp.), *Semántica y sintaxis en la lingüística transformatoria*, Madrid, 1974, págs. 335-445; C. J. Fillmore y D. T. Langedoen (comp.), *Studies in linguistic semantics*, N. York, 1971 (trad. esp. *Semántica generativa*, Gredos, Madrid). Véase, finalmente, J. Lyons, *Semántica*, Teide, Barcelona, 1980.

[32] Vése, por ejemplo, G. Kleiber, *La semántica de prototipos*, Visor, Madrid, 1995.

[33] Véase, por ejemplo, P. Guiraud, *Op. cit.*, pág. 12.

[34] La identificación de semántica y lexicología es defendida, por ejemplo, por Ramón Trujillo (cfr. su trabajo «Gramática, lexicología y semántica», *REL*, 2, 1 (1972), págs. 103-109).

que sostiene R. Trujillo[35], que parte de la idea de significado como algo inefable y, por tanto, imposible de reducir a una definición lexicográfica, también se ocupa –al menos de alguna manera– del contenido o significado de las palabras, se produciría la misma confluencia, dado que las diferentes acepciones vendrían a coincidir con los significados o variantes de significados de cada palabra.

1.2.2.1. En realidad entre la lexicografía, representada por el diccionario, y la semántica no existe propiamente oposición o separación tajante, lo que no quiere decir, naturalmente, que sean ni mucho menos una misma cosa. Aun en el caso de que la semántica no estudiase más que el significado de las palabras, ésta no vendría a ser, como ya vimos, más que un aspecto o parte de aquélla. Pero la verdad es que la semántica confluye del mismo modo con otras disciplinas lingüísticas que, como la morfología y sintaxis tradicionales, se ocupan de los signos lingüísticos. La semántica, en efecto, se opone a la morfonología o estudio de los significantes, y de ambas participan transversalmente tanto las disciplinas léxicas como las gramaticales, según puede verse en el siguiente cuadro, que más adelante tendremos que modificar y que, por tanto, presentamos con carácter provisional:

LEXICOLOGÍA Y LEXICOGRAFÍA	SEMÁNTICA	SINTAXIS
	MORFO-LOGÍA	
	MORFONOLOGÍA	

1.2.2.2. El quehacer del lexicógrafo, en definitiva, no se identifica en absoluto con el del semantista. Como éste, se preocupa, entre otras cosas, por averiguar el significado de las palabras y unidades léxicas en general, pero su labor no se agota con eso ni mucho menos, pues, al mismo tiempo –depende del diccionario que se proponga elaborar–, tendrá que ofrecer en éste otros datos de carácter no semántico, como pueden ser la forma o posibles formas fónicas y grá-

[35] Cfr. R. Trujillo, «El diccionario frente a la semántica», en H. Hernández (coord.), *Aspectos de lexicografía contemporánea*, Biblograf, Barcelona, 1994, págs. 73-93.

ficas, la etimología, categorización gramatical, contextos o situaciones en que se emplea la palabra, desarrollo histórico de ésta, etc. Un diccionario, efectivamente, no es ni mucho menos un estudio semántico, aunque este constituya, generalmente, un aspecto muy importante dentro de la obra lexicográfica. La diferencia, por tanto, entre estos dos tipos de estudio no se reduce, como parece suponer I. Bosque[36], a la mera utilidad práctica de un diccionario frente a la finalidad teórica perseguida en la investigación semántica.

1.3. *Lexicografía y gramática*

1.3. Además de las informaciones de tipo semántico, en un diccionario suelen ofrecerse otras que tienen más bien relación con el terreno estrictamente gramatical. Piénsese, por ejemplo, en las indicaciones relativas a la categoría y subcategoría o sobre la flexión de las palabras, la determinación de los contextos semántico-sintácticos en que éstas pueden aparecer, etc. Ello nos lleva a plantearnos asimismo las relaciones y diferencias de la lexicografía con respecto a la gramática, cuestión que, por cierto, no parece demasiado clara, como han hecho ver algunos estudiosos que se han ocupado del tema[37]. En teoría la cosa puede resultar sencilla y de hecho así es como se viene entendiendo la dualidad **diccionario-gramática** de una lengua: la lexicografía (o, también, la lexicología) se ocuparía del léxico, representado por el vocabulario, en tanto que la gramática se referiría a las denominadas «unidades gramaticales», esto es, los gramemas, sintagmas y oraciones. Pero la verdad es que, en la práctica, los diccionarios abundan de hecho en consideraciones gramaticales y las gramáticas, aunque en menor

---

[36] Cfr. I. Bosque, «Sobre la teoría de la definición lexicográfica», *Verba*, 9 (1982), pág. 116.

[37] Cfr., entre otros, H. A. Gleason (Jr.), «The relation of the lexicon and grammar», en *Problems in Lexicography. International Journal of American Linguistics*, Bloomington, 1962, págs. 85-102; H. M. Hoenigswald, «Lexicography and Grammar», en *Problems in Lexicography*, págs. 103-110; K. Togeby, «Grammaire, lexicologie et sémantique», *Cahiers de Lexicologie*, VI (1965), págs. 3-7; R. P. Botha, *The function of the lexicon in transformational generative grammar*, Mouton, The Hague-Paris, 1968; R. Trujillo, art. cit.; M. Alvar Ezquerra, «Diccionario y gramática», *LEA*, IV (1982), págs. 151-207, ahora también en su *Lexicografía descriptiva*, Biblograf, Barcelona, 1993, págs. 87-143. Véase asimismo el núm. 30 de *Langue française* (Mayo de 1976), dedicado íntegramente a la cuestión.

medida, en explicaciones de tipo lexicológico, existiendo entre ellos puntos comunes, tratados igualmente por ambos, como es el caso de las preposiciones o pronombres, por ejemplo. Desde luego, no existen unos límites precisos, que, por otro lado, dependen de lo que se entienda por *gramática* o, si se prefiere, de la extensión que quiera dársele a ésta. Aun entendida en el sentido tradicional, esto es, como morfología o estudio de las palabras y sintaxis o estudio de la construcción de las oraciones, la cuestión sigue resultando problemática, ya que, al menos a primera vista, la morfología se identificaría plenamente con la lexicología y lexicografía, disciplinas con las que a su vez entraría también en contacto la sintaxis, habida cuenta de que las distintas acepciones surgen en realidad de la diversidad de contextos sintácticos en que la palabra puede aparecer empleada, siendo en la práctica habitual muchas veces puras diferencias de orden sintáctico, no semántico, las que determinan dichas acepciones. De todos modos, hemos de matizar que cuando se habla de morfología y sintaxis no siempre se está aludiendo al terreno estrictamente gramatical, pues en realidad, al lado de aquéllas, hay que postular la existencia de una morfología y sintaxis léxicas, aun a sabiendas de que los límites entre los dominios léxico y gramatical no son, desde luego, absolutamente nítidos.

1.3.1. Llamamos **morfología léxica** al estudio de las palabras desde el punto de vista de su constitución por medio de elementos léxicos menores; corresponde, *grosso modo*, a lo que se viene denominando «formación de palabras», capítulo que pertenece de lleno a la lexicología. No hay que confundirla, pues, con la morfología gramatical, la cual, aunque se ocupa, efectivamente, de las palabras lo hace desde puntos de vista deferentes a la lexicografía (y lexicología). Así, mientras éstas las estudian como elementos pertenecientes a paradigmas léxicos haciendo, además, abstracción de las variantes flexionales que pueden presentar en la cadena hablada, la morfología gramatical se ocupa de ellas en función de los papeles u oficios que puedan desempeñar en la oración, haciendo especial hincapié en las variaciones flexionales que puedan presentar[38]. Añadamos, por otro lado, que la morfología gramatical no estudia todas

[38] De ahí que en un diccionario las distintas formas flexionales no se consideren normalmente como entradas independientes. Las palabras variables, por el contrario, se dan en una única forma, llamada *forma clave* o *lema*, ya que las otras se derivan

las palabras una a una, según hacen la lexicografía y lexicología, sino tan solo las categorías y paradigmas flexionales a que pertenecen, y si se refiere a palabras concretas, éstas serán siempre signos gramaticales, esto es, pertenecientes a inventarios cerrados, como pueden ser, por ejemplo, los pronombres y los llamados elementos relacionales (conjunciones y preposiciones).

1.3.1.1. Existen, con todo, algunas coincidencias entre el diccionario y la morfología gramatical de una lengua, de modo que entre ellos existe una especie de simbiosis o entrecruzamiento que hace borrosos e imprecisos los límites. Una de ellas es, por cierto, el tratamiento de las palabras gramaticales, que aparecen estudiadas tanto en los diccionarios como en las gramáticas. Y en un nivel más general, la coincidencia se produce en la distinción de categorías y subcategorías de palabras, aspecto que, si bien debe ser estudiado en la gramática, no puede en modo alguno olvidarse en ningún diccionario, puesto que la adscripción de cada palabra a una determinada clase o categoría no solo es relevante desde el punto de vista gramatical sino también léxico. Así, por ejemplo, la palabra *saber* sería indefinible lexicográficamente si no se especificase antes su carácter verbal o nominal.

1.3.1.2. Otro punto, en fin, de contacto entre morfología gramatical y lexicografía (o lexicología) se produce a propósito de ciertas oposiciones semánticas que, alternativamente, pueden venir dadas por elementos morfemáticos o flexionales y también por unidades léxicas diferentes. Es lo que ocurre, por ejemplo, en español con el género, estudiado en la morfología en cuanto expresado por variaciones en la flexión del sustantivo (comp. *amigo / -a, señor / -a, sirviente / -a*), pero que también se trata en el diccionario, siempre que el masculino y femenino sean palabras distintas y den, por tanto, lugar a entradas independientes (así, *macho / hembra, hombre / mujer, yerno / nuera*, etc.); pero aun en este caso el género, que viene a ser una característica léxica, presenta un indudable interés gramatical, puesto que condiciona la concordancia, que es un fenómeno sintáctico. Algo semejante podría decirse también de los morfemas

---

fácilmente de ella, siguiendo los paradigmas estudiados en la morfología. Las excepciones que a este respecto pueden aducirse se referirán siempre a casos muy especiales de irregularidades morfológicas y, desde luego, se encontrarán sobre todo en diccionarios de tipo escolar.

aumentativos y diminutivos, que en determinadas circunstancias, por lexicalización, dan lugar a verdaderas oposiciones léxicas, como *mesa / mesilla, bomba / bombilla, casa / casona, botella / botellón.*

1.3.1.3. Generalmente, los diccionarios dan siempre por supuestos los conocimientos sobre la flexión y otros aspectos estrictamente gramaticales relativos a la morfología. De ahí, por ejemplo, que las palabras flexivas aparezcan en una única forma, denominada *forma canónica* o *clave* y también *lema.* No es raro, sin embargo, que sobre todo en los diccionarios de tipo escolar (especialmente los bilingües) presenten informaciones de este tipo, invadiendo así el terreno de lo exclusivamente gramatical. El hecho se justifica porque no hay que olvidar que todo diccionario tiene siempre una finalidad fundamentalmente práctica, que es ofrecer al usuario el máximo de información posible acerca de cada una de las palabras. De todos modos, como dice Gili Gaya[39], el diccionario no es ni debe ser una gramática estructurada en artículos ordenados alfabéticamente, y, por lo tanto, deben respetarse los límites –así sean convencionales– entre el léxico y la gramática.

1.3.2. En lo que concierne al aspecto sintáctico, evidentemente compete al diccionario la indicación del comportamiento que cada palabra, con independencia de la categoría o subcategoría de que forma parte, desempeña en la constitución de unidades superiores (sintagmas y oraciones), lo que representa justamente lo contrario de lo estudiado por la sintaxis gramatical, preocupada más que por el comportamiento de las palabras concretas, por la descripción de las oraciones y las funciones que en ella o en el sintagma desempeñan o pueden desempeñar las distintas categorías de palabras. Digamos que la sintaxis léxica es particular, mientras que la gramatical es general y más abstracta[40]. Hay que reconocer, no obstante, que existe, como ocurre con respecto a la morfología, una verdadera simbiosis entre los dos tipos de sintaxis, de tal manera que es difícil establecer un corte tajante: en realidad se trata más de una diferencia de perspectiva que propiamente de contenido, desde la oración en la sintaxis gramatical y desde la palabra en la de tipo léxico.

---

[39] Cfr. S. Gili Gaya, «Características de este diccionario», en *Diccionario general e ilustrado de la lengua española, VOX,* Barcelona, 1945, 3ª ed., 1973, pág. XXX.

[40] Cfr. J. A. Porto Dapena, *Elementos de lexicografía: el* Diccionario de construcción y régimen *de R. J. Cuervo,* Instituto Caro y Cuervo, Bogotá, 1980, pág. 5.

1.3.2.1. Solo por poner algunos casos, corresponde, por ejemplo, a la sintaxis léxica –y, por tanto, al diccionario– señalar hechos como el carácter necesariamente animado del sujeto de *comer* en el sentido de 'tomar alimento', o la necesidad de un complemento con *de* para el verbo *acordarse*, y asimismo la indicación a propósito del adjetivo *aguileño*, que se aplica tan solo a la nariz. Toca, sin embargo, a la sintaxis gramatical la definición de funciones como sujeto, predicado, complemento, etc., o la descripción de las estructuras correspondientes a los distintos tipos de sintagmas u oraciones, por ejemplo.

1.3.2.2. La sintaxis gramatical adopta normalmente un punto de vista analítico, de modo que parte de la oración para ir estudiando cada una de sus funciones y elementos hasta llegar a las palabras o elementos léxicos. Por el contrario, la sintaxis léxica procede, si se quiere, en sentido contrario, esto es, sintéticamente, señalando las posibilidades combinatorias de cada palabra; esto es, se parte de la unidad léxica hacia el sintagma y oración. Los llamados diccionarios de valencias o construcción y régimen no son más que obras lexicográficas cuya principal preocupación es precisamente este aspecto del léxico.

1.3.3. Resumiendo todo lo dicho en este apartado y en el anterior, podemos representar todas las distinciones que hemos hecho, mediante el siguiente cuadro, asumiendo, naturalmente, todas la imperfecciones e inexactitudes que una representación de este tipo siempre entraña:

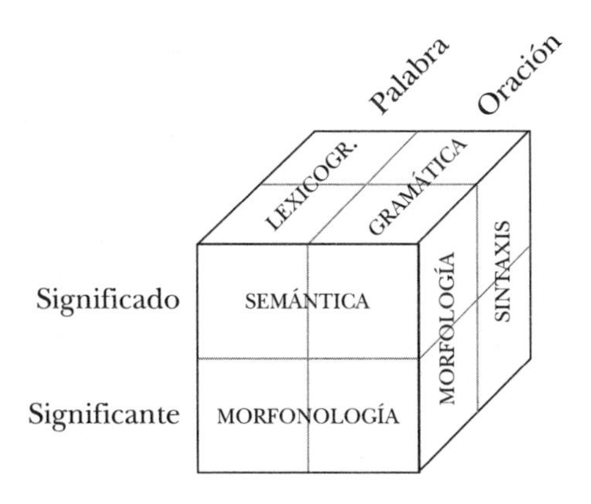

De acuerdo con esto, las disciplinas encargadas del estudio del léxico, esto es, la lexicología y lexicografía, se oponen tan solo a la gramática, que, por su parte, se ocupará de todas las otras unidades lingüísticas. Respecto a la semántica y morfonología, caracterizadas por estudiar, respectivamente, los planos significativo y significante del lenguaje, se encuentran en una relación de cruce, y lo mismo respecto a la morfología y sintaxis, habida cuenta de que las dos pueden ser tanto léxicas como gramaticales.

2. Concepto y alcance del diccionario

2. La finalidad y resultado de toda actividad lexicográfica se centra, según hemos venido diciendo, en el diccionario, obra que a su vez representa la lexicografía como ciencia, esto es, como conjunto de conocimientos acerca del léxico. Pero ¿qué es un diccionario? ¿Cuáles son sus rasgos característicos? La pregunta, al menos a primera vista, puede resultar ociosa, pues ¿quién no va a saber qué es un diccionario, ese instrumento que nos resulta tan familiar en nuestras vidas? Pero la verdad es que, si nos paramos un poco, nos daremos enseguida cuenta de que aventurar una definición sería algo realmente arriesgado. La RAE, precisamente en su *Diccionario*, lo definía hasta hace poco así:

> Libro en que por orden comúnmente alfabético se contienen y explican todas las dicciones de uno o más idiomas, o las de una ciencia, facultad o materia determinada;

definición que ha dado pie a un interesante artículo de M. Alvar Ezquerra precisamente sobre el concepto de 'diccionario'[41]. La verdad es que este término, como hemos observado al principio, se aplica a realidades relativamente diferentes –el propio *Diccionario* de la

[41] Cfr. M. Alvar Ezquerra, «¿Qué es un diccionario? Al hilo de unas definiciones académicas», *LEA*, II (1980), págs. 103-118. No sabemos si influida por las críticas de Alvar Ezquerra, la Academia ha sustituido en las últimas ediciones del *Diccionario* la definición por esta otra:

> «Libro en el que se recogen y explican de forma ordenada voces de una o más lenguas, de una ciencia o materia determinada»,

que, a nuestro juicio, es sin duda peor, pues en realidad podría aplicarse a cualquier estudio sobre el léxico.

Academia (*DRAE*) da una segunda acepción–, de las cuales no es fácil abstraer las características comunes. Para nosotros quizás la característica esencial y que, a su vez, determina la especial estructura del diccionario es la posesión por parte de éste de una finalidad pedagógico-práctica. El diccionario, efectivamente, responde a unas necesidades concretas, a saber: resolver, en primer lugar, las dudas que acerca de las palabras concretas puedan presentársele al usuario de la lengua, y, en segundo término, tratar de que esa resolución sea lo más rápida, eficaz y precisa posible. Es justamente esto lo que determina, como decimos, que la estructura –o mejor, macroestructura– del diccionario esté concebida no contemplando globalmente el léxico, sino de un modo atomístico, esto es, considerando cada palabra separadamente y ordenando las entradas conforme a una pauta arbitraria, pero sencilla, a fin de facilitar la consulta.

2.1. *El diccionario, obra de consulta*

2.1. Como acabamos de ver, el concepto de diccionario no ha sido todavía definido satisfactoriamente. Todos conocemos y utilizamos esa obra, tan necesaria para nuestro desarrollo intelectual, pero, como ocurre con tantas realidades familiares, nos sería poco menos que imposible caracterizarla en unas pocas palabras. En términos generales, podría decirse que un diccionario, en sentido estricto, es una descripción del léxico concebida a modo de fichero, en que cada ficha viene a ser un artículo donde se estudia una determinada palabra. Esta particular estructura es consecuencia, como hemos dicho, de su finalidad pedagógico-práctica o, en definitiva, del hecho de ser una obra de consulta, pues todo diccionario está concebido para resolver dudas acerca del vocabulario de una lengua.

2.1.1. Las dudas que se le presentan al usuario pueden ser de muy diversa índole y, por lo tanto, un diccionario concreto nunca está en condiciones de resolverlas todas. Es precisamente en la capacidad de resolución de dudas donde reside uno de los principales factores diferenciadores de los diversos tipos de diccionarios y que a su vez constituye un criterio fundamental para determinar la calidad de los mismos. En general, dichas dudas pueden ser básicamente de dos tipos y, por lo tanto, el usuario, al consultar el diccionario, persigue estos dos objetivos: a) comprobar si un uso es correcto, es decir, si está aceptado por la comunidad hablante, o b) aprender a interpretar un determinado vocablo[42]. En el primer caso el diccionario desempeña un papel pasivo en cuanto que responde a la pregunta ¿Está empleada la palabra en la situación correcta? o ¿Está empleada la palabra en su sentido adecuado? En el segundo caso, por el contrario, el diccionario desempeña un papel activo puesto que constituye un medio de acrecentar los conocimientos léxicos del usuario de la lengua.

2.1.1.1. En este último caso, a su vez, las dudas pueden referirse al significado o al significante del vocablo. Es decir, el usuario conoce la realización fónica u ortográfica de la palabra, pero ignora lo que ésta significa o puede significar. Tal es la duda más frecuente que suele presentársele al que usa el diccionario. Se trata de **dudas de interpretación** o **de descodificación**. Pero también puede ocurrir lo contrario: que uno no alcance a encontrar la palabra adecuada para expresar una determinada idea, y, por lo tanto, su duda recae sobre el significante. Se trata entonces de **dudas de expresión** o **de codificación**. Naturalmente, el primer tipo de dudas suelen dársele al que actúa como lector u oyente, y las segundas al que habla o escribe. Pues bien, según que el diccionario responda a una u otra clase de dudas, tendrá que presentar una estructura y ordenación diferentes, distinguiéndose así el **diccionario alfabético**, de tipo semasiológico, esto es, donde se va de la palabra a la idea, del **diccionario ideológico**, de carácter onomasiológico, o sea, donde, al revés, se va de la idea a la palabra. Esto pone, por cierto, de manifiesto que la ordenación y estructuración de un diccionario, aunque no responda, como se ha dicho repetidamente, a criterios científicos, tienen una justificación práctica indiscutible.

2.1.1.2. Pero con las dudas de interpretación y expresión no se agotan todas las que pueden surgir en torno al aprendizaje e interpretación de un vocablo. Los diccionarios, efectivamente, pueden estar en condiciones de resolver muchas otras dudas como, por ejemplo, las concernientes al sentido o forma etimológicos de una

---

[42] Cfr. J. y C. Dubois, *Introduction à la lexicographie: le dictionnaire*, Larousse, Paris, 1971, pág. 12.

palabra, a su desarrollo histórico, a su carácter común, regional, familiar, poético, etc. y muchas cosas más. Tratar de enumerarlas todas sería excesivamente prolijo.

2.1.2. Fundamental y necesario, a este respecto, es que el que utiliza un determinado diccionario sepa en todo momento el tipo de información que éste puede y debe ofrecerle. La observación no es en absoluto trivial, si tenemos en cuenta que, por desgracia, no todo el mundo –incluso personas de formación universitaria– está en condiciones de utilizar adecuadamente un diccionario, pues o le pide demasiado, o desconoce la manera de encontrar en él la información que busca. De ahí, por ejemplo, que haya quienes piensan que la calidad de un diccionario depende del número de sus entradas, o menosprecien cierto diccionario porque no ofrece información acerca de un determinado término científico o técnico. Cada diccionario, como ya queda observado, no está jamás en condiciones de poder resolver todas cuantas dudas puedan presentársele al lector o hablante de una lengua, sino tan solo algunas, justamente aquellas para las que ha sido pensado y escrito. Esto equivale a decir que cada diccionario posee unas metas y fines específicos, que no pueden ser desconocidos ni olvidados por el usuario. En líneas generales, esas metas pueden reducirse a cuatro fundamentales: a) traducir de una lengua a otra, b) descifrar una terminología o vocabulario especial, c) dominar los medios de expresión que ofrece la lengua común, y d) aumentar los conocimientos sobre un determinado campo del saber humano[43]. Naturalmente, a un diccionario bilingüe, cuya finalidad específica es dar equivalencias léxicas de otra lengua, no se le puede exigir la definición de un vocablo en términos del idioma que sirve de entrada, como tampoco a un diccionario común puede pedírsele que nos informe sobre determinada cuestión geográfica o histórica, misión que corresponde a la enciclopedia o al diccionario enciclopédico.

2.2. *Factores determinantes del diccionario*

2.2. Así pues, un diccionario, según la finalidad concreta que persiga, ofrecerá un contenido y estructura diferente. De ahí la difi-

[43] *Ibid.*, pág. 7.

cultad de dar una caracterización general que, bajo ese punto de vista, sea válida para todo tipo de diccionarios. Lo único que puede señalarse como carácter invariable es su consideración atomística del vocabulario. Fuera de esto, todo diccionario viene determinado por una serie de factores variables, que son: a) la amplitud de entradas, en su doble vertiente, de número y extensión, b) el modo de tratar esas entradas, c) la ordenación a ellas aplicada, y, finalmente, d) el soporte –en papel o informático– de sus informaciones.

2.2.1. Condicionamientos externos aparte, como el público a quien va destinado el diccionario, el costo de éste, etc., la **amplitud de entradas** puede entenderse en dos vertientes, a saber, como número de entradas, esto es, cuantitativamente, así como también –y principalmente– desde un punto de vista cualitativo, atendiendo a la extensión o esfera léxica contemplada. El vocabulario estudiado puede, en efecto, referirse a la totalidad –lo que da lugar, como veremos, al diccionario general– o tan solo a una parcela, como ocurre en los diccionarios especiales; pero, cuantitativamente, en cualquiera de los casos puede pretender ser exhaustivo o, por el contrario, selectivo. En este último aspecto, hay que observar que la exhaustividad es, desde luego, imposible, ya que el número de palabras de una lengua no puede determinarse absolutamente, pues, como se dijo más arriba, el léxico constituye un sistema abierto, susceptible, por tanto, de incrementarse siempre con nuevos elementos. Tal circunstancia, por cierto, presta al diccionario un carácter de inacabado, esto es, susceptible de admitir siempre nuevas adiciones que no afectarán para nada a su estructura, carácter éste que, por cierto, lo diferencia de otras obras científicas.

2.2.1.1. Pero, contra lo que pudiera pensarse, el carácter abierto del léxico no depende únicamente de la posibilidad que los hablantes tienen de crear nuevas palabras, sino de las dificultades de precisar la realidad que llamamos *lengua*. Ésta ofrece, efectivamente, una gran variabilidad tanto en el tiempo como en el espacio y a través de los distintos estratos socio-culturales. Las variaciones de una lengua se encuentran en todos sus niveles o aspectos, pero de un modo especial en el léxico, cuyos elementos componentes son innumerables y, por lo tanto, difíciles –si no imposibles– de inventariar exhaustivamente.

2.2.1.2. Estas consideraciones nos llevan a precisar que una lengua no posee un único sistema léxico, sino, por el contrario, todo un conjunto de sistemas, difíciles de separar en la práctica, y que, muchas veces, el hablante utiliza simultáneamente[44]. Un diccionario general no puede, por tanto, circunscribirse a un único sistema léxico, sino que aspira a recoger todos aquellos vocablos que sean de dominio general e, incluso, en algunas ocasiones, relativamente particular; debe, no obstante, señalar en todo momento el sistema a que pertenece un vocablo, o acepción o uso de éste. Así pues, según eso, un diccionario se caracteriza generalmente por constituir un repertorio diasistemático del léxico, circunstancia que representa la principal dificultad para llegar a la elaboración del alguna vez pretendido «diccionario estructural».

2.2.2. Las entradas de un diccionario pueden considerarse bajo muy diversos puntos de vista. Por citar algunos, pueden tenerse en cuenta, por ejemplo, su evolución fonética y semántica, o estudiarse sincrónicamente según sus diversos sentidos y usos actuales, las situaciones en que se emplean, etc., o en comparación con otras palabras de idéntico o contrario significado. Como es obvio, cada uno de estos puntos de vista da lugar a diversos tipos de diccionarios. Añádase a todo esto que el diccionario, en lo concerniente a la redacción de sus artículos, ofrece un estilo propio y peculiar que lo constituye en una obra escrita especial[45]. Como carácter fundamental de este estilo, hay que indicar que todo diccionario, muy especialmente el de tipo monolingüe, es un estudio de un objeto lingüístico, el léxico, por medio del lenguaje, lo que equivale a decir que éste se utiliza con una función metalingüística. Por lo demás, la redacción ofrece unas características sintácticas también especiales; como afirma J. Rey Debove[46], cada artículo, en realidad, es una oración cuyo sujeto es la entrada, y el predicado toda la información dada acerca de ella.

2.2.2.1. Por otro lado, hay que observar que el enunciado lexicográfico ofrece por lo menos dos niveles metalingüísticos diferentes:

---

[44] Cfr. E. Coseriu, «Structure lexicale et enseignement du vocabulaire», en *Actes du Premier Colloque International de Linguistique Appliquée*, Nacy, 1966, pág. 199. Trad. española en *Principios de semántica estructural*, Gredos, Madrid, 1977, pág. 87 y ss.

[45] Cfr. J. y C. Dubois, *Op. cit.*, pág. 8. De género –o mejor dicho, subgénero– literario nos habla F. Abad Nebot (*Cuestiones de lexicología y lexicografía*, UNED, Madrid, 2000, pág. 354 y ss.).

[46] Cfr. J. Rey-Debove, «La définition comme interpretant», intervención en el Cercle de Sémiotique de Paris el 10 de enero de 1970.

un primer nivel, denominado por algunos **metalengua de contenido** o, también, **primera metalengua**[47], corresponderá a las definiciones, sirviendo, por tanto, para formular equivalencias semánticas (así,

> **Entrar** = pasar al interior),

y un segundo nivel, llamado **metalengua de signo** o **segunda metalengua**, estará representado por las indicaciones gramaticales, etimológicas, etc. que se dan del vocablo sometido a estudio (por ejemplo,

> **Entrar** = *verbo intransitivo, verbo de la primera conjugación, úsase también como transitivo,* etc.).

En el primer caso la palabra que sirve de entrada puede sustituirse en cualquier contexto por la perífrasis metalingüística (a menos que la definición no sea correcta), mientras que en el segundo caso no puede llevarse a cabo tal sustitución[48]. Por economía de espacio y, al mismo tiempo, por tener una importancia secundaria, la metalengua del segundo nivel suele reducirse en muchos casos a un conjunto de fórmulas y abreviaturas cuya explicación aparece siempre al principio del diccionario.

2.2.2.2. A propósito del estilo lexicográfico, hay que añadir además que en cada época ofrece características especiales. Así, por ejemplo, en un diccionario actual sería impensable la definición ofrecida por el *Diccionario de autoridades* a propósito de la palabra *gato*[49], ni, por supuesto, a nadie se le ocurriría hoy utilizar en un artículo lexicográ-

---

[47] Cfr. M. Seco, «Problemas formales de la definición», en *Estudios de lexicografía española,* Paraninfo, Madrid, 1987, pág. 22. Véase, no obstante, J. A. Porto Dapena, «Metalenguaje y lexicografía», *Revista de Lexicografía,* VI (1999-200), págs. 127-151, cuyas ideas se reproducen en el cap. 7 del presente libro.

[48] Así, mientras es posible la sustitución de *cima* por la definición ('parte superior de una montaña'), por ejemplo, en

> *Subimos a la* cima *de aquella montaña = Subimos a la* parte superior *de aquella montaña,*

no ocurre lo mismo con la preposición *de* ('indica la procedencia'):

> *Llegó ayer* de *Barcelona* = **Llegó ayer* indica la procedencia *Barcelona.*

[49] Reza así:

> **Gato.** Animal doméstico y mui conocido, que se cría en las casas, para limpiarlas de ratones y otras sabandijas. Tiene la cabeza redonda, las orejas

fico las disquisiciones etimológicas realizadas por Covarrubias en su *Tesoro de la lengua castellana.* Todo diccionario es, en efecto, producto de una cultura y, como tal, se hace siempre eco de las inquietudes, pensamiento y corrientes lingüísticas de la época en que fue escrito.

2.2.3. La arquitectura de un diccionario viene determinada por la **ordenación** a que hayan sido sometidas sus entradas. Por lo general, esa ordenación es la alfabética, aunque hay también otras, de las que la más importante es la ideológica. Por lo que toca a la ordenación alfabética ha sido tachada algunas veces de acientífica, toda vez que nada tiene que ver con la verdadera estructuración del léxico en el sistema lingüístico. Pero no hay que olvidar que la ordenación responde a unos fines metodológicos y prácticos que en nada afectan al contenido científico de la obra, el cual ha de manifestarse en los artículos lexicográficos correspondientes. Juzgar el carácter científico de un diccionario tomando como base el orden de sus entradas sería algo así como enjuiciar un tratado de Física o de cualquier otra disciplina científica por la disposición de sus partes o capítulos. El orden, efectivamente, es siempre algo relativo y hasta cierto punto arbitrario, máxime en una obra de tipo didáctico como es un diccionario. La ordenación alfabética, por su sencillez, es indudablemente la más adecuada para una obra lexicográfica.

2.2.4. Finalmente, otra característica variable de los diccionarios viene dada, según hemos visto, por el **soporte** empleado. Hasta hace pocos años éste no podía ser otro que el papel; es decir, todo diccionario consistía en un libro u obra impresa, integrado por uno o varios volúmenes generalmente de grueso tamaño y, por lo tanto, de no fácil transporte y manejo. Hoy, sin embargo, junto a este tipo de diccionarios, que todavía siguen siendo los más frecuentes, existen otros de carácter electrónico, grabados en el disco duro de un ordenador o en un CD-ROM, circunstancia que los hace, desde luego, mucho más manejables y, al mismo tiempo, con unas posiblidades de consulta mucho mayores y sin duda más efectivas, lo que les augura un positivo futuro.

---

pequeñas, la boca grande y rasgada, el hocico adornado por un lado y otro de unos bigotes a modo de cerdas: las manos armadas de curvas y agudas uñas, el cuerpo igual, y la cola larga. Relucenle los ojos en la oscuridad como si fueran de fuego: y tiene la lengua tan áspera, que lamiendo mucho en una parte la desuella y saca sangre. Hailos de varias colores.

2
TIPOS DE DICCIONARIOS

0.1. Según quedó caracterizado más atrás, el diccionario es una obra de consulta consistente en una descripción atomística del léxico y determinado, a su vez, por cuatro factores variables: a) el número y extensión de sus entradas, b) el modo de estudiarlas, c) la ordenación aplicada a las mismas, y, finalmente, d) el soporte de dicha descripción. Pero esto, que no pretende en absoluto ser una definición, corresponde únicamente al diccionario propiamente dicho, tal como lo entendemos corrientemente, pues no hay que olvidar que, a veces, con el vocablo *diccionario* se alude también a obras que no constituyen exactamente descripciones léxicas o se ocupan incluso de objetos ajenos por completo al lenguaje. De aquí no solo la dificultad de definir con precisión el concepto de 'diccionario', que por lo menos puede tomarse en dos sentidos, uno amplio y otro estricto, sino también la de establecer una clasificación completa de los diccionarios u obras lexicográficas en general.

0.2. Naturalmente, éstos pueden clasificarse desde muy diversos puntos de vista[1]. En realidad no existen tipos puros, sino que todo

[1] De la clasificación de los diccionarios se han ocupado, entre otros, K. Baldinger, «Alphabetisch oder begrifflich gegliedertes Wörterbuch», *Zeitschrift für romanische Philologie*, 76 (1954), págs. 521-536; Y. Malkiel, «Distinctive features in lexiocgraphy: a typological aproach to dictionaries exemplified with spanish», *Romance Philology*, XII (1958), págs. 366-399, y XIII (1959), págs. 111-155; del mismo autor, «A typological classification of dictionaries on the basis of distinctive features», en *Problems in lexicography, International Journal of American Linguistics*, Bloomington, 1962, págs. 3-24; T. H. Sebeok, «Materials for typology of dictionaries», *Lingua*, XI (1962), págs. 272-374; L. Guilbert, «Dictionnaires et linguistique. Essai de typologie des dictionnaires monolingues français contemporains», *Langue française*, 2 (1968), págs. 4-29; B. Quemada, *Les dictionaires du français moderne, 1539-1869: Étude sur leur histoire, leurs types et leurs méthodes*, Paris, 1968; J. Rey-Debove, «Le dictionnaire comme discours sur la chose et discours sur le signe», *Semiotica*, 1 (1969), págs. 185-195; J. y C. Dubois, *Introduction à la lexicographie: le dictionnaire*, Larousse, Paris, 1971, págs. 12-17; A. Rey, «Typologie génétique des dictionnaires», *Langages*, XIX (1970), págs. 48-68; L. Zgusta, *Manual of*

diccionario, según los aspectos bajo los que se considere, puede pertenecer al mismo tiempo a varias clases. En el presente capítulo vamos a establecer una tipología –ideal o teórica, no necesariamente centrada en los diccionarios reales existentes en nuestra lexicografía–, partiendo para ello de un concepto muy amplio de diccionario, esto es, como obra o resultado del quehacer lexicográfico.

1. Diccionarios no lingüísticos

1. De acuerdo con lo dicho, una primera distinción que cabe señalar es la que separa **diccionarios lingüísticos** y **diccionarios no lingüísticos**. Los primeros, que son los diccionarios propiamente dichos, se preocupan por el léxico de una o varias lenguas, en tanto que los segundos se interesan más bien por el estudio de la realidad misma. Dicho de otra manera, mientras un diccionario lingüístico estudia las palabras, un no lingüístico se ocupa de la realidad representada por éstas. La diferencia entre ambos tipos de obras es particularmente clara si se compara, por ejemplo, un diccionario histórico o etimológico con otro de carácter biográfico: mientras los primeros estudiarán la «vida» o desarrollo histórico de las unidades léxicas que sirven de entradas, el segundo narrará la vida de los personajes representados por los nombres que encabezan los artículos. La distinción, en definitiva, entre diccionarios lingüísticos y no lingüísticos se basa en la separación **signo - cosa**[2].

---

lexicography, págs. 198-221; del mismo autor, *Le lexique: images et modéles. Du dictionnaire à la lexicologie*, Paris, 1977, págs. 54-80; J. Fernández-Sevilla, *Problemas*, págs. 44-66; H. Henne, *Semantik und Lexikographie. Untersuchungen zur lexikalischen Kodification der deutschen Sprache*, Berlín-Nueva York, 1972, págs. 35-40; M. Alvar Ezquerra, *Proyecto de lexicografía española*, Planeta, Barcelona, 1976, págs. 14-21; del mismo autor, «La forma de los diccionarios a la luz del signo lingüístico», en *Aspectos del lexicografía contemporánea*, Biblograf, Barcelona, 1994, págs. 3-13; A. M. Al-Kasimi, *Linguistics and bilingual dictionaries*, Leiden, 1977, págs. 12-31; F. J. Hausmann, *Einführung in die Benutzung der neofranzösischen Wörterbücher* (Romanistische Arbeitshefte, 19), Tubinga, 1977; G. Haensch, «Tipología de las obras lexicográficas», en G. Haensch et al., *La lexicografía*, págs. 95-187 ; del mismo autor, *Los diccionarios del español en el umbral del siglo XXI*, Ediciones Univ. de Salamanca, Salamanca, 1997; J. Martínez de Sousa, *Diccionario de lexicografía*, s. v. diccionario, Biblograf, Barcelona, 1995.

[2] Cfr. J. Rey-Debove; «Le dictionnaire comme discours sur la chose et discours sur le signe», en *Semiotica*, I, 2 (1969), págs. 185-195.

1.1. *La enciclopedia*[3]

1.1. Entre los diccionarios no lingüísticos merece especial mención la **enciclopedia** por ser el más representativo. Por lo general suele consistir en una obra de gran extensión en la que se ofrecen, más o menos sintetizados con fines divulgativos, todos los conocimientos humanos, dispuestos por temas, que pueden aparecer ordenados por materias o, como es hoy habitual, alfabéticamente, lo que da lugar a dos tipos diferentes: la **enciclopedia sistemática** o **metódica** y la **alfabética**. En su aspecto externo –debido también a una finalidad pedagógico-práctica– esta última es muy semejante a un diccionario general de la lengua, del que, no obstante, difiere en tres puntos de vista fundamentales: a) en el número y tipo de entradas, b) en las definiciones, y c) en la información ofrecida en los artículos. Como ejemplos de enciclopedias, podemos citar, además de la *Enciclopedia universal ilustrada europeo-americana*, más conocida por el nombre de *Enciclopedia Espasa*, que sobrepasa los cien volúmenes y comenzó a publicarse entre 1905 y 1908 , la *Gran enciclopedia Ryalp*, de veinticuatro volúmenes (1971-77), y fuera de nuestras fronteras la famosa *Enciclopedia Británica*, que aparece por primera vez en el siglo XVIII.

1.1.1. Entrando con más detalle en las peculiaridades de la enciclopedia frente al diccionario lingüístico, lo primero que cabe observar es que puede admitir como entradas elementos que nunca aparecerían en un diccionario lingüístico por extenso que éste fuera. Prescindiendo de terminologías científicas y técnicas, cuya entrada en un diccionario general de la lengua ha de ser siempre restringida en tanto que en una enciclopedia puede ser total, algo en principio inadmisible en cualquier diccionario lingüístico es el cúmulo de nombres propios tanto de personajes como de lugares que normalmente aparecen registrados en las enciclopedias. Éstas,

---

[3] Cfr. J. Haiman, «Dictionaries and enciclopedias», *Lingua*, 50 (1980), págs. 329-358; A. Rey, *Enciclopedias y diccionarios*, Fondo de Cultura Económica, México, 1988; H. Hernández, «Diccionarios enciclopédicos», en *Aspectos de lexicografía contemporánea*, Biblograf, Barcelona, 1994, pág. 61-70; del mismo autor, «Del diccionario a la enciclopedia: los diccionarios enciclopédicos», en M. Almeida y J. Dorta (eds.), *Contribuciones al estudio de la lingüística. Homenaje al prof. R. Trujillo*, II, Monesinos, Tenerife, 1997, págs. 155-164; J. Gutiérrez Cuadrado, «Enciclopedia y diccionario», en E. Forgas (coord.), *Léxico y diccionarios*, Universitat Rovira i Virgili, 1996, págs. 133-159.

por consiguiente, ofrecen mayores posibilidades en cuanto al número de entradas, dado que estudian la realidad, siempre más amplia y compleja que el vocabulario.

1.1.2. En lo que se refiere a las definiciones, existen indudablemente grandes diferencias entre una enciclopedia y un diccionario lingüístico, y ello hasta el punto de que, como veremos, existen dos tipos fundamentales de definición lexicográfica: la **enciclopédica** y la **lingüística**. Mientras ésta consiste en una caracterización semántica de la palabra, la cual se definirá por las diferencias significativas respecto a las demás unidades del sistema léxico, la enciclopédica se basa en los caracteres de la realidad, o lo que es lo mismo, describe la cosa independientemente del vocablo que la representa. Así, por poner un ejemplo, a propósito de la entrada *sidra*, leemos lo siguiente en la *Enciclopedia Espasa*:

> La sidra es una bebida fermentada, ligeramente alcohólica, de un color ambarino, sana, tónica, higiénica, refrescante, de sabor agridulce y de un aroma muy agradable. A veces es espumosa y goza de ciertas propiedades terapéuticas.

Se trata, como puede verse, de una caracterización de la realidad que llamamos *sidra*, no del significado de este sustantivo, significado que vendría dado por los siguientes rasgos semánticos: a) 'bebida alcohólica' (por oposición a *agua, leche* y a toda palabra que indique una bebida no alcohólica), b) 'obtenida por fermentación del jugo de la manzana' (por oposición a *vino, cerveza* y en general a todo sustantivo que se refiera a una bebida alcohólica obtenida por fermentación). Su color, olor, sabor, etc. no interesan desde el punto de vista lingüístico, a menos que existiese alguna otra palabra para referirse a una bebida alcohólica también extraída de la manzana y que se diferenciase de la sidra por alguna de aquellas propiedades.

1.1.3. Los artículos de una enciclopedia, por otro lado, suelen ofrecer una mayor cantidad de información que los de un diccionario lingüístico, debido a que aquélla pretende siempre dar una síntesis de todo cuanto se sabe acerca del objeto expresado por la entrada. De ahí que un artículo enciclopédico no se limite escuetamente a ofrecer una definición, sino que a ésta añade multitud de datos de la más variada índole; así, en el caso de *sidra*, la *Enciclope-*

dia Espasa da información acerca de sus diversos tipos, elaboración, etc. Teniendo en cuenta, por otro lado, que una enciclopedia es un estudio de las cosas, éstas aparecen con frecuencia representadas por grabados, fotografías o dibujos, que sirven de complemento importante a la información. Frente a un diccionario de la lengua, donde ésta se utiliza, como ya se dijo, con una función metalingüística, en la enciclopedia no tiene otra misión que la que le corresponde normalmente: la de servir de medio de comunicación entre el autor y el lector de la obra. De ahí que, como bien observa Gutiérrez Cuadrado[4], una enciclopedia sea perfectamente traducible a otra u otras lenguas, en cambio el diccionario no: ¿qué sentido tendría, por ejemplo, traducir al inglés el *DRAE*? Evidentemente, el resultado sería un auténtico engendro.

1.2. *Un caso de hibridismo: el diccionario enciclopédico*

1.2. Estas diferencias, sin embargo, no siempre se mantienen en la práctica. De hecho, tanto los diccionarios propiamente dichos como las enciclopedias ofrecen con frecuencia rasgos del tipo contrario[5], lo que difumina los límites entre uno y otro tipo de obras, aunque no supone la confusión como sostiene Haiman[6]. Así, nada ha de extrañarnos que en el *DRAE* encontremos la siguiente definición de *gato*:

> Mamífero carnívoro, digitígrado, doméstico, de unos cinco decímetros de largo desde la cabeza hasta el arranque de la cola, que por sí sola mide dos decímetros próximamente; la cabeza redonda, lengua muy áspera, patas cortas, con cinco dedos en las anteriores y cuatro en las posteriores, armados de uñas fuertes, agudas, y que el animal puede sacar o esconder a voluntad; pelaje espeso, suave, de color blanco, gris, pardo, rojizo o negro. Es muy útil en las casas, por lo mucho que persigue a los ratones.

---

[4] Cfr. art. cit., pág. 144.

[5] Sobre este particular véase, por ejemplo, I. Anaya Revuelta, «Sobre el carácter enciclopédico de los diccionarios del español», *BRAE*, LXXX (2000), págs. 177-207.

[6] Me refiero a la polémica sostenida por este autor, a propósito del art. cit. (ver nota 3), con W. Frawley (cfr. «In defense of the dictionnary: A response to Haiman», *Lingua*, 55, 1981, págs. 53-61) con la contrarréplica de aquél («Dictionnaries and enciclopedias again», *Lingua*, 56, 1982, págs. 353-355).

Su carácter enciclopédico es indudable. Lingüísticamente, bastarían posiblemente dos palabras ('felino doméstico') para definir de un modo suficiente este vocablo. Por el contrario, en las enciclopedias es también muy frecuente encontrar definiciones de tipo lingüístico. Un caso típico de este hibridismo lexicográfico es el representado por el **diccionario enciclopédico**[7], consistente en una mezcla de diccionario y enciclopedia, y que frecuentemente se denomina simplemente **diccionario**.

1.2.1. Aunque a veces se aplican estos nombres a las propias enciclopedias por el hecho de ofrecer sus materiales en forma de diccionario, esto es, alfabéticamente, lo común es concebir el diccionario enciclopédico como un diccionario general de la lengua, al que se añade una buena cantidad de artículos enciclopédicos, como los referentes a términos científicos y técnicos, a nombres geográficos y personajes históricos. Su hibridismo viene aconsejado por razones puramente comerciales, ya que el público a que va destinado, a la hora de comprar un diccionario, prefiere aquel que ofrece mayor información –tanto lingüística como enciclopédica– al precio más asequible. De ahí que el diccionario enciclopédico suela ser además una obra de tamaño relativamente reducido en comparación con la enciclopedia. Entre los múltiples diccionarios de este tipo existentes en español, pueden citarse *El pequeño Espasa* (1994), el *Diccionario enciclopédico Salvat* (1993) o el *Diccionario enciclopédico Planeta Agostini* (1995)[8].

1.2.2. Desde el punto de vista técnico, el diccionario enciclopédico se caracteriza por reducir al máximo la parte enciclopédica de los artículos, cuyas informaciones suelen venir además acompañadas de ilustraciones que facilitan la comprensión. Evita, pues, disquisiciones científicas acerca de las realidades que estudia, y elimina, por otro lado, toda palabra arcaica y sentidos caídos en desuso. Al decir de H. Hernández[9], se trata de una obra heterogénea, que participa de las cualidades de un verdadero diccionario y de una ver-

[7] Cfr. I. Anaya Revuelta, «Los diccionarios enciclopédicos del español actual», *Revista de Lexicografía*, VI (1999-2000), págs. 7-35.

[8] Un repertorio bastante amplio puede encontrarse en G. Haensch, *Los diccionarios del español en el umbral del siglo XXI*, pág. 51.

[9] Cfr. H. Hernández, «Del diccionario a la enciclopedia», ya citado, pág. 160.

dadera enciclopedia; de ahí que, como observa A. Rey[10], en el diccionario enciclopédico se traten, por una parte, las palabras gramaticales de manera lingüística y los nombres, en cambio, de manera parcialmente enciclopédica. Añadamos, en fin, a todo esto, que se trata de una obra lexicográfica destinada al gran público, esto es, no especializado de cultura media.

1.3. *Los diccionarios terminológicos*

1.3. Caso digno de destacarse aquí, por los problemas de clasificación que plantea, es el de los diccionarios relativos a terminologías científicas y técnicas[11]. Dado que, como observa Coseriu[12], el vocabulario terminológico se estructura de un modo idéntico al de la realidad que representa, de suerte que **designación**, o relación entre el signo y la cosa, y **significación**, o relación entre significados, coinciden plenamente, todo diccionario terminológico es a la vez un estudio de las palabras y de las cosas; representa, por tanto, algo intermedio entre diccionario lingüístico y no lingüístico. Hasta qué punto es una u otra cosa resulta difícil de decidir *a priori.*

1.3.1. Las terminologías, en efecto, se diferencian del vocabulario corriente de la lengua en que se refieren a conceptos y realidades objetivamente estructuradas y, por tanto, su conocimiento depende del de esas realidades, no del de la lengua a la que per-

---

[10] Cfr. A. Rey, *Op. cit.*, pág. 33.

[11] Sobre el vocabulario científico y técnico existe una extensa bibliografía. Véase, entre otros, G. Gougenheim y P. Rivenc, «La préparation du vocabulaire scientifique général», *Cahiers de Lexicologie*, 3 (1962), págs. 94-98; S. Gili Gaya, «El vocabulario de la ciencia y la técnica», en *Presente y futuro de la lengua española*, II, Instituto de Cultura Hispánica, Madrid, 1964, págs. 269-276; J. Dubois, «Les problèmes du vocabulaire tecnique», *Cahiers de Lexicologie*, 9 (1966), págs. 103-112; M. F. Burrill y E. Bousack (Jr.), «Use and preparation of specialized glosaries», en *Problems in lexicography, International Journal of American Linguistics*, Bloomington, 1962, págs. 183-200; J. Fernández-Sevilla, *Problemas*, págs. 115-156. Una reseña bibliográfica muy completa sobre el particular se encuentra en el libro, ya citado, de M. Alvar Ezquerra, *Proyecto de lexicografía española*, págs. 264-265.

[12] Cfr. E. Coseriu, «Structure lexicale et enseignemente du vocabulaire», en *Actes du Premier Colloque International de Linguistique Appliquée*, Nancy, 1966, pág. 183. Ahora también en traducción española bajo el título «Introducción al estudio estructural del léxico», en *Principios de semántica estructural*, Gredos, Madrid, 1977, pág. 96.

tenecen. Parece, pues, que sólo el vocabulario corriente, que es de orden subjetivo, es el propiamente lingüístico y, como tal, el objeto exclusivo de un diccionario de la lengua. No obstante, como muy bien ha señalado Fernández-Sevilla[13], no existe un límite tajante entre el vocabulario objetivo y subjetivo de una lengua –pues de hecho se produce una simbiosis entre ambos–, y, por lo tanto, no parece adecuado, al menos desde un punto de vista práctico, negar carácter lingüístico a un diccionario que estudia términos de tipo científico o técnico.

1.3.2. A nuestro modo de ver, la decisión debe tomarse en cada caso concreto. Será lingüístico todo diccionario terminológico cuya pretensión exclusiva sea el estudio de un determinado vocabulario científico o técnico, mientras que habrá que negarle ese valor cuando su pretensión consista en dar unos conocimientos acerca de la realidad representada por ese vocabulario. Quiere esto decir que el ser o no lingüístico depende, en último término, de la intención del autor, cosa que, además, se manifestará en el modo de tratar las entradas: si los artículos consisten en meras definiciones, ausentes, por tanto, de toda explicación o pormenorización accesoria, el diccionario terminológico en cuestión tendrá carácter más bien lingüístico.

1.3.3. Como es obvio, existen diccionarios terminológicos sobre las materias más dispares: sobre arquitectura, derecho, filosofía, economía, lingüística, educación, tipografía, etc. Los hay incluso sobre actividades no científicas ni técnicas, como los deportes, la lidia o, por ejemplo, actividades puramente artesanales. En algunos casos estos diccionarios son bilingües o plurilingües al presentar los equivalentes terminológicos en otras lenguas.

2. Los diccionarios lingüísticos

2. Refiriéndonos ahora a los diccionarios lingüísticos, que son los que aquí más nos interesan, pueden clasificarse siguiendo varios criterios o puntos de vista: a) según **la perspectiva temporal** bajo la que consideran el vocabulario, b) según los cuatro criterios determinantes citados anteriormente, esto es, **volumen y extensión de las**

---

[13] Cfr. J. Fernández-Sevilla, *Op. cit.*, págs. 119-120.

entradas, el modo de tratarlas, la ordenación en que aparecen, y el **soporte** de sus informaciones, en tercer lugar, c) según el **nivel lingüístico** contemplado, y, por último, d) según **la finalidad y público** a que va destinado.

2.1. *Diccionario sincrónico y diacrónico*

2.1. Bajo la perspectiva temporal, un diccionario lingüístico puede estudiar el léxico sincrónica y diacrónicamente, esto es, en un momento determinado o a través del tiempo. Existen, según eso, dos clases o tipos de diccionarios: **diccionarios sincrónicos**, que estudian el vocabulario de una lengua considerada en una fase de su desarrollo histórico, y **diccionarios diacrónicos**, los que tienen en cuenta todo o parte del léxico de una lengua desde el punto de vista de su evolución semántica y fonética.

2.1.1. No vamos a entrar aquí en la discusión acerca del carácter irreductible, propuesto por Saussure, de la oposición **sincronía - diacronía**[14]. Bástenos con observar que la sincronía en lexicografía es algo bastante relativo. Teóricamente, en efecto, la sincronía correspondería a un punto de tiempo y, por lo tanto, un diccionario sincrónico tendría que consistir en la consideración del léxico en un momento en que no se diera sucesión temporal. Pero, como afirma Zgusta[15], un lexicógrafo sería incapaz de realizar un estudio de ese tipo, ya que un diccionario, por poca extensión que tenga, necesita años para componerse, de modo que, desde que se inicia hasta el momento de su terminación, la lengua, lógicamente, habrá evolucionado. Así pues, al hablar de diccionarios sincrónicos, hemos de entenderlos como estudios del vocabulario relativo a una época más o menos extensa, en la que los cambios en el nivel léxico no hayan sido demasiado significativos. Un diccionario sincrónico así entendido no tendrá, pues, inconveniente en registrar, junto al neologismo más reciente aceptado por la lengua, todo

---

[14] Cfr. F. de Saussure, *Curso de lingüística general*, Losada, Buenos Aires, 1945, pág. 146 y ss. Véase también W. von Wartburg, *Problemas y métodos de la lingüística*, C.S.I.C., Madrid, 1951, págs. 230-231; Ch. Bally, «Sincronie et diacronie», *Vox Romanica*, II (1973), pág. 55 y ss.; E. Coseriu, *Sincronía, diacronía e historia*, Montevideo, 1958 (2ª ed. Gredos, Madrid, 1973).

[15] Cfr. L. Zgusta, *Manual*, pág. 190.

un conjunto de palabras y usos arcaizantes, siempre que éstos se utilicen así sea esporádicamente.

2.1.2. Por lo que se refiere a los diccionarios diacrónicos[16], vienen distinguiéndose dos tipos fundamentales : los **históricos** y los **etimológicos**, cuya distinción por cierto puede no resultar clara a primera vista, puesto que tan impensable puede parecer que un diccionario histórico prescinda de la etimología como que un etimológico no se ocupe en alguna media de la historia de las palabras. En teoría, desde luego, un diccionario histórico se ocupará, con carácter primordial, de la historia de los vocablos, es decir, desde que aparecen en la lengua hasta el momento actual o de su desaparición, en tanto que un diccionario etimológico centrará, fundamentalmente, su atención en la etimología u origen de las palabras, esto es, en lo que podríamos llamar su prehistoria[17]. Para resolver, sin embargo, posibles equívocos, conviene añadir que un diccionario no es etimológico simplemente porque informe sobre la etimología de las palabras –por ejemplo el *DRAE* informa sobre este particular y, sin embargo, a nadie se le ocurriría considerarlo un diccionario etimológico–, como tampoco, por supuesto, es histórico porque registre testimonios escritos correspondientes a diferentes épocas del idioma, caso en el que se encuentra, por ejemplo, el *Diccionario de autoridades.* Para que un diccionario pueda clasificarse como histórico o etimológico, dichas informaciones tienen que representar el centro o principal foco de atención del mismo y, por supuesto, ni siquiera es necesario que tales calificaciones aparezcan en su título; como tampoco ocurre lo contrario: un diccionario no es histórico ni etimológico por el simple hecho de que así se haga constar en su portada[18].

---

[16] Cfr. J. A. Porto Dapena, «Diccionarios históricos y etimológicos del español», en *Cinco siglos de lexicografía del español, IV Seminario de Lexicografía Hispánica,* Jaén, Univ. de Jaén, 2000, págs. 103-125.

[17] Cfr. L Zgusta, *Manual,* págs. 202-203.

[18] Esto en realidad no solo es aplicable a los diccionarios históricos y etimológicos, sino en general a todo tipo de diccionarios. Hay que tener en cuenta que los títulos tienen por lo general un objetivo eminentemente comercial y, por lo tanto, pueden resultar engañosos en el sentido de que abren a veces expectativas que de hecho no cumplen. No son, pues, los títulos sino las características internas de la obra lexicográfica lo que decide su pertenencia a una u otra clase de diccionarios. Es más, como ya hemos sugerido antes, de hecho ni siquiera lo que muchas veces se comercializa bajo del nombre de *diccionario* constituye un verdadero diccionario.

2.1.2.1. Y, precisamente, esto último es patente hablando de diccionarios históricos, al ser llamadas así a veces obras que ni siquiera son diccionarios propiamente dichos. La denominación, en efecto, se ha empleado de hecho alguna vez como equivalente a «diccionario de historia», esto es, para referirse a una obra de carácter enciclopédico en la que se da cuenta, por orden alfabético, de hechos o personajes históricos. Y, desde luego, puestos a buscarle los tres pies al gato, sería a su vez perfectamente lícito calificar de «histórico» cualquier diccionario importante o de una especial relevancia, en atención a que, según el significado de este adjetivo, se trataría de algo «digno, por la trascendencia que se le atribuye, de figurar en la historia»[19].

2.1.2.2. Pero aun con referencia a diccionarios lingüísticos, a veces se consideran históricos –es cierto que sin demasiado rigor, pero en una interpretación sin duda aceptable si entendemos la denominación en un sentido muy amplio– ciertos diccionarios por el hecho de estar elaborados siguiendo un método histórico, circunstancia que nos lleva a la necesidad de distinguir entre **diccionarios históricos propiamente dichos** y **diccionarios metodológicamente históricos** –quizás sería preferible llamarlos, según veremos, **diccionarios pancrónicos**– que, si bien, frente a los primeros, no tienen como objetivo primordial el estudio del desarrollo histórico de las palabras, tal desarrollo aparece de alguna manera reflejado en ellos porque se basan en textos procedentes de todas las épocas del idioma. Así, por ejemplo, pertenece al primer tipo el *Diccionario histórico de la lengua española* (*DHLE*), que desde los años cuarenta está elaborando la RAE, mientras que el *Diccionario de construcción y régimen* (*DCR*) de Cuervo es un diccionario metodológicamente histórico[20].

2.1.2.3. Según M. Seco[21], un diccionario histórico (entiéndase en su sentido más estricto) ha de poseer dos características funda-

---

[19] Cfr. *DRAE*, s.v. *histórico*.

[20] Precisamente el no reconocimiento de este hecho llevó a J. Bernal a suscitar una polémica con M. Seco, al no considerar éste el *DCR* entre los históricos. Véase el artículo del primero, «Un olvido imperdonable», *Thesaurus*, XXXVI (1981), págs. 335-338, y la respuesta del segundo, «Cuervo y la lexicografía histórica», *Thesaurus*, XXXVII (1982), págs.647-652 (también en su libro *Estudios de lexicografía española*, Paraninfo, Madrid, 1987, págs. 90-94).

[21] Cfr. M. Seco, «Los diccionarios históricos», en *I Seminario de Lexicografía Hispánica*, Fac. de Humanidades, Jaén, 19912, pág. 94.

mentales: por una parte será un **diccionario de lengua**, entendiendo por tal el que versa sobre la totalidad del léxico y se propone dar una explicación de los contenidos del mismo, y, por otra, estará hecho siguiendo un **método histórico**. Expresado en otros términos, los diccionarios históricos propiamente dichos son «tesoros» o diccionarios totales; esto es, estudian el léxico de una lengua sin restricción alguna tanto en su perspectiva espacial y social como sobre todo temporal: se refieren al léxico de todos los tiempos, el que la lengua –entendida como «lengua histórica»– tiene y ha tenido. Y como consecuencia de ello un diccionario histórico tendrá que estar hecho a su vez siguiendo un método histórico, el cual no consiste en otra cosa que en atestiguar en cada momento de la evolución de la lengua la presencia del vocablo mediante textos o citas tomados de la lengua escrita. En resumidas cuentas, la primera característica propuesta por el maestro Seco se refiere a la macroestructura o nomenclatura del diccionario, la cual no se hallará sometida a restricción alguna, y la segunda, a la microestructura, esto es, a las características internas de cada artículo lexicográfico, en el cual aparecerá en sucesión cronológica la evolución semántico-morfológica (y ortográfica) del vocablo en cuestión, y todo ello debidamente autorizado mediante textos oportunamente fechados.

2.1.2.3.1. De acuerdo con esto, los diccionarios metodológicamente históricos no cumplirían la primera característica: se trataría siempre de diccionarios de carácter restringido o especial, puesto que tan solo se ocuparían de un determinado tipo de palabras. Pero esto, aunque frecuente, no es necesariamente así, porque un diccionario que contemple la generalidad del léxico puede asimismo ser tan solo metodológicamente histórico; en todo caso pensamos que tanto el carácter general y –tan solo intencionalmente– exhaustivo del diccionario propiamente histórico como el parcial del que lo es tan solo metodológicamente no serían más que consecuencias de los que, creemos, son, según ya sugerimos antes, verdaderos caracteres diferenciadores entre estos dos subtipos de diccionarios: según observábamos, el primero tendrá como objetivo primordial el desarrollo histórico del vocabulario, lo que impide la existencia de restricciones en el estudio del mismo, mientras que el segundo tiene como principal otro u otros objetivos, los cuales podrían, aunque no necesariamente, actuar como criterios restrictivos a la hora de establecer la correspondiente nomenclatura. Digamos, para concluir, que la utilización del método histórico en el primero de estos tipos de diccionarios es consustancial con sus propios objetivos, mientras que no ocurre lo mismo en el segundo, donde constituye una pura opción metodológica; no se pretende, en fin, en este último caso estudiar la historia del léxico considerado, sino describir una situación basándose en textos tomados de todas las épocas del idioma. Por eso sería tal vez preferible hablar de diccionarios pancrónicos –o quizás acrónicos– más que de verdaderos diccionarios históricos y de carácter por tanto diacrónico.

2.1.2.3.2. Concretando más las características del diccionario histórico en su sentido más estricto frente a otros diccionarios diacrónicos, podemos establecer lo siguiente :

1º Un diccionario histórico es un diccionario general y exhaustivo, esto es, no presenta ningún tipo de restricción en su macroestructura, representada por las palabras pertenecientes a todas las épocas del idioma.

2º Es, por otro lado, un diccionario de citas o autoridades en la medida en que presenta textos, pertenecientes a todas las épocas del idioma, que autorizan o atestiguan la existencia o presencia del vocablo a lo largo del tiempo.

3º Un diccionario histórico se interesa muy fundamentalmente por la datación de la palabra tanto en su primera aparición como en las distintas etapas de su evolución.

4º En definitiva, un diccionario histórico en su microestructura pretende reconstruir todo el proceso evolutivo, sometiendo las distintas acepciones y subacepciones de cada palabra a una ordenación histórica o histórico-genética.

2.1.2.4. No obstante, esta última característica no es común a todos los diccionarios históricos, los cuales, siguiendo también a M. Seco[22], pueden clasificarse en cuatro modalidades diferentes: a) la primera, en que, efectivamente, se muestra la evolución semán-

[22] Cfr. M. Seco, «Los diccionarios históricos», en *Estudios de lexcografía española*, Paraninfo, Madrid, 1987, págs. 51-54, y, del mismo autor, «Los diccionarios históricos», en *I Seminario de Lexicografía hispánica*, ya citado, págs. 96-98.

tica de las palabras en una ordenación cronológica de sus correspondientes acepciones, y que llamaremos por ello **diccionario histórico de evolución semántica**; b) una segunda, representada por un diccionario dividido en su macroestructura en una sucesión de épocas, de modo que viene a consistir en una serie de diccionarios sincrónicos, razón por la que se ha propuesto la denominación de **diccionario sincrónico-diacrónico**, aunque quizás mejor sería llamarle **diccionario histórico de sincronías**; c) por su parte la tercera modalidad no se preocupa por la evolución semántica, limitándose a documentar históricamente y sin cortes cada una de las acepciones de las palabras, y, por lo tanto, podríamos hablar de **diccionario histórico documental**, y, finalmente; d) la cuarta, en que, como en la segunda, también el desarrollo histórico se somete a una serie de cortes, pero con la diferencia de que éstos se producen en la microestructura, esto es, en el interior de cada artículo, lo que viene determinado por el carácter a su vez normativo de este tipo de diccionario, que por tanto cabe denominar **diccionario histórico-normativo.** Como ejemplos de cada una de estas modalidades de diccionario histórico cabe señalar, respectivamente, el *Oxford English Dictionnary*, publicado entre 1884 y 1928, el *Trésor de la langue française*, comenzado en 1971, el *Diccionari català-valencià-balear* (1930-1962) de Alcover y Moll, y el *Dictionnaire de la langue française* (1863-1873) de É. Littré.

2.1.2.5. Y dicho esto, pasamos a ocuparnos a continuación del otro tipo de diccionarios diacrónicos del español: los **etimológicos**[23]. A este propósito lo primero que hay que decir es que así como los diccionarios históricos surgen como consecuencia de unas preocupaciones en materia de lingüística, de modo que pueden considerarse en cierto modo hijos o consecuencias del historicismo lingüístico iniciado en el siglo XIX, no se puede decir lo mismo de los diccionarios etimológicos, aun cuando éstos adquieren también su pleno y verdadero desarrollo a partir de esa misma corriente lingüística. La preocupación, en efecto, por la etimología se remonta, como es sabido, al propio Platón, quien en el Crátilo defiende la tesis analogista de que la forma de las palabras determina su naturaleza y significado, lo que implica que el verdadero sentido de

[23] Sobre su clasificación se ha ocupado Y. Malkiel (*Etymological dictionaries. A tentative typology*, Chicago-Londres, 1976).

éstas ha de ser determinado a través de su forma gráfica o fónica: no hay que olvidar que, etimológicamente, la palabra *etimología*, significa algo así como 'tratado del verdadero significado'. La práctica etimológica, siguiendo más o menos de cerca esta doctrina, no faltó a lo largo de toda la historia de la lingüística, aunque a decir verdad se convirtió en un puro juego de ingenio y adivinación –recuérdense las palabras de Quevedo al afirmar de los etimólogos que «dicen que averiguan cuanto inventan»–, hasta que en el siglo XIX con el descubrimiento de las leyes fonéticas se pudo desarrollar un método objetivo y científico para, por evolución, explicar las palabras a partir de un origen o étimo.

2.1.2.6. Esto supuesto, en el desarrollo de la lexicografía hay que distinguir al menos dos tipos de diccionarios etimológicos, correspondientes respectivamente a dos momentos o épocas claramente diferenciadas: los diccionarios anteriores al siglo XIX, en los que la etimología, aparte de no ser con frecuencia su único y principal objetivo, sigue el procedimiento platónico de relacionar las palabras, mediante todo tipo de artificios, con un pretendido origen, a veces absolutamente descabellado[24], y que, por lo tanto, podemos llamar **diccionarios paraetimológicos** o **pseudoetimológicos**, frente a los **etimológicos propiamente dichos**, de carácter científico, producidos a partir de los métodos histórico-comparativos de la lingüística del siglo XIX. Pero todavía dentro de estos últimos conviene distinguir entre **diccionarios etimológicos**, que lo son esencialmente porque su objetivo fundamental –y a veces único– es el estudio de las etimologías, como es el caso del *Diccionario crítico-etimológico castellano e hispánico* (*DCECH*) de J. Corominas y J.A. Pascual, y **diccionarios con etimologías**, esto es, diccionarios que, como por ejemplo el *DRAE*, ofrecen información sobre la etimología de los vocablos que estudian sin que ello constituya su meta fundamental. En relación con los primeros, cabe todavía clasificarlos, siguiendo a L. Zgusta[25], en **etimológicos** en sentido estricto y **comparativos** o, como los prefiere llamar García de Diego, **acumulativos**, porque acumulan o comparan los resultados del mismo étimo en diferentes lenguas o dialectos. Estos últimos suelen ser **deductivos**, porque

[24] Recuérdese, por ejemplo, la famosa etimología que el propio Platón da del nombre del dios *Dionusos* (<*didus ton oinon* 'el que da el vino'), o la dada por los gramáticos latinos para la palabra *cadaver* (<*car(o) da(ta) ver(mibus)* 'carne dada a los gusanos').

[25] Cfr. L. Zgusta, *Manual*, pág. 200.

las entradas vienen marcadas por los étimos o lengua de origen, frente a los otros, de carácter **inductivo**, en que, por el contrario, las entradas vienen dadas por los resultados o palabras cuya etimología se estudia. Precisamente el *Diccionario etimológico español e hispánico* (*DEEH*), del que es autor V. García de Diego, presenta esta doble configuración al estar estructurado en dos partes, constituidas, respectivamente, por un diccionario etimológico en sentido estricto y otra de tipo comparativo o acumulativo.

2.2. *Clasificación por el volumen y extensión de las entradas*

2.2. Pasando ahora a tratar la clasificación desde el punto de vista del volumen y extensión de las entradas, lo primero que hay que decir es que no deben confundirse estos dos aspectos. Con el término *extensión* nos referimos a la amplitud o delimitación del conjunto léxico por ellas abarcado, mientras que con *volumen* aludimos a la cantidad de entradas en relación con la totalidad de ese conjunto léxico. De acuerdo con esto un diccionario puede tener una gran amplitud y, sin embargo, ser relativamente pequeño en tamaño y, consiguientemente, registrar pocas palabras; por el contrario, puede haber diccionarios compuestos por varios volúmenes y referirse, sin embargo, a un espectro léxico muy restringido. De acuerdo con el volumen de entradas un diccionario puede pretender la exhaustividad, esto es, el estudio de la totalidad del conjunto léxico ya delimitado, o, como es lo normal, ser selectivo, esto es, fijarse únicamente en ciertos componentes de ese conjunto. Atendiendo, por su parte, al punto de vista de la extensión, los diccionarios pueden clasificarse, a su vez, bajo dos criterios: a) por el **número de lenguas** que se toman en consideración, y b) por la **extensión del conjunto léxico** contemplado.

2.2.1. Bajo el primero de estos criterios, los diccionarios pueden ser **monolingües** o **unilingües, bilingües** y **plurilingües** o **polilingües**, también llamados antiguamente **políglotas**. Como sus propias denominaciones indican, los primeros tienen por objeto el estudio del léxico de una lengua, mientras que los bilingües y plurilingües se ocupan del de dos o más lenguas. Esta distinción fundamental viene, por lo demás, acompañada de las siguientes diferencias de tipo externo:

1ª En primer lugar, en un diccionario monolingüe la lengua se halla empleada con una función metalingüística, puesto que se trata de una descripción del léxico mediante la lengua de que éste forma parte. Aunque en el diccionario bilingüe también se da esta misma función metalingüística, se produce, sin embargo, en un nivel más general, el del lenguaje, puesto que la lengua que describe es distinta de la descrita. En este caso existen, efectivamente, dos lenguas, a saber: una **lengua de entrada** o **de partida** (aquella cuyas unidades léxicas se toman como entradas del diccionario) y una o varias **lenguas de llegada**, también llamadas **lenguas meta**, las cuales tienen como función la de traducir dichas entradas.

2ª Por otro lado, un diccionario monolingüe ofrece en cada artículo el significado o significados de la palabra mediante un sistema de definiciones, que en un diccionario bilingüe o plurilingüe resulta innecesario. Éstos, en efecto, se contentan normalmente con indicar al lado de cada entrada los términos de significado equivalente en la o las lenguas de salida. Tan solo en casos muy esporádicos –cuando en la lengua de salida no existe un vocablo equivalente– definen verdaderamente el significado de la palabra.

3ª Por último, estos tres tipos de diccionarios se diferencian, además, por la finalidad que persiguen. Un diccionario bilingüe tiene por objeto servir de instrumento en la traducción de una a otra lengua, por lo que representa un imprescindible elemento, por ejemplo, en la enseñanza de idiomas extranjeros. Por su parte los plurilingües, aunque muy semejantes al bilingüe, tienen por lo general una meta más específica: se trata comúnmente de diccionarios referentes a terminologías científicas o técnicas y, por tanto, su finalidad se reduce a servir de instrumento de trabajo a técnicos y científicos. Por su parte el diccionario monolingüe se propone informar al usuario acerca del léxico de su propia lengua.

2.2.2. Desde el punto de vista de la amplitud del léxico contemplado, los diccionarios pueden clasificarse en **generales** y **particulares** o **restringidos**, llamados también **especiales**. Hemos de insistir en que los términos *general* y *particular* no suponen mayor ni menor número de entradas, sino una diferencia de amplitud en la esfera léxica considerada. Esto supuesto, **diccionario general** es el que estudia el léxico de una lengua en toda su amplitud, esto es, sin limitación alguna, mientras que un **diccionario particular** o **especial** tan solo se ocupa de una determinada parcela del vocabulario, respondiendo, por tanto, a una delimitación previa del conjunto léxico descrito. Por ejemplo, un diccionario general de carácter sincrónico atenderá básicamente al léxico correspondiente a la variedad estándar, especialmente en su registro culto, aunque hará concesiones a otros registros –al coloquial o familiar sobre todo– y a variedades subestándar, esto es, diatópicas y diastráticas de la lengua. Así, un diccionario general, como es, pongamos por caso, el *DRAE*, al lado de las palabras tradicionales y comunes recoge algunos tecnicismos, dialectalismos (sobre todo pertenecientes a la variedades americanas), arcaísmos, etc. Evidentemente, en caso de ser diacrónico, un diccionario general constituirá un verdadero diccionario histórico, donde todas las viariedades diatópicas –y lo mismo las diastráticas, diafásicas, etc.– estarán al mismo tiempo registradas[26]. Cabe, finalmente, señalar como característica importante del diccionario general, frente al restringido, su autosuficiencia, es decir, que las palabras empleadas en la microestructura aparecen como entradas en la macroestructura, característica esta que, lógicamente, no se le puede pedir a un diccionario restringido, el cual viene a ser como una especie de apéndice o ampliación de los diccionarios generales de la lengua en cuestión.

2.2.2.1. Notemos de todas formas que el hecho de que un diccionario general se refiera al léxico sin limitaciones o restricciones no implica que lo estudie exhaustivamente. Como ya hemos dicho, la exhaustividad es prácticamente imposible, dado que el léxico constituye un sistema abierto y, por lo tanto, imposible de inventariar de un modo absoluto. Así pues, solo teóricamente cabe clasificar los diccionarios en **exhaustivos** y **selectivos** como hace, por ejemplo, Haensch[27], puesto que en la práctica todos, incluidos los generales, pertenecen a la segunda clase. Cabe, no obstante, establecer una sub-

---

[26] Sobre el concepto de 'diccionario general' véase G. Haensch, *Los diccionarios*, pág. 148.

[27] Cfr. G. Haensch, *Lexicografía.*, pág. 95, nota 1.

clasificación de estos últimos, basándonos precisamente en el volumen o cantidad de sus entradas, la cual, por cierto, se refleja asimismo con frecuencia en el tamaño de la obra lexicográfica, a saber: **tesoro** (**tesauro** o **thesaurus**), **diccionario manual**, **diccionario de bolsillo** y **diccionario abreviado**.

2.2.2.1.1. Cuando un diccionario general llega al más alto grado de extensión o cantidad de entradas decimos que se trata de un **tesoro** o **thesaurus**[28]. Desde el punto de vista externo, se caracteriza por sus grandes dimensiones –generalmente varios volúmenes– y, en cuanto a su contenido, por ofrecer información no solo acerca de los vocablos existentes actualmente en la lengua, sino sobre el léxico de todos los tiempos, apoyándose para ello en textos escritos e incluso, a veces, orales. Se trata, por tanto, de un diccionario de tipo histórico y de ejemplos o citas. Es obra de difícil manejo, destinada más bien al especialista que al hombre de la calle. En la actualidad este tipo de diccionario, dada su enorme complejidad, resulta inconcebible si no se realiza con medios electrónicos[29]. Es más, en un futuro más o menos próximo, en lugar de publicarse en forma de libro, un diccionario así no consistirá en otra cosa que en una base de datos contenida en un gran ordenador y al que se pueda acceder, por ejemplo, a través de Internet.

2.2.2.1.2. Para la consulta rápida suele utilizarse especialmente otro tipo de diccionario general, que, por su tamaño más reducido y agilidad en el tratamiento de las entradas, se denomina **manual**, aun cuando dentro de esta categoría existe una gama inmensa en cuanto a tamaño y, por tanto, manejabilidad. Frente al tesoro, un diccionario manual es siempre sincrónico –versa fundamentalmente sobre el léxico actual– y no suele llevar citas o tex-

[28] Notemos que esta denominación no siempre se utiliza con el mismo sentido en lexicografía: en tiempos pasados, desde la época renacentista, se aplicaba a cualquier diccionario monolingüe (piénsese, por ejemplo, en el *Tesoro* de Covarrubias) y actualmente también se llama así a veces a un diccionario consistente en la recopilación de las informaciones ofrecidas por diversas obras lexicográficas; tal es el caso del *Tesoro lexicográfico* de Gili Gaya.

[29] Tal es, en efecto, el procedimiento seguido, por ejemplo, en la elaboración del *Trésor de la langue française*, así como del tesoro de la lengua italiana que está llevando a cabo la Academia della Crusca. Un proyecto para el español, siguiendo el mismo procedimiento, es el de M. Alvar Ezquerra en su libro *Proyecto de lexicografía*, ya citado.

tos tomados como ejemplos. Por lo demás, presta atención no solo al vocabulario común y general, sino también a muchos vocablos particulares referentes a áreas geográficas concretas, variedades socioculturales y profesionales, así como a algunos términos científicos y técnicos, siempre que hayan alcanzado una importante difusión. También estudia las locuciones y frases hechas en general. Buen ejemplo de este tipo de diccionario lo tenemos, como hemos visto, en el diccionario vulgar de la Academia o *Diccionario* de la Academia por antonomasia (*DRAE*), aunque ésta llama más específicamente así a otro de sus diccionarios, el *Diccionario manual e ilustrado de la lengua española* (*DMILE*), que sin duda pertenece también a esta categoría, ya que, pese a sus evidentes diferencias respecto al *DRAE* (menor tamaño, ilustraciones, sin etimologías, etc.), responde sin duda a las características apuntadas.

2.2.2.1.3. Llamamos **diccionario de bolsillo** al de tipo general de pequeñas dimensiones. En cuanto a su contenido, se caracteriza por estudiar las palabras de uso más frecuente y, en el caso de vocablos polisémicos, señalar únicamente las acepciones más corrientes; las definiciones se sustituyen en la mayor parte de los casos por meras equivalencias sinonímicas o parasinonímicas y, si el diccionario es de tipo bilingüe, por los términos correspondientes de la lengua de llegada. Se trata normalmente de una obra sin grandes pretensiones, de carácter elemental y frecuentemente de baja calidad, escrita generalmente con puros fines comerciales, y dirigida generalmente a un público joven, no demasiado exigente. Cabe citar particularmente entre estos diccionarios los destinados al consumo turístico, llamados por ello **diccionarios turísticos**[30].

2.2.2.1.4. A veces ocurre que un mismo diccionario se presenta en dos o más tamaños, circunstancia que obedece a puras razones comerciales para atender a las demandas de un público variado. Surgen así, por ejemplo, los **diccionarios abreviados**, como los recientemente aparecidos del *DUE* de M. Moliner y del *DEA* de M. Seco y otros.

2.2.2.2. En relación con los **diccionarios particulares** o **restringidos**, que si son poco extensos suelen recibir el nombre genérico

[30] Cfr. G. Haensch, *Los diccionarios*, pág. 140.

de **vocabularios**, ya hemos dicho que se refieren tan solo a una parcela del léxico de una lengua. La extensión y límites de esa parcela son, como puede suponerse, muy variables, dependiendo en cada caso concreto de las intenciones del lexicógrafo. Excusamos decir, pues, que existe una enorme variedad de diccionarios restringidos, imposible de reducir a una clasificación detallada y exhaustiva. Podemos, no obstante, dividirlos en dos grupos, según el tipo de restricción adoptada. Ésta, en efecto, puede ser **externa**, esto es, relativa al ámbito social, cultural, geográfico, científico-técnico, la obra de un determinado autor, etc., así como a las distintas parcelas de la realidad, o de orden **interno**, es decir, atendiendo a un aspecto o conjunto de aspectos específicamente lingüísticos de las entradas. Así pues, existen **diccionarios particulares de restricción externa** y **diccionarios particulares de restricción interna**.

2.2.2.2.1. Entre los pertenecientes al primer grupo, podemos citar, ante todo, los referentes a variedades diatópicas, diafásicas y diastráticas, entre los que cabe destracar especialmente los **diccionarios dialectales** junto a los **de jergas** o los **profesionales**. También aquellos que se refieren al léxico de una determinada materia científica o técnica, esto es, los **diccionarios terminológicos** en su vertiente más específicamente lingüística, de los que ya nos hemos ocupado anteriormente (§1.3.2) y a los que podríamos añadir los **diccionarios onomásticos** junto con los que Haensch llama **diccionarios de normalización**. Veamos con un poco más de detenimiento algunos de estos tipos:

a) Un diccionario dialectal, como su misma denominación indica, estudia el léxico de un dialecto o variedad especial, y puede ser, a su vez, **contrastivo**, también llamado **diferencial**, y **no contrastivo** o **integral**[31]. En el primer caso considera el vocabulario «en contraste» con la lengua común o estándar, es decir, estudia tan solo los vocablos –y acepciones– exclusivos o propios de esa variedad y que, normalmente, no se encuentran en un diccionario general de la lengua. Lo normal es que un diccionario dialectal responda a esta característica, dado que un diccionario no contrastivo atenderá tanto al no estándar como al estándar, convirtiéndose así en un

[31] Cabe también aplicar el calificativo de *integral* a un diccionario que, en su microestructura, pretenda un estudio integral de la palabra, esto es, desde todos los puntos de vista posibles (véase más adelante, § 2.4.1).

diccionario general *sui generis*. Un ejemplo de este último lo tenemos en el *Diccionario del español de México*, en fase de elaboración bajo la dirección de L. F. Lara[32]. Diccionarios típicamente contrastivos son, por el contrario, los numerosos diccionarios de americanismos, entre los que cabe citar muy especialmente los que, bajo la dirección de G. Haensch y R. Werner, se están elaborando en la Universidad de Augsburgo, algunos ya publicados como los relativos al español de Colombia, Argentina, Uruguay y Cuba[33]. Evidentemente, en los diccionarios contrastivos, la lengua empleada en la descripción es la estándar, circunstancia que hace a estos diccionarios semejantes a los bilingües: hay una variedad lingüística de entrada (la dialectal) junto a otra de llegada (la estándar).

b) Por lo que se refiere a los **diccionarios de jergas** y **diccionarios profesionales** son siempre de tipo contrastivo y sirven para poner de manifiesto, respectivamente, una jerga o argot, o el vocabulario específico de una determinada profesión, que a veces consiste asimismo en una pura jerga, confundiéndose por tanto ambos subtipos. Entre los diccionarios del español referentes a jergas y argots cabe destacar los dedicados al lenguaje de los bajos fondos o de ciertos ambientes juveniles, como, por ejemplo, los relativos al cheli (el *Diccionario cheli* de F. Umbral, o el *Tocho cheli* de Ramoncín). De las lenguas profesionales hay también muchos, sin contar, naturalmente, con los de tipo científico y técnico, a los que ya nos hemos referido anteriormente, como los relativos al periodismo (*Argot del periodismo actual* de J. J. Muñoz González), tipografía (*Diccionario de tipografía y del libro* de J. Martínez de Sousa), informática (*Diccionario comentado de terminología informática* de G. Aguado de la Cea), etc.

c) Los **diccionarios de normalización** o **estandarización** no son más que una especie de diccionarios terminológicos sobre una determinada materia, cuya finalidad es establecer los términos –y sus correspondientes conceptos– adecuados, a fin de evitar posi-

---

[32] Sobre este proyecto véase, entre otras publicaciones, L. F. Lara, «Teoría y método en el diccionario del español de México», en *Actas del Congreso de Lengua Española. Sevilla, 1992*, Instituto Cervantes, 1994, págs. 660-665.

[33] Véase, entre otros trabajos, G. Haensch y R. Werner, «Nuevo diccionario de americanismos. Un proyecto hispanoamericano con sede principal en Alemania», en *Diálogo Científico*, vol. I, núm. 2 (1992), Tubinga. Véase también G. Haensch, *Los diccionarios*, pág. 227.

bles confusiones o equívocos. Se trata por lo general de repertorios publicados por organismos oficiales, de carácter nacional o internacional. A su lado podemos situar los **diccionarios onomásticos**, relativos a nombres o bien de personas (**de antropónimos**, **de apellidos**, **de hipocorísticos**, **gentilicios**, **apodos**, etc.) o de lugares (**diccionarios de topónimos**).

d) Finalmente, la restricción externa de la esfera léxica contemplada por un diccionario puede venir determinada por una delimitación de la propia realidad a que ese léxico hace referencia. Evidentemente, en este sentido se da un sinnúmero de posibilidades, de modo que de hecho existe –o puede existir– multitud de diccionarios. Citemos, por ejemplo, entre otros, los relativos al mundo del sexo (pensemos en el *Diccionario secreto* de C. J. Cela) o sobre determinadas realidades culturales como, por ejemplo, el mundo de los toros.

2.2.2.2.2. Pasando ahora a los diccionarios particulares de restricción interna, repetimos que son aquellos cuya elección de entradas se basa en algún aspecto o aspectos lingüísticos. Evidentemente, las posibilidades son también múltiples y, por lo tanto, podrían señalarse muchas subclases; pero en términos generales pueden reducirse a dos tipos fundamentales, aunque no exclusivos: **diccionarios gramaticales** y **textuales**.

a) Entendemos por **diccionarios gramaticales** los que basan la elección de sus entradas en alguna o algunas características gramaticales de las palabras. No hay que confundirlos, como hace J. Martínez de Sousa[34], con los diccionarios sobre terminología gramatical (pensemos, por ejemplo, en el *Diccionario de términos filológicos* de F. Lázaro Carreter o, por citar otro más reciente, en el *Diccionario básico de terminología gramatical* de J. L. Onieva Morales), así como tampoco con los mal llamados diccionarios de dudas; por ejemplo, el muy conocido de M. Seco. Ni siquiera el de E. M. Martínez Amador, pese a su título, *Diccionario gramatical*, pertenece propiamente a esta clase, puesto que se trata de una obra híbrida entre un diccionario de terminología gramatical y un diccionario de dudas. Un diccionario gramatical estudia las palabras que tengan un determinado o determinados comportamientos sea en el nivel fóni-

[34] Cfr. *Op. cit.* s.v. *diccionario gramatical*.

co (u ortográfico), o sea en el morfológico o sintáctico, lo que da lugar a **diccionarios de pronunciación, ortográficos, morfológicos** (**de familias de palabras, de la conjugación**) y **sintácticos**[35]. De todos ellos cabe destacar especialmente estos últimos, los cuales se ocupan tan solo de aquellas palabras que presentàn alguna particularidad en su funcionamiento sintáctico, como puede ser el régimen o la construcción (así, el *Diccionario de construcción y régimen* de R. J. Cuervo), las valencias verbales –lo que da lugar a los llamados **diccionarios de valencias**– o las colocaciones, esto es, los posibles usos de las palabras en combinación con otras.

b) Por otra parte llamamos **diccionarios textuales** a los que registran –y por tanto estudian– elementos consistentes en textos, los cuales actúan como «discursos repetidos» o expresiones fijas. Nos referimos, en primer lugar, a los **diccionarios de refranes** (piénsese, entre otros, en el de Gonzalo Correas o en el de Sbarbi), **de locuciones y modismos** o **diccionarios fraseológicos**, como el de F. Varela y H. Kubarth (*Diccionario fraseológico del español moderno*, publicado por Gredos), junto con los comúnmente denominados **diccionarios de citas**, en los que se registran frases pronunciadas por personajes famosos, y que nosotros preferimos llamar **diccionarios de frases célebres**, dado que por *diccionario de citas* entendemos más bien el que utiliza como ejemplos o autoridades pasajes de textos escritos, tal como ocurre, por ejemplo, en los diccionarios históricos (cfr. § 2.4.1.2).

2.3. *Clasificación según el nivel o plano lingüístico contemplado*

2.3. Con el nivel o plano lingüístico nos referimos a la distinción tripartita, propuesta por Coseriu, de *lengua, norma* y *habla* o, pre-

[35] G. Haensch (*La lexicografía*, pág. 181 y ss., y *Los diccionarios*, pág. 70) prefiere la denominación de **diccionarios sintagmáticos**, en los que incluye también los textuales y que se opondrían a los paradigmáticos, los cuales estarían por su parte representados por los diccionarios de sinónimos, antónimos e ideológicos en general. No compartimos esta opinión entre otras razones porque, por ejemplo, las valencias de una palabra son verdaderos rasgos paradigmáticos que junto con sus respectivos semas caracterizan a esa palabra como elemento del sistema léxico frente a otras. Por otra parte, su oposición a los ideológicos, que tienen todos carácter onomasiológico y codificador, supone, pensamos, la confusión de aquéllos con los semasiológicos o descodificadores.

feriblemente en nuestro caso, *discurso.* Un diccionario, lógicamente, sea general o particular, sincrónico o diacrónico, etc. puede, al menos teóricamente, referirse, al igual que todo estudio sobre el lenguaje, a cualquiera de esos tres planos, lo que hace posible distinguir desde este punto de vista otros tantos tipos de diccionarios: **diccionarios de lengua**, **de norma** y **de discurso**. La distinción es, no obstante, teórica, porque de hecho todos los diccionarios tienden a reflejar en mayor o menor medida la norma o uso lingüístico colectivo o más o menos particular e individual.

2.3.1. Lógicamente, un **diccionario de lengua** sería aquel cuya única preocupación fuera el estudio del léxico en todos y cada uno de sus valores invariantes a través de los distintos sistemas o lenguas funcionales que componen un idioma o lengua histórica como el español, el inglés, alemán, etc. Es decir, tratándose de un diccionario semasiológico, preocupado por el aspecto semántico de las entradas, su objetivo primordial consistiría en ofrecer escuetamente el o los significados, sin registrar para nada las variantes o valores concretos que en el uso habitual de la lengua presentan los distintos vocablos o unidades léxicas. Es evidente que un diccionario así no existe en la práctica, esto es, en estado puro, dadas las dificultades que supone separar con nitidez lo que en el aspecto semántico pertenece exclusivamente al sistema de lo que en realidad no es más que uso generalizado en mayor o menor grado. De hecho la denominación **diccionario de lengua** se emplea a veces más por oposición a **enciclopedia** o **diccionario enciclopédico** que a **diccionario de uso**, por ejemplo, representando un tipo de obra lexicográfica de carácter generalmente monolingüe, semasiológico y, desde luego, preocupada exclusivamente por los aspectos lingüísticos de las entradas[36]. De todos modos, pensamos que los diccionarios que se acercan más al ideal de **diccionario de lengua** son aquellos que se limitan a registrar los meros significados básicos o fundamentales: pensemos, por ejemplo, en el *Diccionario básico de la lengua española* de SGEL, o el *Diccionario Anaya de la lengua española.*

2.3.2. En realidad los diccionarios existentes de tipo descriptivo son todos en mayor o menor medida **diccionarios de la norma**, que, por supuesto, no hay que confundir con los **diccionarios nor-**

[36] Véase, por ejemplo, J. Martínez de Sousa, *Op. cit.*, s.v. *diccionario de lengua.*

mativos, los cuales no son más que una clase de aquéllos, lo mismo que los **diccionarios de uso**. En ambos casos, efectivamente, el léxico es sometido a estudio tanto en sus aspectos invariantes o valores de *lengua* como en las variantes o usos más concretos a nivel general, esto es, en el nivel de la *norma.*

2.3.2.1. Un **diccionario normativo**, **preceptivo** o **prescriptivo**, como puede ser, por ejemplo, el *DRAE,* tiene por objeto establecer una pauta o modelo léxico, basándose para ello en el uso de los buenos escritores y personas cultas en general. Presenta, pues, un uso ideal, generalmente condicionado por prejuicios puristas, tomado como modelo de corrección, no dando, por supuesto, cabida a ciertos vocablos y usos realmente existentes, pero que, a juicio del lexicógrafo, son incorrectos, censurables e inapropiados. A este último respecto, existen incluso diccionarios normativos especiales, donde se registran usos incorrectos o unidades léxicas que pueden presentar algún problema en su empleo gramatical, fónico, ortográfico, semántico, etc., que son los llamados **diccionarios de dudas**[37], **de dificultades** o **incorrecciones**; piénsese, por ejemplo, entre otros en el conocido *Diccionario de dudas y dificultades de la lengua española* de M. Seco, obra clásica en el género. En este mismo apartado debemos situar los **diccionarios de estilo**, cuya misión es dar indicaciones para el uso correcto de palabras, sintaxis, expresiones, etc.[38]

2.3.2.2. Los **diccionarios de uso**, por su parte, no se preocupan por la corrección o incorrección, sino por el uso real del vocabulario a todos los niveles y, por lo tanto, se limitan a registrar los hechos sin prejuicios puristas de ningún género, careciendo de todo carácter prescriptivo. Esto supuesto, son diccionarios de uso la mayoría de los monolingües de tipo sincrónico, sean de tipo general o particular. Uno de ellos es, por ejemplo, el así denominado *Diccionario de uso del español* (*DUE*) de M. Moliner, a pesar de que la autora lo bautizó de ese modo no porque fuera un verdadero diccionario de uso, entendido en los términos que acabamos de definir, sino porque se trata de una obra concebida para ayudar no solo en el desciframiento o descodificación de textos, sino también en su cifrado

---

[37] La denominación no es muy adecuada, puesto que todos los diccionarios están hechos para resolver dudas.

[38] Cfr. J. de Sousa, *Op. cit.*, s. v. *diccionario de estilo.*

o codificación, o lo que es lo mismo, se trata de un diccionario pensado «para el uso» del vocabulario.

2.3.3. Más claramente diferenciados respecto a los **de lengua** y **de norma** podemos decir que se hallan los diccionarios relativos al plano **del discurso**, por cuanto que se caracterizan por estudiar el léxico concreto de una determinada obra en sus valores y usos específicos. Cabe, por lo demás, distinguir, lo mismo que en el caso de los diccionarios dialectales, entre los de tipo **integral**, representados por verdaderos **vocabularios** en el sentido estricto de la palabra, junto a los **contrastivos**, generalmente denominados **glosarios**, los cuales suelen aparecer precisamente, para ayudar a la lectura e interpretación de la obra, como un apéndice al final de la misma.

2.4. *Clasificación por la microestructura o el tratamiento de las entradas*

2.4. Es evidente que no todos los diccionarios estudian los mismos rasgos o características de las palabras, o, por lo menos, ofrecen la información de distinta manera. En tal aspecto, existe toda una gama de diccionarios, desde el que se contenta con ofrecer una lista escueta de entradas hasta el que estudia el más mínimo detalle en relación con la forma, función y significación de los vocablos. El modo de tratar las entradas constituye, pues, un criterio imprescindible para establecer una clasificación de los diccionarios, los cuales, bajo este punto de vista, pueden agruparse en dos tipos generales: **descriptivos** y **no descriptivos** según que estudien o no las entradas en algún aspecto[39]. En realidad, de estas dos clases de diccionarios tan solo la primera incluye diccionarios propiamente dichos, esto es, diccionarios en el sentido estricto de la palabra.

2.4.1. Por lo que se refiere a los **descriptivos**, podemos a su vez hablar de **diccionarios integrales**, si se preocupan de informar acerca de todos los aspectos lingüísticos de las entradas, y distinguir,

[39] Martínez de Sousa (*Op. cit.* s. v. *diccionario descriptivo*) opone *diccionario descriptivo* a *normativo*, señalando que, frente a éste, se caracteriza por no ser purista ni restrictivo. En el mismo sentido se pronuncia Haensch (*Los diccionarios*, pág. 54). Creemos, no obstante, que esta caracterización responde más bien al concepto de 'diccionario de uso'.

por otro lado, entre **diccionarios definitorios**, esto es, con definiciones, que son sin duda los más típicos, al menos entre los monolingües, y por otro lado los que, por el contrario, carecen de definiciones, como ocurre generalmente en los de tipo bilingüe, pero también evidentemente en algunos monolingües. Desde luego lo más frecuente es que un diccionario definitorio, además de monolingüe, sea sincrónico y tenga a su vez carácter general, constituyendo lo que se llama un **diccionario común** o **usual**, denominación que la Academia utiliza para caracterizar su *Diccionario de la lengua española* (*DRAE*), al que asimismo califica de **vulgar**, frente a sus otros diccionarios, especialmente el *Diccionario de autoridades*. Por eso aquí vamos a oponer ese tipo de diccionario descriptivo al **diccionario de citas**, entendida esta denominación no en el sentido que suele dársele, sino en el que hemos definido más arriba (véase § 2.2.2.2.2.b). Atendiendo, por otro lado, al hecho de que las definiciones vengan o no acompañadas de ilustraciones, cuya finalidad es, precisamente, facilitar su comprensión, nos hace referirnos asimismo a otro tipo de diccionarios: los **ilustrados**, que no hay que confundir con los **diccionarios pictóricos** o **visuales**, que carecen de definiciones y consistentes en láminas a cuyas distintas partes se van asociando las palabras.

2.4.1.1. Así pues, los **diccionarios comunes** son diccionarios de tipo general y sincrónico, caracterizados fundamentalmente por la microestructura u organización de sus artículos, consistentes básicamente en una estructura de acepciones, representadas por diversas definiciones y acompañadas o no de algunas explicaciones respecto al uso o ámbito de aplicación así como de ciertos marcadores relativos a aspectos diversos –categorización y subcategorización gramatical, lenguas funcionales, comportamiento sintáctico, etc.–; pero su principal característica estriba en que las diversas informaciones no vienen acompañadas de ningún testimonio oral ni escrito, por lo que el usuario habrá de confiar en la autoridad del autor o autores del diccionario. El hecho, por otro lado, de que se trate de diccionarios sin autoridades no obsta para que, al menos en algunos casos, presenten ejemplos inventados por el propio lexicógrafo, que, evidentemente, no sirven para autorizar, sino exclusivamente para aclarar o simplemente contextualizar lo dicho. El mismo *DRAE* y sobre todo del *DUE* de M. Moliner, que también es un diccionario común, presentan con relativa frecuencia ejemplos de este tipo, que sin duda resultan útiles al usuario, pero en modo alguno deben tomarse como autoridades o testimonios legitimadores del uso.

2.4.1.2. Existen, por consiguiente, **diccionarios comunes con ejemplos**, que no hay que confundir con los **diccionarios de citas** o **de autoridades**, los cuales pueden ser tanto de tipo general como particular, sincrónico o diacrónico, si bien presentan siempre una microestructura muy similar a la de los comunes, esto es, con artículos organizados en acepciones. La principal característica de los diccionarios de citas, como ya queda sugerido, es que sus informaciones vienen apoyadas en autoridades o pasajes tomados de textos ajenos al lexicógrafo al haber sido previamente utilizados por otros hablantes o escritores, a veces de reconocido prestigio. Diccionarios de citas son siempre, obligatoriamente, los de carácter histórico; pero, como hemos dicho, también los sincrónicos de uso –por ejemplo, el reciente *DEA* de M. Seco y otros– pueden ofrecer esa misma característica. Notemos, finalmente, que las citas o autoridades pueden venir indicadas en el diccionario de dos maneras distintas: o bien incluyendo los textos con la referencia correspondiente a autor, obra, edición, página, etc., o tan solo la referencia, esto es, remitiendo al lector al lugar donde se encuentra el texto correspondiente. Este último procedimiento, cuyo objeto no puede ser otro que el ahorro de espacio, suele utilizarse más bien en estudios referentes al léxico de un autor u obra particular, esto es, en vocabularios o simples concordancias.

2.4.2. En relación con los diccionarios no descriptivos, que, como hemos dicho, no son verdaderos diccionarios en el sentido estricto, citaremos, entre otros, los **índices de palabras**, las **concordancias** y los **diccionarios exegéticos**. Los primeros no son más que listas de vocablos dispuestos según una ordenación, generalmente alfabética, como las que aparecen en determinadas obras sobre tema lingüístico e incluso en algunos diccionarios para potenciar y facilitar su utilización. Los segundos están constituidos también por listas de palabras –generalmente realizadas por medios informáticos–, pero con la adición de textos o citas en que aparecen esas palabras, sin que, por otro lado, estos materiales hayan sido sometidos a estudio lexicográfico alguno. Por último, los diccionarios exegéticos consisten en el estudio del sentido de algunos pasajes de una obra, pero no del sentido lingüístico, sino parémico, filosófico, teológico, etc.; es precisamente en este último carácter en el que se diferencian de los glosarios, cuya preocupación es estudiar el contenido o significación lingüística de las palabras de un texto u obra concretos.

2.5. *Clasificación según la ordenación*

2.5. La ordenación a que se hallan sometidas las entradas de un diccionario ya hemos dicho que es arbitraria y convencional, y responde siempre a unas necesidades de tipo práctico. No queremos decir con esto que no sea posible una ordenación basada en la estructura que de hecho ofrece el léxico en el sistema lingüístico; pero tal intento, que nadie ha sido capaz de llevar todavía a la práctica, se encontraría con un enorme cúmulo de dificultades que, a la hora de la verdad, harían de esa ordenación algo tan arbitrario o convencional como cualquiera de las ordenaciones tradicionales y, en todo caso, resultaría mucho menos práctica que éstas[40]. Como es sabido, la ordenación más frecuente de los diccionarios es la alfabética; pero, a su lado, existen otras, que generalmente se dan en combinación con esta última, tales como la ideológica o analógica, por familias etimológicas o morfológicas y la estadística, a las que podemos añadir –a título meramente teórico– la estructural. Según esto, pues, podemos distinguir los siguientes tipos de diccionarios: **alfabéticos**, **ideológicos** o **analógicos**, **de familias etimológicas**, **estadísticos** o **de frecuencia**, **estructurales** y **mixtos**.

2.5.1. Los diccionarios alfabéticos pueden ser, a su vez, **directos** o **inversos**. Los primeros, que son los más frecuentes, presentan una ordenación directa, esto es, comienza a alfabetizarse a partir de la primera letra de cada entrada, siguiendo con la segunda y así sucesivamente. Por el contrario, los inversos ofrecen unas entradas alfabetizadas a partir de la última letra, siguiendo con la penúltima, antepenúltima, etc. hasta llegar a la primera, lo que, naturalmente, no implica que estén escritas al revés. Este último tipo de diccionarios no consiste normalmente más que en meros índices o listas de palabras, y su finalidad es la de servir de **diccionarios de**

[40] Cfr. F. Tollenaere, «Lexicologie alphabétique ou idéologique», *Cahiers de Lexicologie*, 2 (1960), págs. 19-30.

rima o para la investigación sobre composición y derivación léxicas; por lo demás suelen elaborarse con medios electrónicos[41]. Como ejemplos de diccionarios españoles de este tipo pueden citarse el de F. A Stahol y G. E. Scavnicky, junto al más reciente, de I. Bosque y M. Pérez Fernández[42]. No hace falta decir que el diccionario alfabético por antonomasia es el directo, tipo al que pertenece la inmensa mayoría de los diccionarios existentes.

2.5.2. Entre los diccionarios **ideológicos** o **analógicos** (también llamados, aunque desde otro punto de vista, **onomasiológicos**)[43] pueden distinguirse los **ideológicos** propiamente dichos, los **temáticos**, y los **de sinónimos** y **de antónimos**. Los primeros, de los que en español tenemos un buen ejemplo en el de J. Casares, *Diccionario ideológico de la lengua española* (*DILE*), parten –al igual que los **temáticos**– de una clasificación de las ideas, desde la más general hasta las más particulares y concretas, asignando a cada una de ellas un conjunto de vocablos. Los **diccionarios de sinónimos** y **antónimos**, que suelen ir juntos en una misma obra, agrupan las palabras relacionadas por sinonimia y antonimia; cada uno de esos grupos, por otro lado, suele presentarse bajo una ordenación alfabética, por lo que estos dos tipos de diccionarios presentan en realidad una ordenación mixta. En relación por cierto con los diccionarios de sinónimos, que a su vez pueden ser **acumulativos** y **distintivos**[44], es curioso señalar que la mayoría de los que aparecen con esta denominación en el mercado editorial no son verdaderos diccionarios de sinónimos, puesto que sus autores parten por lo general de la idea –bastante extendida– de la inexistencia de sinonimia en la lengua y, por lo tanto, lo que tratan es de establecer las diferencias semánticas entre palabras de significado afín o semejante. Entre los múltiples diccionarios de este tipo sobre el español, que se han venido escribiendo desde el siglo XVIII, merece destacarse el *Diccionario de sinónimos* de Gili Gaya o el –más moderno– *Diccionario de sinónimos y antónimos* de la editorial Espasa-Calpe.

---

[41] Cfr.J. Stiolova, «Sur le classement inverse de mots et sur se qu'on appelle 'dictionnaire inverse'», *Cahiers de Lexicologie*, 2 (1960), págs. 77-86.

[42] Cfr. F. S. Stahol y G. E. A. Scavnicky, *A reverse dictionary of the spanish language*, Univ. Illinois, 1973; I. Bosque y M. Pérez Fernández, *Diccionario inverso de la lengua española*, Gredos, Madrid, 1987.

[43] Haensch (cfr. *Los diccionarios,* pág. 67) les llama **diccionarios paradigmáticos.**

[44] Cfr. G. Haensch, *Los diccionarios*, pág. 68. Frente a los primeros, los **distintivos** indican las diferencias entre los sinónimos o, mejor dicho, parasinónimos.

2.5.3. La ordenación por familias etimológicas, morfológicas o derivativas consiste en la agrupación en torno a una raíz, étimo o palabra inicial en una derivación, de todos los vocablos emparentados. Tal ordenación es la que siguen, como hemos visto, algunos diccionarios etimológicos, de carácter deductivo, y ha sido utilizada, en combinación con la alfabética, por M. Moliner en la primera edición del *DUE*.

2.5.4. Un **diccionario estadístico** o **de frecuencia** consiste normalmente en un índice o lista de palabras dispuestas desde la más usada a la que alcanza menor uso en el habla. Como en el caso de los diccionarios inversos, no se trata de un diccionario propiamente dicho, ya que no pretende una descripción del léxico, y su finalidad es servir de pauta al profesor de la lengua en la enseñanza del vocabulario sobre todo a extranjeros. Hay que observar, no obstante, que existen diccionarios estadísticos que, sin embargo, no presentan una ordenación estadística, sino alfabética o una solución de compromiso entre ambas, y se llaman así porque en su microestructura indican, entre otras cosas, la frecuencia de uso de acuerdo con un determinado corpus. Una obra clásica a este respecto es *Frequency dictionary of spanish words* de A. Juilland y E. Chang Rodríguez.

2.5.5. Como ya hemos observado, hasta ahora no ha sido elaborado ningún diccionario estructural. Pero una de sus características fundamentales consistiría en ordenar sus entradas de acuerdo con la estructura de los campos o paradigmas léxicos de que forman parte, es decir, basándose en los rasgos semánticos de las palabras y unidades léxicas en general. Hoy sería posible, al menos en teoría, como lo demuestran los múltiples estudios realizados sobre campos semánticos concretos, realizar una obra lexicográfica de este tipo, pero iría destinada a un público muy restringido, ya que se encontraría muy lejos de cumplir la finalidad práctica perseguida por todo diccionario de corte tradicional[45].

---

[45] Véase, por ejemplo, J. Dubois, «Recherches lexicographiques: esquisse d'un dictionnaire structural», *Études de Linguistique appliquée*, I (1962), págs. 43-50; del mismo autor, «Réprésentation de systèmes paradigmatiques formalicés dans un dictionaire structural», *Cahiers de Lexicologie*, 5 (1964), págs. 3-15; F. Rodríguez Adrados, «Gramática estructural y diccionario», en *Estudios de lingüística general*, Barcelona, págs. 62-90; A. Escobedo Rodríguez, «Necesidad de un diccionario estructural», en *Actas del Congreso Internacional de Semántica*, Univ. de La Laguna, 1997), I, Ed. Clásicas, Madrid, 2000, págs. 379-390..

2.6. *Clasificación por la finalidad*

2.6. Como es lógico, no todos los diccionarios poseen idéntica finalidad ni en relación con el público a que van destinados, ni respecto a las metas perseguidas por sus autores. Unos, en efecto, están hechos para el hombre de la calle o ciudadano de a pie, esto es, para el gran público, mientras que otros se dirigen al especialista en una determinada materia; unos van destinados a la resolución de dudas que pueden presentársele al hablante nativo, y otros, en cambio, están escritos para estudiantes o extranjeros que no conocen suficientemente la lengua, y, finalmente, unos están pensados para interpretar o descifrar mensajes, mientras que otros, por el contrario, tienen como finalidad el cifrado o formación de los mismos. Limitándonos tan solo a los diccionarios propiamente dichos, esto es, a los de tipo lingüístico, que de alguna manera se ocupan del léxico, debemos referirnos en primer lugar a los **diccionarios pedagógicos, para la enseñanza** o **didácticos**, esto es, destinados a la enseñanza del idioma, y, por otro lado, atendiendo a su finalidad, a la clasificación en **diccionarios semasiológicos** y **onomasiológicos.**

2.6.1. Aunque, como es bien sabido, todo diccionario tiene una finalidad pedagógica en cuanto que enseña o informa sobre las características de las palabras, existe un tipo de diccionarios que reciben más específicamente la calificación de pedagógicos en la medida en que están pensados para los estudiantes de la lengua, tanto nativos como extranjeros. No hay que olvidar a este último respecto que la mayoría de los diccionarios bilingües tienen asimismo este carácter, al ir casi siempre destinados al público estudiantil que aprende una lengua extranjera. Pero asimismo muchos diccionarios monolingües tienen como destinatario este mismo público, destacándose así los llamados **diccionarios infantiles** y **escolares**, dirigidos a alumnos de primaria y secundaria o bachillerato, junto a los **diccionarios para la enseñanza a extranjeros**. De los primeros existe gran cantidad y variedad, y, salvo honrosas excepciones, suelen ser de muy baja calidad, al consistir en meras abreviaciones –hechas por lo general sin rigor y con una finalidad exclusivamente lucrativa– de otros diccionarios existentes[46]. Solo

---

[46] Cfr. H. Hernández, *Los diccionarios de orientación escolar*, Max Niemeyer, Tubinga, 1989.

en los últimos años han comenzado a aparecer algunas obras, sobre todo a la sombra de importantes editoriales en el mundo de la enseñanza, como son el *Larousse Júnior* y el *Larousse escolar*, el *Diccionario esencial de la lengua española* de la Editorial Santillana, el *Diccionario básico* de Anaya, etc., y, finalmente, la propia RAE ha sacado no hace mucho tiempo también su propio *Diccionario escolar*.

2.6.2. Atendiendo a la finalidad o metas perseguidas por los diccionarios, repetimos que hay unos, los más, que tienen por objeto el desciframiento o descodificación de textos, frente a otros que, por el contrario, sirven para la codificación. Son, en primer lugar, los **diccionarios semasiológicos**, también llamados **de palabras**, representados fundamentalmente por los diccionarios comunes, de tipo alfabético, en los que las entradas vienen dadas por el significante gráfico de las palabras, cuyos correspondientes significados constituyen el cuerpo del artículo. Es decir, se trata de diccionarios en que se va del significante al significado. Por su parte, los **diccionarios onomasiológicos** tienen carácter codificador y están por ello organizados en sentido contrario, esto es, del significado al significante, viniendo así a coincidir con los diccionarios que más arriba, desde otra perspectiva, hemos llamado **ideológicos**. Hay, por lo demás, un diccionario, el de M. Moliner, que pretende esa doble finalidad, al presentar dentro de cada artículo, de carácter semasiológico, todo un catálogo de sinónimos, antónimos y voces relacionadas, que permiten al usuario seguir la dirección onomasiológica contraria. Propongo por esa razón llamar a este especial tipo de obra lexicográfica **diccionario reversible**.

2.7. *Según el soporte*

2.7. Y ya para terminar, nos resta referirnos a dos tipos de diccionarios que, debido a la aplicación de la informática a los estudios del léxico, se han venido configurando en los últimos años, y que cabe establecer atendiendo precisamente al medio que les sirve de soporte físico. Nos referimos, por una parte, al **diccionario de papel** tradicional, constituido por una obra impresa en forma de libro, compuesta por más o menos volúmenes, y con la que hoy, por otra parte, empieza a competir el **diccionario electrónico**, de soporte magnético, cuyas posibilidades superan ampliamente a aquél: mayor rapidez de consulta, la cual además ofrece muchas otras variedades y posibilidades y, a su vez, el incomparablemente menor tamaño, etc. En este sentido existen ya varias enciclopedias digitalizadas en el mercado e incluso algunos diccionarios como el *DRAE* y el *DUE* disponen de sendas versiones en CD-ROM, con las consiguientes ventajas para su consulta. En el campo de la traducción existen interesantes herramientas que en un espacio físicamente exiguo pueden contener incluso varios diccionarios automatizados, como es el caso de las *Word Magic Tools*, que incluyen un diccionario inglés-español de cuatro vías junto a un conjugador de verbos, un diccionario de sinónimos y un constructor de expresiones[47].

[47] Cfr. P. Cancelo, «*Herramientas mágicas / Word Magic Tools* de Word Magic Sofwere (*Word Magic Tools 2000 Deluxe 2.1*)», *Revista de Lexicografía,* VI (1999-2000), págs. 235-238.

3
PLANIFICACIÓN DE UN DICCIONARIO

0.1. En la elaboración de un diccionario, como en la de cualquier obra humana, se dan dos fases o momentos claramente distintos: una **fase de planificación** o **programación** junto a otra **de realización** o **desarrollo**. La primera es meramente especulativa, teórica e intencional, y en ella el lexicógrafo marcará las normas y pautas que han de seguirse en la segunda, es decir, en la realización o elaboración efectiva de la obra. La fase de planificación implica, pues, la elaboración de un **plan** o **proyecto** –llamado a veces más específicamente **planta**– lo más minucioso posible, dado que en el grado de su perfección redundará en gran medida el éxito o fracaso de las tareas lexicográficas. Si el diccionario que se va a elaborar es de gran extensión de modo que su realización tenga que ser encomendada a diversas personas –e incluso a veces a varias generaciones–, será conveniente y hasta necesario que el planificador o planificadores elaboren una memoria o monografía donde expongan el plan con todo detalle, a fin de que todos los colaboradores –presentes y futuros– puedan disponer de un método y criterios fijos que garanticen la unidad y homogeneidad de la futura obra. Dicho plan, que vendrá a constituir un verdadero manual de lexicografía de carácter particular, servirá también en su día de pauta para la redacción del prólogo o introducción del diccionario, la cual no es normalmente otra cosa que un puro resumen de la planta destinado a servir de instrucción al usuario para el manejo de la obra.

0.2. Como es lógico, la planificación ha de abarcar todos los aspectos de la elaboración del diccionario. Incluirá, pues, un **plan técnico**, en que se contemplen las características del futuro diccionario así como las bases o principios en que éste va a fundamentarse, de modo que, entre otros extremos, se indiquen, por ejemplo, la finalidad de la obra, el público a que va destinada, las palabras que han de constituir las entradas, el contenido y organización de los artículos, etc. A su lado, incluirá asimismo un **plan práctico**, el cual ha de prever los medios necesarios para la puesta en marcha del trabajo como instrumentos mecánicos e informáticos, personal colaborador, duración de las tareas, extensión de la obra, costos, etc.[1]

1. Plan técnico

1. Puesto que cada diccionario requiere una planificación concreta y exclusiva, y dado que aquí nos movemos en un plano general, no vamos a tratar de ofrecer un proyecto concreto de diccionario, sino, simplemente, de enumerar y señalar aquellos puntos que creemos necesarios para llevar a cabo dicha planificación lexicográfica. Ésta, repetimos, debe incluir en su parte técnica las bases teórico-lingüísticas en que ha de fundamentarse el diccionario, los criterios de elección de entradas, los procedimientos de recogida de material lexicográfico, así como el establecimiento de las fuentes de donde se ha de extraer ese material, los métodos y características de la redacción y, en fin, la presentación tipográfica del diccionario.

1.1. *Bases teóricas*

1.1. Las primeras preguntas que tiene que formularse todo aquel que pretenda hacer un diccionario serán estas dos fundamentales: a) a qué público va a dirigirse, y b) cuáles son las necesidades de ese público en materia lexicográfica. Las correspondientes respuestas le llevarán a elegir un determinado tipo de diccionario, elección que, por cierto, constituirá el punto de partida indispensable para la elaboración del proyecto. Pero éste, lógicamente, ha de realizarse a su vez sobre unas bases teóricas imprescindibles sobre el lenguaje en general y el léxico en particular. Como ya dijimos anteriormente (cfr. Cap. 1, § 2.2.2.2), cada dic-

[1] Estas dos etapas han sido muy bien descritas por C. Maldonado González a propósito de la puesta en marcha de los proyectos lexicográficos llevados a cabo por el Departamento de lexicografía de la Editorial SM (cfr. su trabajo «Problemas reales en la elaboración de un diccionario: historia de los diccionarios SM», en I. Ahumana (ed.), *Diccionarios e informática. III Seminario de Lexicografía Hispánica*, Univ. de Jaén, 1997, pág. 44-48).

cionario es hijo del momento en que se concibe, de suerte que siempre se hará eco de las teorías lingüísticas imperantes en ese momento. De todas maneras, hay que pensar que la elaboración de una obra lexicográfica es a veces trabajo de muchos años, por lo que el planificador ha de saber, en cierto modo, adelantarse al futuro, procurando evadirse en lo posible de lo que no es más que producto de la moda, y mantener, por el contrario, aquello que será, presumiblemente, perdurable. Un diccionario, en definitiva, debe hacerse pensando más en el futuro –al menos en el futuro inmediato– que en el presente.

1.1.1. La lexicografía, de todos modos, es quizá la disciplina menos influenciada por las distintas corrientes de la lingüística actual. Es cierto que en estos momentos se están utilizando, con excelentes resultados, nuevos métodos en las tareas lexicográficas, que están suponiendo una auténtica revolución en este campo de la investigación lingüística; pero no es menos cierto que tal metodología –nos referimos, naturalmente, a la utilización de medios informáticos sobre todo en la recolección de materiales– no afecta para nada a la estructura del diccionario tradicional –excepción hecha de su posible aparición en soporte magnético– ni, por supuesto, a las técnicas empleadas en la redacción de artículos lexicográficos. No se trata, efectivamente, de un avance teórico sino técnico, y por lo que se refiere a las actuales corrientes lingüísticas, representadas fundamentalmente por el estructuralismo y generativismo, la verdad es que no han cristalizado todavía en una teoría lexicográfica susceptible de ser llevada a la práctica, razón por la que su influjo en los diccionarios modernos podemos afirmar que es prácticamente nulo.

1.1.1.1. Los únicos trabajos de corte estructuralista sobre léxico son obra de lexicólogos y semantistas. Existen teorías bastante aceptables sobre las estructuras léxicas, de lo que son buena muestra, por ejemplo, los estudios de E. Coseriu, fundador de la lexemática[2]. Disponemos incluso de valiosas descripciones, aunque parciales, de nuestro léxico siguiendo estos puntos de vista; pero estamos

[2] Véase lo dicho en el Cap. 1, § 2.2.2.2. Cfr. E. Coseriu, *Principios de semántica estructural*, Gredos, Madrid, 1977, especialmente las págs. 86-142; H. Geckeler, *Semántica estrutural y teoría del campo léxico*, Madrid, 1976; F. Rodríguez Adrados, *Lingüística estructural*, Gredos, Madrid, 1969, págs. 390-544.

todavía muy lejos de un estudio global de nuestro vocabulario desde una perspectiva estructural[3], cuya culminación, por otro lado, no sabemos hasta qué punto podría satisfacer las condiciones pedagógico-prácticas inherentes a toda obra lexicográfica. En resumidas cuentas, el tan deseado «diccionario estructural» sigue siendo hoy una mera esperanza, posiblemente utópica.

1.1.1.2. Gran atención prestan al léxico los generativistas, para quienes juega un importantísimo papel en la generación de las oraciones. Sus teorías sobre el llamado «lexicón», que parecían prometer mucho en el campo de la lexicografía –muy especialmente en la relativa a los diccionarios sintácticos–, no han cristalizado hasta el momento en ningún diccionario generativo concreto. Solo la denominada gramática de dependencias, junto con las corrientes funcionalistas, se puede decir que han dejado sentir su huella en algunos diccionarios sintácticos fuera de nuestro país, sobre todo en Alemania[4]. De hecho el principal obstáculo de muchas de las modernas teorías lingüísticas para poder influir de forma decisiva en la redacción de los diccionarios se debe sin duda en la mayoría de los casos a la sensación de provisionalidad a que nos tienen acostumbrados los autores de esas doctrinas, para quienes es hoy válido lo que mañana es superado por otra teoría, que a su vez se declara inapropiada poco tiempo después[5].

1.1.2. Todas estas circunstancias determinan que las bases teóricas de los diccionarios actuales –incluso los sincrónicos– sigan en general siendo tributarias en cierta medida del normativismo del siglo XVIII así como del historicismo del XIX. Las bases historicistas son bien patentes en el afán etimologicista presente en la mayoría los diccionarios modernos, en la ordenación cronológica o mejor genética –esto es, en su evolución semántica– de las acepciones o, por ejemplo, en el tratamiento de la distinción homonimia/polisemia. El carácter normativista, por su parte, se manifiesta, por

[3] Véase a este propósito el artículo ya citado de F. Rodríguez Adrados, «Gramática y diccionario», en *Estudios de lingüística general*, págs. 62-90.

[4] Tal es, por ejemplo, el caso del *Wörterbuch zur Valenz und Distribution deutscher Verben*, realizado bajo la dirección de G. Helbig y W. Schenkel, y publicado en 1969. Véase V. Báez San José, *Fundamentos críticos de la Gramática de dependencias*, Síntesis, Madrid, 1988.

[5] Véase lo dicho en el Cap. 1, § 1.2.1.4, especialmente la nota 31.

ejemplo, en el deseo de apoyar los usos de un vocablo en la autoridad de «los buenos escritores» o personas cultas en general, y, por otro lado, a él obedecen las preocupaciones puristas manifestadas frecuentemente en el mantenimiento de ciertos arcaísmos así como la tendencia bastante generalizada a no admitir fácilmente palabras nuevas. Con esto, sin embargo, no queremos decir que la lexicografía no haya evolucionado nada desde los siglos XVIII y XIX: de hecho hoy se está haciendo un gran esfuerzo en primer lugar para no mezclar lo diacrónico con lo sincrónico, lo normativo con el uso real y por hacer explícitas al máximo muchas de las informaciones que, tradicionalmente, venían confiándose a la pura intuición del usuario.

1.1.3. En conclusión, resulta completamente lógico y natural que el lexicógrafo, antes de emprender su tarea, deba plantearse seria y claramente una serie de cuestiones que han de ser resueltas siguiendo unos criterios teóricos precisos, sean de orden historicista, estructuralista o de cualquier otro tipo. En definitiva, el lexicógrafo, como lingüista que es, no puede ser ajeno a los conocimientos y corrientes lingüísticas de su época, al tiempo que debe ser consecuente y acorde con su particular manera de enfocar los hechos del lenguaje. Es impensable la planificación de un diccionario sin tener en cuenta esos planteamientos y principios teóricos.

1.2. *Las entradas*

1.2. Corresponde asimismo a la planta o proyecto del diccionario señalar con la mayor precisión posible la esfera del léxico que se pretende reflejar en la obra lexicográfica. A menos que se trate de un tesoro o de un vocabulario sobre la obra de un determinado autor, todo diccionario es, como ya hemos observado, restringido en alguna medida, razón por la que habrá que señalar de antemano los criterios restrictivos a que han de someterse las entradas. Y si éstas pueden señalarse concretamente en una lista, tanto mejor, pues ello proporciona una gran ventaja a la hora de determinar la extensión del diccionario, el tiempo que habrá de invertirse en su elaboración, el número de personas que se necesitarán para la redacción, y, por otro lado, representa un importante avance en la tarea de recolección de materiales, sobre todo si ésta se realiza manualmente. Tratándose, por ejemplo, de un diccionario que pretenda reflejar la norma común, deben quedar fuera de su consideración los regionalismos y dialectalismos, así como los vulgarismos, términos científicos y otras palabras cuyo uso se restrinja a un grupo social poco influyente y numeroso; si, en cambio, el diccionario se refiere exclusivamente, pongamos por caso, al vocabulario náutico o al de cualquiera otra actividad humana, no podrán ser considerados como entradas vocablos de la lengua común, a no ser que se empleen dentro de esa actividad con un significado especial. Como es obvio, la elección de entradas depende fundamentalmente del tipo de diccionario que se vaya a escribir.

1.2.1. Como veremos más adelante, llamamos **entrada** del diccionario a todo vocablo que en él es objeto de artículo independiente. Esta definición, como tendremos ocasión de ver más adelante, no es, sin embargo, del todo exacta, entre otras cosas, porque una entrada no tiene por qué estar constituida por un vocablo, sino más bien por una unidad léxica o lexía, la cual puede ser **simple** (palabra o morfema) y **compleja** (varios vocablos). Lo que ocurre es que, tradicionalmente, las entradas de los diccionarios suelen estar representadas por unidades léxicas simples y solo excepcionalmente por unidades complejas o expresiones sintagmáticas fijas. Por otro lado, una entrada no siempre encabeza propiamente un artículo lexicográfico, pues éste sencillamente no existe cuando aquélla se encuentra sometida a remisión. Pues bien, teniendo en cuenta todo esto, en el plan técnico de un diccionario debe estar previsto el lugar donde han de tratarse las unidades pluriverbales o expresiones fijas, así como las entradas que han de ser objeto de remisión a otro artículo. También habrá de decidirse, si es el caso, qué tipo de unidades lingüísticas –por ejemplo, prefijos, raíces, sufijos– habrán de ser tomadas asimismo como entradas independientes.

1.2.1.1. Para evitar las entradas pluriverbales o complejas, nuestra lexicografía tradicional viene adoptando la fórmula de tratar las expresiones fijas dentro del artículo correspondiente a una de las palabras que forman parte de ellas, para lo cual los diccionarios suelen atenerse a unas reglas específicas que veremos más adelante. No obstante, dado el carácter no obligatorio de éstas, corresponde al plan o proyecto señalar las pautas necesarias en tal aspecto, a fin de evitar posibles repeticiones. Y ello es particularmente necesario cuando se trata de un diccionario restringido, el cual, por no estudiar más que algunos vocablos, no puede atenerse de ninguna manera a la normativa tradicional de tratar la expresión fija en un determinado vocablo de los que entran en su composición.

1.2.1.2. Cuestión que cabe plantearse en relación con las unidades pluriverbales es la relativa a la admisión de refranes, los cuales en muchos diccionarios reciben el mismo tratamiento que aquéllas. En realidad los refranes son enunciados especiales, aunque muy distintos de las locuciones y otras expresiones fijas en general. Por esa razón pensamos que en el plan debe estar prevista, positiva o negativamente, su inclusión en el diccionario, y, en caso afirmativo, debe indicarse asimismo el lugar de su tratamiento.

1.2.2. Otra circunstancia que debe estar prevista en el plan o proyecto lexicográfico es el tratamiento fonético y ortográfico de las entradas. Dado el carácter escrito de un diccionario, las entradas se representan siempre en su forma ortográfica, aunque bien pudiera pensarse en un diccionario que las ofreciese en su transcripción fonética o fonológica[6]. Pese a ello, tratándose de una lengua en que la pronunciación esté muy lejos de la grafía, es aconsejable que las entradas, presentadas en su forma ortográfica, vayan acompañadas de la correspondiente transcripción fonética. Esto es particularmente importante en los diccionarios bilingües y dialectales. Por otro lado, puede ocurrir que una palabra presente polimorfismo gráfico o fónico (o ambos), y, en tal caso, el plan debe prever si tales formas han de considerarse como entradas independientes; en caso afirmativo, cuál ha de constituir lema o cabecera de artículo y cuáles se remitirán a éste, y, en caso negativo, habrá que señalar qué forma constituirá la entrada propiamente dicha y cuáles han de colocarse a continuación y en qué orden.

[6] El diccionario tradicional está en realidad demasiado ligado a la ortografía, hasta el punto de confundir muchas veces lo ortográfico con lo estrictamente lingüístico. Así, por ejemplo, junto a las palabras, suelen tomarse como entradas las letras del abecedario; por ejemplo, D se define como «quinta letra del abecesario» junto a *De* = «nombre de la letra d». Sobre este particular véase J. A. Porto Dapena, «Las letras como entradas del diccionario», *Revista de Lexicografía*, VII (2000-2001), págs. 125-154. Sobre la utilización de la transcripción fonética en el diccionrio, véase A. Quilis, «Diccionarios de pronunciación», *LEA*, IV, 2 (1982), págs. 325-332.

1.2.3. Por último, a propósito de las entradas, hemos de aludir al caso de las palabras variables o flexivas. Aunque los diccionarios siguen una normativa, tradicionalmente admitida y que estudiaremos más adelante, en cuanto a la forma que ha de tomarse como lema (por ejemplo, el infinitivo para los verbos, el masculino para los nombres, etc.), el proyecto del diccionario ha de prever, por ejemplo, el tratamiento de las formas irregulares, las cuales pueden o no tenerse en cuenta, y, si se registran, pueden a su vez aparecer o no como entradas independientes. Esto último es, por ejemplo, aconsejable en los diccionarios escolares.

1.3. *Material y fuentes*

1.3. Como veremos más adelante, la redacción de un diccionario va siempre precedida por una fase de recopilación de materiales lexicográficos, que constituirán el corpus en que se basarán las investigaciones encaminadas a la elaboración de la obra. Ese material lexicográfico, como también veremos en su momento, procede de muy diversas fuentes, que a su vez pueden ser de varios tipos y diferente calidad. Por lo general, proviene de fuentes escritas, de las que se toman los textos relativos a las ocurrencias de las palabras que han de constituir las entradas del diccionario. Lógicamente, la recogida de esos textos –que, tratándose de un diccionario de citas, aparecerán en él como ejemplos y autoridades– ha de ser lo más escrupulosa y fidedigna posible, y, al mismo tiempo, aquéllos serán lo suficientemente amplios como para determinar el sentido y uso concreto de la palabra. Ahora bien, todo esto requiere una normativa en torno a las fuentes y procedimientos que han de seguirse en la recogida de material.

1.3.1. Así pues, el plan o planta del diccionario debe prever en primer lugar las obras o tipos de obras que han de someterse a despojo. La elección de aquéllas dependerá, lógicamente, del tipo de diccionario que se vaya a hacer: si éste fuese normativo, tan solo podrían elegirse obras cuyo lenguaje estuviese en consonancia con la norma lingüística que se pretendiese reflejar en el diccionario; si, por otro lado, fuese sincrónico, los textos manejados no podrían pertenecer más que a la época que se quisiese estudiar, etc. La elección de fuentes o documentos –sobre todo si se trata de un diccionario que intente reflejar una esfera léxica amplia– es labor delicada, que no solo requiere un conocimiento de los distintos niveles lingüísticos, sino también de la literatura en su más amplio sentido. Por otra parte, cuando la lengua que se pretende estudiar es la viva, el material debe proceder también de la lengua oral y el plan deberá fijar el tipo de personas que han de servir de informantes, así como los métodos de recogida de datos, cuestionarios que han de manejarse en las encuestas, tipos de preguntas, etc. Pero la elección no solo habrá de venir condicionada cualitativa, sino también cuantitativamente; es decir, el proyecto del diccionario debe prever asimismo los porcentajes de representatividad que, de acuerdo con el tipo de diccionario que se pretenda hacer, habrá de dársele en el corpus a los distintos tipos de textos, esto es, a los orales en relación con los escritos y, dentro de éstos, por ejemplo a los narrativos, ensayísticos, poéticos, etc.

1.3.2. La recogida de materiales escritos puede realizarse por medios informáticos, que es lo más aconsejable por su rapidez y eficacia, o manualmente, que es el método tradicional. El plan del diccionario debe determinar, a este respecto, los métodos concretos que han de utilizarse. Si el procedimiento es informático, ha de concretar el *hardware* y el *software*, esto es, el tipo de ordenador u ordenadores que van a utilizarse, el soporte de esa información (disquetes, CD-ROM, disco duro del ordenador) y el tipo de programa o progamas que va a adoptarse y, de no existir éstos, señalar las características que deberán tener para llevar a cabo su diseño por parte de algún especialista en la materia. Si el procedimiento es manual, aunque existen unas normas generales –válidas, por tanto, en cualquier caso– en relación con la transcripción de textos, encabezamiento de papeletas, etc., no estará de más que el plan incluya esas normas generales y, por supuesto, no puede dejar de lado las de carácter particular, como tamaño de las papeletas, colocación de la referencia bibliográfica antes o después del texto, anotaciones que, además de éste, deben incluirse en las fichas, etc.

1.3.3. Como es obvio, a no ser que se trate de un diccionario estadístico, en el despojo que se hace de una obra –sobre todo si se realiza manualmente–, no se recogen normalmente las palabras todas las veces que aparecen en el texto. Por otro lado, tampoco el interés y valor lexicográficos de las obras despojadas son siempre los mismos, razón por la que de unas se sacará relativamente mayor cantidad de material que de otras. A esto hay que añadir que no se puede conceder idéntica importancia a la ocurrencia de una palabra muy usada que a la de otra que se encuentra difícilmente. Así pues, a la hora de despojar un determinado texto, deben entrar en juego una serie de criterios específicos, que variarán según las circunstancias. Obviamente, el plan del diccionario no puede ser ajeno a tales criterios.

1.3.4. En los diccionarios de citas, por economía de espacio y para dar una mayor agilidad a la redacción, las referencias bibliográficas suelen hacerse mediante siglas y abreviaturas, las cuales, por razones prácticas parecidas, se emplean asimismo en las papeletas lexicográficas. Naturalmente, es necesario que exista una cierta uniformidad en el establecimiento y utilización de esas abreviaturas, razón por la que en la planificación del diccionario debe tenerse en cuenta si no la determinación de cada abreviatura o sigla concreta, al menos unos criterios básicos para su determinación en el momento oportuno; por ejemplo, utilizar el primer apellido del autor seguido del título en abreviatura con un número correspondiente a la página, o cualquier otro convencionalismo por el estilo. Lo que importa es que exista una cierta uniformidad en todas las citas.

1.3.5. Un último punto que, en relación con el material lexicográfico, debe ser contemplado en el proyecto del diccionario es, sobre todo en el caso de que dicho material haya sido recogido manualmente, la ordenación a que habrá de someterse. Como es lógico, tal ordenación debe ser la misma que va a adoptar el diccionario, extremo que en realidad queda determinado desde el momento en que se establece el tipo de obra lexicográfica que se pretende elaborar. Para llevar a cabo la ordenación, dicho material deberá haber sido sometido previamente a una lematización, de modo que, se encuentre en soporte de papel o informático, todos los textos correspondientes a cada palabra aparezcan bajo el lema correspondiente.

1.4. *La redacción*

1.4. Como veremos al estudiar el artículo lexicográfico, en la redacción de éste hay que distinguir un **contenido**, o tipo de información que se da acerca del vocablo estudiado, y una **forma** o estructura, más exactamente llamada **microestructura**. Las características de ambos aspectos han de ser fijadas de antemano en el proyecto del diccionario. El contenido, lógicamente, variará según el tipo y fines de la obra lexicográfica, de suerte que, efectivamente, no es lo mismo redactar un artículo para un diccionario enciclopédico que lingüístico, ni para un etimológico que otro de tipo sincrónico. Si bien la cantidad de información variará de artículo a artículo, ya que cada palabra, en su historia y usos sincrónicos, ofrece características distintas y exclusivas, ello –contra lo que pudiera pensarse– no constituye obstáculo alguno para que el proyecto lexicográfico se ocupe del contenido de los artículos, pues de lo que en realidad ha de tratar es de los tipos de información que deberá ofrecerse en aquéllos. Por lo que se refiere a la forma, todos los artículos, por razones obvias, han de presentar la misma estructuración, la cual vendrá determinada por el orden a que han de someterse los datos informativos, así como por otra parte el mismo sistema de marcas, apartados, nomencladores, tipos de definiciones, que responderán, según los casos, a unas estructuras determinadas, etc.

1.4.1. Así pues, en relación con el contenido, el proyecto ha de prever cada uno de los aspectos bajo los que han de considerarse las entradas. Por ejemplo, etimología, categorización, acepciones y subacepciones, particularidades gramaticales, ámbito o extensión, etc. Por otra parte, ha de determinar qué puntos deben tratarse con mayor énfasis y, si existen restricciones en algún aspecto, las establecerá con la mayor claridad y exactitud posibles. No hay que olvidar que el éxito del diccionario dependerá en gran medida de la cantidad y calidad de la información.

1.4.1.1. No todo el material de que se dispone en el momento de redactar un artículo es, normalmente, aprovechable para la redacción; habrá datos que se repiten mucho, y otros que no podrán ser tenidos en cuenta sea por su carácter dudoso o porque exceden la capacidad informativa del diccionario. La selección se impone siempre, sobre todo si el diccionario es de citas, pues, en tal caso, puede haber muchos textos relativos a una misma acepción y uso, de modo que su inclusión total en el artículo lo alargaría innecesariamente. El redactor, pues, debe tener presente una serie de criterios de selección, que, en lo posible, no han de confiarse a su libre albedrío, sino que, por el contrario, deben estar previstos hasta donde se pueda en el plan o proyecto del diccionario. No hace falta decir que esos criterios serán tanto más necesarios cuanto mayor sea el número de participantes en la redacción de la obra, a fin de garantizar la uniformidad y coherencia de ésta.

1.4.1.2. A propósito de estas dos características, es conveniente aludir aquí a la idea muy extendida y compartida de que dos redactores no harían nunca exactamente igual un mismo artículo, lo que equivale a aceptar que en la redacción lexicográfica se da siempre una buena dosis de subjetividad. En la lexicografía tradicional, efectivamente, se sigue confiando demasiado en la intuición del redactor, razón de más para insistir en la necesidad de establecer un plan minucioso previo, sobre todo si en la redacción del diccionario van a intervenir varias personas. A pesar de todo, hemos de advertir que la subjetividad tan solo opera en casos muy especiales y, desde luego, difícilmente en lo que respecta al contenido de los artículos, máxime si los redactores están compenetrados y familiarizados con las metas y propósitos de la obra. Los riesgos de subjetividad afectan más bien a la forma del artículo, inconveniente que se paliará, como ya queda dicho, con una planificación detallada al respecto y, en último término, mediante la revisión de los artículos por parte de una(s) determinada(s) persona(s). Con ello el margen de subjetividad quedará reducido al de cualquier otra obra científica realizada por colaboración de varios autores.

1.4.2. En cuanto a la forma, ya hemos dicho que viene ante todo determinada por el orden o disposición de las informaciones. Todo diccionario, en efecto, para su fácil manejo, debe ofrecer siempre en el mismo orden los puntos sobre los que pueden recaer las dudas del usuario, cosa que, además, prestará a la obra unidad, homogeneidad y coherencia. La planta del diccionario deberá, pues, determinar el orden o disposición que se ha de seguir en la distribución de las acepciones. Y no solo esto, sino también, como ya queda dicho, qué tipos de definiciones y en qué circunstancias han de emplearse, junto con las abreviaturas y signos diacríticos, nomencladores, marcadores, etc. En fin, todos los detalles que, a este respecto, puedan indicarse serán muy provechosos y convenientes.

1.4.2.1. En relación con las definiciones, los diccionarios tradicionales suelen utilizar criterios muy dispares debido sin duda a una falta de programación previa en este aspecto. Así, es frecuente la utilización de definiciones lingüísticas junto a otras de carácter enciclopédico; es decir, no se establece una distinción clara entre la palabra y la cosa que representa. También se emplea con demasiada frecuencia la definición sinonímica, y, por otro lado, se producen muchos casos de circularidad, esto es, se define una palabra mediante otra que, a su vez, se define con la primera, o de pistas perdidas al definir mediante palabras no estudiadas dentro del diccionario. No hay por qué insistir en que solo una planificación adecuada podrá evitar estos inconvenientes que restan seriedad y rigor al diccionario. Hay que notar, por otro lado, que las definiciones no son todas iguales; existen, como veremos más adelante, múltiples tipos que no siempre pueden ni deben ser aplicados en cada caso concreto. Por eso es necesario disponer de unos criterios –generales y específicos– para adoptar el tipo o tipos adecuados, criterios que, obviamente, deben ser establecidos antes de llevar a cabo la redacción del diccionario.

1.4.2.2. Por lo general, las abreviaturas utilizadas en los diccionarios suelen referirse, entre otras cosas, a la categorización de las palabras, a sus diversos usos, niveles lingüísticos en que éstas se emplean, y caracteres morfológicos y sintácticos, actuando, por lo tanto, como auténticas marcas, esto es, como indicaciones de alguna característica gramatical o de uso de las entradas. Así, por ejemplo, *tr.* = transitivo, *fam.* = familiar, *fig.* = figurado, etc. A su lado hay que contar con signos especiales, como ~ (sustituto de la palabra que se estudia), así como los nomencladores, constituidos normalmente por números (romanos y/o arábigos) y letras (mayúsculas y/o minúsculas, y latinas y/o griegas), y, si el diccionario es de citas, hay que añadir las siglas y abreviaturas referentes a las obras y autores de donde se han tomado los textos. El diccionario, como es lógico y natural, ha de ser homogéneo, para lo cual el redactor debe disponer en todo momento de la lista de abreviaturas que han de emplearse, cosa que, por tanto, debe estar prevista en el plan. El problema se simplifica si se utiliza un programa informático en la redacción, ya que éste realizará automáticamente la elección de la correspondiente abreviatura, tipo y tamaño de letra, y otros aspectos formales.

1.4.2.3. Centrándonos más concretamente en las marcas, es importante que el proyecto o plan del diccionario no solo las establezca formalmente, sea mediante abreviaturas o cualquier otro recurso (signos diacríticos, tipos y tamaños de letra, etc.), sino que antes determine los aspectos que han de ser marcados; por ejemplo, la categoría y subcategoría, el carácter general o especial, terminológico, dialectal, histórico, pragmático, etc. Por lo general los diccionarios adolecen en este aspecto de una planificación, que lleva, por una parte, a utilizar marcas distintas para una misma característica, indicaciones que pueden resultar ambiguas o, en fin, un sistema incompleto de marcas plagado de inexactitudes e incoherencias.

1.4.2.4. En cuanto a la ordenación de las acepciones de un vocablo polisémico, es una cuestión que abordaremos en otro capítulo. De momento bástenos con observar que aquélla depende fundamentalmente del tipo de diccionario que se pretenda elaborar, así como de los fines específicos del mismo. El plan o planta del diccionario debe prever si esa ordenación ha de ser cronológica, lógica, genética o de frecuencia, y, en caso de tener que incluir expresiones fijas (modismos, locuciones, etc.), tendrá que indicar asimismo el lugar y ordenación relativa que habrá de dárseles; por ejemplo, bajo qué palabra de las que entran en su composición han de ser estudiadas, en qué parte del artículo (¿En la acepción que le ha dado origen? ¿En el final como es habitual en los diccionarios?) y bajo qué orden si se registran todas juntas.

1.5. *Presentación del diccionario*

1.5. La planta de un diccionario, en su parte técnica, debe, por último, tener en cuenta todo lo relacionado con la presentación de la obra, presentación en la que cabe distinguir, por una parte, el **soporte** y, por otra, el **formato** y la **tipografía** que habrán de adoptarse. Quien proyecta la obra debe ante todo determinar si lo que se va a elaborar es un diccionario en forma de libro, esto es, al estilo tradicional, o, por el contrario, de carácter electrónico, es decir, en soporte magnético, en CD-ROM[7]. En cualquier caso habrá de ocu-

[7] No hay que confundir, por otro lado, el diccionario en soporte magnético con el diccionario automático, pues aquél puede presentar las mismas características que

parse asimismo tanto del formato como de la tipografía, las cuales, especialmente la segunda, dependen lógicamente en gran medida de sus gustos personales, pero también de los fines y naturaleza del diccionario. Si, por ejemplo, éste es de bolsillo, cuya denominación alude precisamente a su reducido tamaño, no podrá de ningún modo tener grandes –ni siquiera medianas– proporciones, así como, por el contrario, sería concebible una enciclopedia de un tamaño muy reducido. Existe, no obstante, dentro de estas naturales limitaciones, una cierta libertad en cuanto a la determinación del tamaño del diccionario, cosa que, por lo tanto, debe estar prevista en la correspondiente planta. Y por lo que se refiere a la tipografía, su elección debe hacerse en función de la claridad y fácil manejo de la obra. Hay que tener en cuenta que el éxito o fracaso de ésta, sobre todo en el aspecto comercial, depende también en gran medida de este punto.

1.5.1. Para evitar un excesivo volumen, suele emplearse en los diccionarios un tipo de letra relativamente pequeño, lo que a su vez obliga a estructurar las páginas en dos o tres columnas, a fin de facilitar así la lectura. También para hacer más fácil la búsqueda de las palabras, cada página suele presentar en su cabecera las entradas con que empieza y finaliza. Otros diccionarios, especialmente los escolares, llevan también a veces indicado externamente –ya mediante colores diferentes, ya por medio de guías o cortes efectuados en los bordes– el lugar donde comienza cada letra, cuya finalidad no es otra que la de proporcionar al usuario una mayor facilidad y rapidez en la consulta. Como es obvio, todas estas circunstancias y detalles deben estar previstos en el plan del diccionario.

1.5.2. Particularmente importante es la elección de diferentes tipos de letra para la presentación de los artículos, pues el uso de un único tipo y tamaño restaría claridad a la exposición, la cual, además, resultaría excesivamente monótona. Es aconsejable que los datos importantes se indiquen con letras de mayor tamaño, o negritas, mientras que los ejemplos, si los hay, deben ir en letra

---

un diccionario impreso, del que en realidad no es más que una versión informatizada, mientras que el automático, aunque también en soporte magnético, ofrece unas posibilidades de uso (por ejemplo, referencias cruzadas, selección por una determinada marca, estadísticas, etc.) y hasta de edición, que no son posibles en un diccionario tradicional.

pequeña. También, a nuestro juicio, deberán evitarse los párrafos excesivamente largos, a fin de que la exposición no resulte demasiado pesada al lector. En realidad, cada diccionario requerirá, a este respecto, un tratamiento especial, cosa que debe contemplarse en el correspondiente plan. No hay que perder nunca de vista el carácter pedagógico-práctico de todo diccionario y, por lo tanto, deberán adoptarse todos aquellos medios formales que faciliten y hagan más clara la consulta.

1.5.3. En otro orden de cosas un aspecto que quizás interesa menos al lexicógrafo, pero que indudablemente redundará también en el éxito –al menos comercial– del diccionario es el tipo de papel e incluso el material utilizado en las pastas. Concepción Maldonado[8] observa a este respecto cómo la adopción en los diccionarios de Ediciones SM de cubiertas en plástico flexible constituyó un auténtico éxito entre profesores y alumnos, al suponer un aligeramiento en el peso y, desde luego, una mayor duración que las tradicionales pastas en cartoné, que, por otro lado, funcionaban como auténticos instrumentos de tortura al ser transportados los diccionarios a espaldas de los escolares. Es decir, un detalle, aparentemente irrelevante, puede en definitiva tener más importancia de lo que a primera vista parece.

2. Plan práctico

2. Pero el lexicógrafo, antes de iniciar su tarea, no solo ha de preguntarse cómo ha de ser el diccionario que se propone elaborar, sino también de qué medios ha de disponer para llevar a la práctica su plan técnico: recursos económicos, material bibliográfico y lexicográfico, instrumental y personal colaborador. Todos estos aspectos son pilares fundamentales sobre los que se asienta la realización de cualquier trabajo de investigación y, por lo tanto, no pueden soslayarse o minimizarse en un proyecto lexicográfico serio.

2.1. *Recursos económicos*

2.1. El costo del diccionario viene determinado por dos factores fundamentales que, por lo tanto, también es indispensable fijar

[8] Cfr. C. Maldonado González, art. cit., pág. 48, nota 6.

en la planificación de un diccionario: la **extensión** o **tamaño** de éste y el **tiempo** que se necesitará para llevarlo a cabo. Realmente los dos son parámetros difíciles de determinar, sobre todo el segundo: se puede decir que los mayores errores cometidos en la historia de la lexicografía han sido probablemente las previsiones realizadas en este sentido, porque la mayor parte de las veces el planificador o planificadores no son absolutamente conscientes de la envergadura de la obra que se proponen realizar. En el camino se pueden presentar infinidad de dificultades y problemas –muchas veces ajenos a las características intrínsecas de la obra–, que resultan, por ello, imposibles de prever en el momento de la realización del proyecto. No obstante ninguna editorial o entidad pública o privada se comprometería a financiar un proyecto que no estableciese unos plazos de realización y unas características externas que permitiesen llevar a cabo un presupuesto lo más aproximado posible. Solo la determinación de éste podrá hacernos ver, por otro lado, la rentabilidad de la obra y, consiguientemente, su viabilidad.

. 2.1.1. La **extensión** o **tamaño** de un diccionario –junto, naturalmente, con su mayor o menor complejidad y dificultad de realización– constituye sin duda la base para poder determinar la duración de los trabajos de elaboración, pues, lógicamente, a mayor tamaño (y complejidad) mayor será también el tiempo invertido en la realización. Evidentemente, la extensión o tamaño podrá establecerse a su vez con relativa facilidad, una vez definido el diccionario en todos sus aspectos, esto es, en su macro y microestructura así como en sus características más superficiales referentes al formato o presentación. Lógicamente, este es el proceso normal cuando la idea de hacer el diccionario se le ocurre al estudioso que, observando las carencias existentes en materia lexicográfica desde una óptica exclusivamente científica, lo que intenta es llenar un vacío o cubrir una necesidad en el terreno lingüístico. Pero a veces se invierten en cierto modo los términos, ya que la extensión puede venir marcada de antemano por factores externos a la obra lexicográfica misma, como ocurre frecuentemente en los «diccionarios comerciales», esto es, realizados por encargo de una editorial, que basándose en unas necesidades de mercado y, por lo tanto, en una rentabilidad económica, señala, entre otras condiciones, unos límites precisos a la obra lexicográfica encargada; así es como han surgido de hecho, por ejemplo, la mayor parte de los diccionarios escolares junto con los diccionarios abreviados, resultado en ambos casos de la reducción o resumen de otros más amplios y cuya finalidad no es otra que cubrir unas exigencias meramente comerciales.

2.1.2. Una vez sabida la extensión o número de páginas del diccionario, si quien realiza su planificación es, como debe suponerse, una persona experimentada en las tareas lexicográficas, no resultará demasiado difícil, al menos en teoría, cuantificar con una cierta exactitud el trabajo desde el punto de vista temporal. Lo aconsejable, desde luego, es que se establezca un tiempo medio máximo por página, tiempo que, lógicamente, variará según el tipo de diccionario de que se trate; por eso sería conveniente realizar, a ser posible, algunos ensayos previos a fin de poder fijar con la mayor aproximación posible la velocidad que podría imprimirse al trabajo. Hay que contar de todos modos con un margen de error que conviene reducir lo más posible, calculando siempre al alza. Evidentemente, una cosa será el tiempo estimado para la realización del diccionario y otra la duración real de los trabajos de éste. El primero surgiría, según acabamos de ver, como resultado de multiplicar el tiempo medio por página por la extensión o número estimado de páginas, mientras que el segundo consistiría en la división de este último resultado por el número de colaboradores o personas que vayan a tomar parte en la realización del proyecto.

2.1.3. No hace falta insistir, por lo demás, en que, una vez determinado el tiempo exigido por la realización de la obra, resulta asimismo relativamente fácil determinar el costo de la misma, costo que, por otro lado, podrá asumirse en función de su **rentabilidad** tanto económica (en el caso del «diccionario comercial») como científica, cifrándose, lógicamente, esta última en función del interés que el diccionario tenga dentro del contexto o situación de los estudios sobre léxico. Conviene no olvidar –y en materia de lexicografía especialmente– que ambas rentabilidades, desgraciadamente, no van necesariamente unidas: no siempre los mejores diccionarios son, por ello, más vendibles, ni, desde luego, los diccionarios más vendidos son siempre los más aconsejables científicamente hablando.

2.2. *Material bibliográfico e instrumental técnico*

2.2. El material lexicográfico está representado, en primer lugar, por las **bibliografía** o conjunto de fuentes contenidas en la **biblioteca** y, en segundo lugar, por el conjunto de **textos** constituyentes del **archivo lexicográfico** o **corpus**. Éste y la biblioteca representan, por tanto, los dos pilares esenciales y por tanto imprescindibles en los que habrá de basarse todo estudio lexicográfico. La biblioteca es, efectivamente, la que proporciona las fuentes necesarias para llevar a cabo el acopio de textos, que, una vez recogidos y ordenados, constituyen el archivo o corpus. Sin corpus y sin biblioteca no sería viable la realización de ningún diccionario. Éste, efectivamente, no puede ser nunca el resultado de una mera introspección, de carácter por tanto subjetivo, sino una obra de investigación que necesariamente tiene que partir de unas bases bibliográficas relativas no solo a temas estrictamente lexicográficos, sino a cualquier manifestación escrita del lenguaje. En consecuencia, la planificación de un diccionario no puede ser ajena a la previsión de estos elementos de trabajo tan necesarios y fundamentales.

2.2.1. La biblioteca debe contener al menos todas las obras que hayan servido como fuentes para la recopilación de material, pues a veces pueden surgir dudas –sobre todo si el acopio se ha realizado manualmente o incluso informáticamente por medio de un escáner o un teclado– en cuanto a la fidelidad de un texto respecto al original, o, sencillamente, el redactor necesita ampliar el contexto del ejemplo para determinar con mayor precisión el sentido del vocablo que estudia. Desde luego lo ideal sería, si se trabaja con medios informáticos –cosa hoy prácticamente imprescindible– que la biblioteca o conjunto de fuentes se encontrase en soporte magnético, lo que permitiría el acceso a ella desde el ordenador, con las consiguientes ventajas tanto para la realización del corpus como de la propia redacción. Como veremos más adelante, en estas condiciones corpus y biblioteca pueden en la práctica fundirse en una misma cosa, siempre que se disponga de un instrumento informático que nos permita buscar directamente en las fuentes la palabra o texto que necesitamos en cada momento. En realidad lo que ocurre es que ese instrumento es capaz de realizar en poco tiempo un barrido de toda la obra –o de todas las fuentes– y ofrecer los pasajes en que la palabra buscada aparece utilizada.

2.2.2. El archivo lexicográfico o corpus está constituido, repetimos, por los materiales procedentes de las obras despojadas. Cuando el procedimiento adoptado de despojo ha sido el manual, dicho corpus estará formado por un conjunto más o menos amplio de papeletas o fichas que, por lo general, ocupan un extenso fichero organizado normalmente por orden alfabético; sería incluso posible pensar en un fichero informático –en realidad múltiples ficheros, uno para cada palabra– contenidos en el disco duro de un ordenador y formados copiando los textos o bien mediante transcripción a través del teclado o bien mediante la función «cortar y pegar». En realidad, pese al uso del ordenador, ese no sería un procedimiento propiamente informático, ya que éste consiste, como hemos dicho, en la formación de una base de datos, sin duda muchísimo más eficaz tanto por la rapidez con que se elabora como por las posibilidades de manejo que ofrece y la cantidad de material acumulado.

2.2.2.1. A propósito de esto último, no es fácil por cierto decidir cuándo un corpus o archivo lexicográfico es suficiente para iniciar las labores de redacción. Si el diccionario que se pretende elaborar es de tipo histórico, será necesario disponer de muchos millones de papeletas o textos en general, mientras que, si el diccionario es de tipo restringido o particular, pueden bastar unos cuantos miles de ejemplos. Todo depende, pues, de la naturaleza de la obra que se proyecta; aunque, de todos modos, convendrá siempre disponer de la mayor cantidad posible de materiales. En la planificación previa no solamente se contemplará este pormenor, sino también las características que ha de poseer el corpus; por ejemplo y ante todo, si ha de ser un corpus textual, esto es, integrado por textos completos, o, por el contrario, un corpus de referencia, formado por fragmentos de textos más amplios.

2.2.2.2. Otro aspecto que, en relación con los textos recogidos en el archivo, debe ser tenido en cuenta en la planta del diccionario tiene que ver con el tamaño de esos textos, la disposición de los mismos respecto a los datos de la cita y, además, con las normas de transcripción. Respecto a esto último existe ya toda una normativa generalmente aceptada, de la que nos ocuparemos más adelante; pero pueden darse normas especiales o particulares en cada obra, que son precisamente las que convendrá especificar en este caso. El orden entre texto y cita no siempre es el mismo en los diccionarios, aunque lo normal es que ésta aparezca después de aquél; pero también puede aparecer en primer lugar, como ocurre, por ejemplo, en el *Diccionario histórico* de la Academia. Finalmente, también es importante –cuando el despojo se va a realizar de un modo manual o en todo caso a la hora de incluir los textos en el diccionario– determinar la extensión que deben tener éstos siempre, naturalmente, que convenga establecer algunas limitaciones a este respecto.

2.2.3. La determinación de los métodos tanto en lo que concierne al acopio de materiales como al de la propia redacción requiere, como es natural, una serie de medios que necesariamente habrán de estar previstos en el proyecto del diccionario. Si se opta, como es lo esperable en los tiempos actuales, por la utilización de medios informáticos, se hace, obviamente, imprescindible disponer de una serie de ordenadores interconectados o en línea, tantos como colaboradores vaya a tener el equipo lexicográfico. No hace falta recomendar que deben adquirirse los ordenadores técnicamente más avanzados existentes en ese momento en el mercado. Para la recopilación de textos será asimismo necesario disponer de uno o varios escáneres con el correspondiente OCR de la más alta calidad, que permita recoger los textos con los menos errores posibles. Aunque no sea imprescindible, convendrá desde luego disponer asimismo de alguna impresora. Y, finalmente, el equipo informático deberá estar dotado de un buen *software* constituido por uno o varios programas, preferiblemente ideados ex profeso para el tipo de trabajo que vaya a desarrollarse.

2.3. *El equipo lexicográfico*

2.3. Muy pocas veces un diccionario es obra exclusiva de una persona, pues, en muchos casos, los años de la vida de su autor serían insuficientes para llevar a cabo el proyecto. Por esto lo normal es que la realización del trabajo se encargue a todo un equipo de especialistas, lo cual es particularmente necesario cuando se trata de una obra lexicográfica de grandes proporciones, como un diccionario histórico o una enciclopedia, por ejemplo. Así se procedió en la redacción del *Diccionario de autoridades* y se está procediendo actualmente en la del *Diccionario histórico* de la Real Academia y en general en la de todos los grandes diccionarios recientemente publicados o que en estos momentos están en fase de elaboración. El plan de un diccionario cuya realización haya de ser encomendada a varias personas, debe prever el número y cualificación de éstas, así como la organización del equipo, que, para poder ser considerado como tal, ha de estar perfectamente estructurado, de suerte que todos sus componentes sean solidarios y exista entre ellos una total coordinación.

2.3.1. Trabajar en equipo, que es algo que cada día se hace más urgente e imprescindible, no consiste, como comúnmente tiende a pensarse, en repartir una tarea entre unas cuantas personas, para que cada una por su lado realice la parte encomendada. Un equipo, por el contrario, supone **solidaridad** entre sus miembros, una estructuración orgánica en que cada componente desempañe un papel que está en función del desempeñado por otro u otros y que, a su vez, condiciona el de otros individuos, de suerte que, si en algún momento fallase alguno de estos miembros, el equipo dejaría automáticamente de funcionar. Este es precisamente el riesgo que tiene todo trabajo en equipo, pero los resultados que se pueden conseguir con él compensan sobradamente esta dificultad, que será tanto menor cuanto mayor sea la organización. Ahora bien, para poder constituir un equipo, no solo es necesario que cada cual esté capacitado para desempeñar sus funciones, sino que ha de existir por parte de sus componentes un gran espíritu de colaboración, solidaridad y comprensión mutua, y, por supuesto, no pueden faltar nunca motivaciones y estímulos por parte de quien lo dirija.

2.3.2. De ahí que la formación de un verdadero y auténtico equipo no pueda ser nunca fruto de una improvisación, sino que, por el contrario, es labor de mucho tiempo. El éxito depende en este caso de dos factores: la **elección del personal idóneo** –no solo en cuanto a capacidad intelectual, sino a cualidades humanas y características personales en general– y la **formación adecuada** del mismo. Esta ha de adquirirse con el aprendizaje práctico, pero también con el estudio individual y la constante comunicación con los demás miembros del equipo, para lo cual será necesario celebrar reuniones frecuentes para tratar de discutir sobre problemas relacionados con el trabajo e incluso recibir instrucciones teóricas sobre temas relacionados con la labor que se está desarrollando.

2.3.2.1. Gutiérrez Cuadrado señala, entre otras, las siguientes condiciones que deben reunir los miembros de un equipo lexicográfico[9]:

a) *Conocimientos generales.* Quiere decirse que quien colabore en la realización de un diccionario debe estar dotado ante todo de un gran sentido común, que sin duda es resultado en definitiva de unos conocimientos que solo la experiencia de la vida puede dar. El quehacer lexicográfico tiene carácter positivo, acumulativo y, por lo tanto, requiere experiencia: no basta con el entusiasmo y ganas de aprender para llevarlo a cabo.

b) *Conocimientos filológicos.* Parece obvio que quien elabore un diccionario, aun en el caso de que éste tenga carácter sincrónico, debe conocer ante todo la historia de la lengua y, por supuesto, tener un razonable dominio de los criterios para determinar la calidad e idoneidad de los textos manejados, la datación e importancia de los mismos, etc.

c) *Conocimientos lingüísticos.* Es evidente que el que colabore en la realización de un diccionario debe tener, en primer lugar, unos buenos conocimientos gramaticales, esto es, sobre morfología y sintaxis, así como, desde luego, de semántica. Esta condición es indispensable, aun cuando el diccionario que se vaya a elaborar no tenga carácter específicamente gramatical, por lo que, de no cumplirla, podría concluirse sin error que la persona en cuestión estaría incapacitada para llevar a cabo esa labor.

d) *Conocimientos especializados.* En lo concerniente a la lengua es conveniente que cada miembro del equipo posea conocimientos especializados sobre alguno de sus aspectos, pero asimismo sobre otras parcelas del saber humano: literatura, historia, ciencias naturales, matemáticas.

e) *Un buen dominio de la propia lengua.* Es completamente lógico que quien hace un diccionario no solo conozca muy bien la lengua que está estudiando y/o con la que está trabajando, sino que posea también un gran sentido lingüístico.

---

[9] Cfr. J. Gutiérrez Cuadrado, «La organización de un equipo de trabajo lexicográfico: el ejemplo del *Diccionario de Salamanca-Santillana*», en I. Ahumada (ed.), *Diccionarios e informática. III Seminario de Lexicografía Hispánica*, Univ. de Jaén, 1997, págs. 36-38.

f) *Cultura literaria*. Junto con el dominio de la lengua y los conocimientos lingüísticos es fundamental también que el candidato a lexicógrafo posea una buena cultura literaria, imprescindible en múltiples tareas lexicográficas, como la elección de fuentes, selección de textos, datación de los mismos, etc.

g) *Carácter*. Evidentemente, no todo el mundo posee las dotes necesarias para trabajar en equipo. Se necesita ante todo espíritu de colaboración, de amistad y generosidad, capacidad de identificarse con el proyecto y, desde luego, en nuestro caso, una buena dosis de entusiasmo y optimismo para llevar a cabo el trabajo colectivo. El candidato ha de poseer asimismo sentido crítico con a su vez la flexibilidad necesaria para aceptar y adaptarse a las decisiones del grupo.

h) *Conocimientos informáticos*. Aunque no es imprescidible, lo aconsejable es que quien vaya a colaborar en los trabajos de realización de un diccionario sepa manejar un ordenador, instrumento hoy prácticamente imprescindible no solo en las tareas lexicográficas, sino de cualquier otro tipo.

Desde luego no existe, como es lógico, el tipo de colaborador ideal, ni siquiera con lo anteriormente dicho queremos crear la idea de que todos los miembros del equipo deban ser iguales o semejantes. Lo importante, eso sí, es conseguir las personas que sean capaces de entenderse entre sí, de identificarse, como hemos dicho, con el trabajo y de formar en definitiva un grupo compacto y, desde luego, solidario.

2.3.2.2. Pero esto nos lleva a hablar no de las características individuales, sino de las del grupo o equipo, características que, siguiendo en parte asimismo a J. Gutiérrez Cuadrado[10], podríamos reducir a las siguientes:

a) En primer lugar, el equipo ha de estar **jerarquizado**, como veremos luego, habida cuenta de que la elaboración de un diccionario implica múltiples y variadas tareas, lo que requiere una división del trabajo y, por tanto, de las funciones: unos se ocuparán de la búsqueda de fuentes documentales, otros del despojo y archivo de esas fuentes, otros se encargarán de la redacción de artículos y

[10] *Ibid.*, págs. 33-35.

otros, en fin, de la puesta a punto de los instrumentos informáticos, etc. El trabajo de un equipo lexicográfico es así comparable al de, por ejemplo, una empresa de construcción, en la que cada trabajador desarrolla una determinada labor hasta conseguir, solidariamente, la realización de todo un edificio, previamente proyectado por un arquitecto y cuya realización es abordada simultáneamente por albañiles, carpinteros, fontaneros, electricistas, etc., todos ellos perfectamente coordinados por el o los maestros de obra, aparejadores y capataces. Ni que decir tiene, por lo demás, que las funciones y tareas se repartirán de acuerdo con las capacidades y preferencias de cada uno de los miembros del equipo.

b) Por otra parte, sobre todo si el equipo es numeroso y con una gran diversificación del trabajo, es conveniente su estructuración **modular**, es decir, en pequeños grupos encargados de una determinada tarea y, por lo tanto, con una cierta autonomía entre sí. Esto es especialmente aconsejable cuando el equipo se halla disperso geográficamente y, por lo tanto, no es posible la comunicación inmediata entre todos sus componentes. No obstante las posibilidades que hoy nos ofrece Internet solucionan en gran medida estos inconvenientes: actualmente podrían en efecto trabajar en el mismo módulo dos personas muy alejadas físicamente, utilizando, claro está, este impresionante medio de comunicación. De todos modos no cabe duda de que lo ideal es que los miembros del equipo, por razones obvias, deben trabajar en el mismo lugar, y solo excepcionalmente en lugares diferentes. Pero en este último caso, como veremos luego, lo aconsejable es que exista un equipo principal, encargado de la parte fundamental de la obra; abogamos, pues, por una **centralización** en contra del parecer de Gutiérrez Cuadrado.

c) Y, finalmente, el equipo debe ser **variado** y **heterogéneo** en el sentido de que sus componentes deben poseer, según queda dicho, conocimientos especializados sobre diversas áreas científicas e incluso proceder de zonas geográficas distintas. Es decir, un equipo ideal para la elaboración, por ejemplo, de un diccionario del español sería el compuesto por personas procedentes de diversas regiones peninsulares e hispanoamericanas y que, desde luego, no fueran exclusivamente filólogos. Esta última característica es, por supuesto, imprescindible cuando la obra lexicográfica consiste en una enciclopedia o diccionario enciclopédico.

2.3.3. Para concluir, la organización de un equipo lexicográfico, que, como hemos dicho, ha de estar prevista en la planificación del diccionario, aunque depende de la naturaleza de éste y otras circunstancias concretas y particulares distintas en cada caso, puede consistir básicamente en lo siguiente:

a) Un **director, jefe** o **coordinador general** del proyecto, cuyas funciones sean señalar las pautas y metas, asesorar en todo momento al personal, aunar esfuerzos, distribuir el trabajo y conocer en todo momento la marcha del mismo. Puesto que en él recae la máxima responsabilidad de la tarea, ha de revisar y dar el último visto bueno a los originales que hayan de ser entregados a la imprenta para su publicación.

b) Un **censor** encargado de la revisión de originales, a fin de unificar al máximo la redacción, y que, al mismo tiempo, en contacto con los redactores, pueda realizar las correspondientes correcciones y adiciones que se consideren oportunas. Si se trata de un equipo relativamente pequeño, las funciones del censor pueden ser desempeñadas por el propio director.

c) Uno o varios **redactores-jefe**, cuya misión principal será el asesoramiento y formación de nuevos redactores, y la dirección en su caso de diversos grupos de redacción así como del personal colaborador subalterno (acotadores, papeletizadores, macanógrafos, informáticos, etc.). Corresponderá también a ellos la preparación de originales y revisión de los artículos realizados por los redactores. Al mismo tiempo, si las circunstancias lo permiten, podrán ellos mejor que nadie dedicarse a la redacción de artículos.

d) Varios **redactores**, cuya única misión consistirá en la elaboración de artículos.

e) **Personal colaborador subalterno**, representado por **acotadores**, que tienen por función la elección de textos en la búsqueda de material, **papeletizadores**, cuya misión es realizar la transcripción de textos y todo lo relacionado con la elaboración de papeletas o, en caso de usar medios informáticos, la introducción de esos textos en la base de datos del ordenador, y, por fin, los **auxiliares**, constituidos por mecanógrafos y correctores de pruebas. Si en la recolección de material se usan procedimientos informáticos, habrá que contar asimismo con la asistencia técnica de personal especializado en este campo.

2.3.3.1. Así pues, todo lo dicho podemos reducirlo al siguiente organigrama:

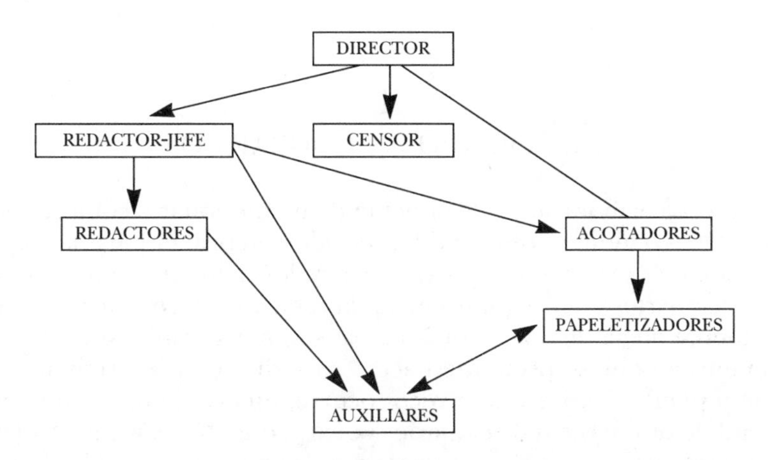

2.3.3.2. La realización de ciertos diccionarios puede requerir, además de la colaboración de un equipo lexicográfico más o menos organizado de la forma antes señalada, la de personas externas ajenas a ese equipo, como pueden ser ciertos **especialistas** en determinados campos o materias –por ejemplo, en el caso de que el diccionario incluya ciertas terminologías–, o de **corresponsales**, situados en lugares más o menos alejados de donde trabaja el equipo de lexicógrafos, y cuya misión es la de actuar como informantes acerca, por ejemplo, de las particularidades léxicas de la lengua en las zonas o regiones en donde viven. A veces estos informantes o corresponsales pueden constituir equipos secundarios en los lugares correspondientes, donde llevan a cabo, de acuerdo con unas pautas establecidas desde el equipo principal, la recogida de materiales, sobre todo cuando éstos provienen de la lengua hablada.

4
EL CORPUS LEXICOGRÁFICO

0.1. La elaboración o realización de un diccionario comprende dos etapas o momentos bien diferenciados: en primer lugar la constitución del corpus o conjunto de materiales en los que se va a basar el diccionario, y, en segundo lugar, la redacción o realización propiamente dicha de éste. Ambas etapas son inexcusables si verdaderamente lo que se pretende hacer es un diccionario original, de nueva planta, y no, como a veces ocurre, una copia más o menos literal de otro u otros diccionarios ya existentes. No hay que olvidar a este respecto que, así como otros tipos de obras no es posible reproducirlas total ni parcialmente porque están protegidas por la ley, no ocurre lo mismo con los diccionarios, que, pese a requerir en su elaboración un muy elevado esfuerzo, están sometidos para mayor desgracia de quienes los elaboran al más despiadado, alevoso e impune «fusilamiento». Y así, si nos fijamos en la lexicografía española, constataremos fácilmente que una gran parte de nuestros diccionarios son copia, cuando no reproducción literal, del *Diccionario* de la Academia (*DRAE*)[1], sin que ésta haya podido hacer nada por evitarlo.

0.2. Para la construcción de un corpus lexicográfico hay que determinar, en primer lugar, las fuentes en que se ha de centrar la recogida de materiales, así como, por otro lado, el soporte físico de ese corpus, el cual puede consistir en papeletas o fichas de papel organizadas alfabéticamente por entradas, esto es, de acuerdo con la ordenación que el diccionario presentará en su macroestructura, o, como se ha generalizado a lo largo de los últimos años, en grabaciones magnéticas recogidas en la memoria de un ordenador. En este último caso un corpus no es más que un conjunto de textos grabados, unidos unos a otros de forma secuencial y conve-

[1] Cfr. G. Haensch, «La lengua española y la lexicografía actual», *LEA*, IV, 2 (1982), pág. 241.

nientemente preparados para su tratamiento informático[2], llegando a identificarse con las propias fuentes cuando se trata de un **corpus textual**, al incluirlas íntegramente a todas, frente al **corpus de referencia**, que tan solo incluye fragmentos de ellas[3].

1. Las fuentes

1. Entendemos por **fuentes** de un diccionario todo aquello capaz de proporcionar los datos o materiales necesarios para la constitución del corpus o fichero lexicográfico. En general, pueden distinguirse dos tipos fundamentales de fuentes: a) **lingüísticas** o **primarias**, representadas por toda realización concreta de la lengua, sea un texto oral o escrito, y b) **metalingüísticos** o **secundarias**, constituidas por todas aquellas obras –por ejemplo otros diccionarios– que se ocupan de alguna manera del léxico que va a ser estudiado por el diccionario[4]. A no ser que se trate de estudiar el léxico de una obra concreta o de un determinado autor, en la utilización de fuentes primarias se hace normalmente necesaria una selección –depende del tipo de diccionario–, selección que tendrá que ver en primer lugar con el tipo o tipos de lengua que se va a estudiar y, en segundo término, con la representatividad que habrá de darse a las diferentes clases de textos, épocas del idioma, etc. De lo que se trata en realidad es de constituir a partir de ellas un corpus lo más completo y representativo de la modalidad de lengua que se quiere abarcar en el diccionario.

1.1. *Las fuentes lingüísticas escritas*

1.1. Por regla general, la investigación lexicográfica se basa en fuentes escritas y solo en contados casos –por ejemplo, en diccio-

[2] Véase, por ejemplo, P. Cantos, «Tratamiento informático y obtención de resultados», en A. Sánchez et al., *Cumbre. Corpus lingüístico del espñol contemporáneo. Fundamentos, metodología y aplicaciones*, SGEL, Madrid, 1995, págs. 40-41.

[3] Cfr. M. Alvar Ezquerra et al., «Diseño de un corpus español en el marco de un corpus europeo», en M. Alvar Ezquerra y J. A. Villena Ponsoda (coord.), *Estudios para un corpus del español*, Univ. de Málaga, 1994, pág. 10.

[4] Cfr. J. A. Porto Dapena, *Elementos de lexicografía*, pág. 192; G. Haensch, *La lexicografía*, pág. 434 y ss.; R. González Pérez, «Consideraciones metodológicas sobre la elaboración de diccionarios monolingües», *Revista de Filología* (La Laguna), 11 (1992), pág. 81.

narios o vocabularios dialectales– en fuentes orales. Las razones de esto son obvias: en primer lugar por la actitud normativista que casi siempre ha presidido la elaboración de nuestros grandes diccionarios y que ha llevado, a su vez, debido al enorme prestigio de que siempre ha gozado la lengua escrita, a elegir a ésta como reflejo más fiel del uso lingüístico de las personas cultas, consagrado sobre todo en las obras literarias, y, en segundo lugar, por culto al pasado o a un cierto resabio historicista, presente incluso en diccionarios estrictamente descriptivos, como pueden ser el *DRAE* y el *DUE*, donde se encuentran, por ejemplo, referencias etimológicas, vocablos y acepciones ya desaparecidas, ordenación cronológica de los significados, etc. En general se ha venido considerando siempre como prototipo de la norma la lengua de los «buenos escritores», aun cuando no existen criterios verdaderamente objetivos –y sobre todo lingüísticos– que puedan hacernos discernir entre quiénes escriben bien o mal.

1.1.1. En realidad son éstos principios dieciochescos y decimonónicos que convendría superar, lo que no impide que, efectivamente, tenga que existir una cierta selección, cuyos criterios dependerán, fundamentalmente, del tipo de diccionario u obra lexicográfica que se pretenda hacer. No es lo mismo, efectivamente, que se trate de un diccionario general o terminológico, sincrónico o diacrónico, sobre la época actual u otra pasada, etc. La elección de fuentes siempre redundará en la perfección o imperfección del diccionario y, por lo tanto, es tarea delicada y que conviene concretar al máximo: la utilización indiscriminada de textos podría, en efecto, proporcionar una imagen distorsionada del léxico y, por lo tanto, no acorde con la realidad lingüística que se pretende describir. Como ya hemos dicho, el diccionario ha de basarse en un corpus representativo de esa realidad lingüística.

1.1.1.1. Desde luego, la elección exclusiva de fuentes escritas es obligada en diccionarios referentes a épocas pasadas del idioma, como podría ser, por ejemplo, un diccionario del español medieval o del Siglo de Oro, dado que los únicos testimonios que poseemos pertenecen exclusivamente a los escritos que nos hayan quedado de esas épocas. La utilización de tales materiales es indispensable asimismo en los tesoros y diccionarios históricos o diacrónicos en general, y, por supuesto, en los diccionarios de citas.

1.1.1.2. No ocurre lo mismo si nuestro objetivo es el estudio de la lengua actual, donde, evidentemente, deberían tener entrada también los testimonios procedentes del lenguaje oral. Pero aun así, los materiales escritos suelen ser más utilizados por el investigador, y ello por varias razones: la primera porque resulta mucho más cómodo recoger textos escritos que orales; la segunda porque el lector o usuario puede siempre comprobar ese texto en el lugar en cuestión, lo que da a ese texto un valor testimonial indiscutible, y en tercer lugar porque siempre el texto escrito, sobre todo si pertenece a un escritor consagrado, puede utilizarse como autoridad y, por tanto, como sancionador del uso, no como un simple ejemplo, que es lo que ocurriría normalmente con un testimonio recogido de la lengua hablada.

1.1.2. Pueden distinguirse varios tipos de fuentes escritas: **literarias** y **no literarias**, divididas a su vez estas últimas en **diplomáticas**, **epigráficas**, **administrativas**, **técnico-científicas**, **periodísticas** y **subliterarias** (fotonovelas, comics, etc.). Desde el punto de vista del tipo de textos que las conforman, puede hablarse de **fuentes didácticas**, **informativas**, **persuasivas**, etc.[5]

1.1.2.1. Por ser la literatura la quintaesencia de la expresión lingüística, podemos decir que proporciona las fuentes más adecuadas –y por ello más utilizadas– desde todos los puntos de vista. Claro que no todo texto por ser literario tiene el mismo valor e interés lexicográfico. En general, hay que observar que las obras en prosa son siempre más aconsejables que las pertenecientes al mundo de la poesía, por poseer ésta un lenguaje muy especial, que, de todas formas, no conviene desechar en un diccionario general de la lengua. Desde luego, el criterio de elección en este caso no debe basarse, pensamos, nunca en criterios literarios, esto es, puramente estéticos, sino léxicos o lingüísticos en general: es evidente que un autor u obra de segundo orden, literariamente hablando, puede presentar una mayor riqueza léxica que otra de primera línea, más apreciada por la crítica literaria.

1.1.2.2. Las fuentes diplomáticas y epigráficas son indispensables cuando se trata de un diccionario etimológico, histórico o medie-

---

[5] Cfr. G. Haensch, *Op. cit.*, pág. 242.

val, o sobre una lengua muerta, como puede ser el griego o el latín. Este tipo de fuentes incluso pueden poseer a veces mayor interés que las fuentes literarias, por presentar deslices lingüísticos que demuestran una situación o tendencia evolutiva que en los textos literarios, más cuidados, sería imposible detectar.

1.1.2.3. Las técnico-científicas son, naturalmente, indispensables para la realización de diccionarios terminológicos sobre distintas ramas del saber humano, aunque también deben ser tenidas en cuenta en los diccionarios generales –no digamos en los enciclopédicos– para el tratamiento de aquellos términos que hayan cundido en la lengua común. En este último caso deben ser preferibles fuentes que incluyan textos más bien de divulgación científica.

1.1.2.4. Especial importancia tiene para un diccionario del léxico actual el empleo de fuentes periodísticas, por corresponder éstas al lenguaje más espontáneo de todos los escritos, el cual, al no pretender en general ningún fin literario, es quizá el que más se acerca al uso generalizado estándar. Por otro lado son los periódicos y revistas donde a veces por primera vez aparece una innovación recién acuñada e incluso muchas veces no admitida todavía por el uso corriente. De todos modos, con los textos periodísticos debe procederse con cierta cautela, porque, al representar escritos realizados con celeridad y no sin cierta dosis de irreflexión, introducen con frecuencia errores o innovaciones no aceptados por el cuerpo social.

1.1.3. Una cuestión importante a la hora de elegir una fuente escrita es la edición que debe utilizarse en el supuesto de que la obra disponga de varias. A este respecto podemos decir lo siguiente: ante todo debe preferirse siempre la edición más cuidada, sobre todo si ha sido realizada y revisada por el propio autor; de no ser así, es siempre preferible la primera edición o, en su caso, una edición crítica. Tratándose de obras antiguas, debe evitarse, desde luego, la utilización de ediciones divulgativas, no realizadas con unos criterios filológicos estrictos.

1.1.4. Otro aspecto que preocupa normalmente al lexicógrafo y que, por tanto, conviene plantear aquí, es el relativo a la proporcionalidad en que deben ser utilizados todos estos tipos de fuentes escritas con vistas a la formación del corpus lexicográfico. Dada la imposibilidad de que éste contenga todas y cada una de las realizaciones de que ha sido objeto y es capaz la lengua, parece lógico suponer que en él deberán estar representados en alguna medida todos esos tipos de escritos. El problema en todo caso está en decidir hasta qué punto o en qué proporción habrá de aparecer cada uno de ellos, de modo que el corpus refleje con la mayor fidelidad posible la situación lingüística sobre la que se quiere informar en el diccionario. Alvar Ezquerra proponía en 1976, para un hipotético diccionario sincrónico del español actual, la formación de un corpus constituido en un 45 % por material escrito, que distribuía de la siguiente manera[6]:

1. Textos literarios: 22'5%, divididos así:
   a) prosa: 12'5%
      - novela: 7%
      - ensayo: 3'5%
      - cuento: 2%
   b) teatro: 5%
   c) poesía: 5%

2. Textos no literarios: 22'5%
   a) periodísticos: 10%
   b) diarios: 6%
   c) informativos: 5%
   d) deportivos: 1%
   e) semanarios y otros: 4%
   f) informativos, políticos, económicos: 1'5%
   g) femeninos: 1%
   h) humorísticos: 1%
   i) deportivos: 0'3%
   j) taurinos: 0'2%
   k) subliteratura: 6'5%
      - novela rosa: 1%
      - novela de acción: 1%
      - novela de ciencia ficción: 1%
      - fotonovela: 1%
      - comics y literatura infantil: 2%
   l) varios: 3%
   m) textos científicos y técnicos: 6%
      - científicos: 3%
      - técnicos: 3%

---

[6] Cfr. M. Alvar Ezquerra, *Proyecto de lexicografía española*, págs. 167-168.

Y, aunque con una finalidad no exclusivamente lexicográfica, en 1995 hace esta otra propuesta[7] también para un corpus del español actual: de un total de veinte millones de palabras concede un 75 % a los textos escritos, que divide, por una parte, en **textos de no ficción** (35 %), subdivididos en **textos de carácter informativo** (arquitectura, antropología, arte moderno, civilización, etc.), **textos guía** (sobre alfabetización, bricolaje, cocina, deporte...), **textos argumentales-posicionales** (alimentación, diseño, ecología, educación, política, medios de comunicación, etc.), **narrativa** (sobre viajes, biografía y autobiografía) y **textos de humor**, y, por otra parte, **textos de ficción** (35 %) al lado de **textos de componente periodístico** (25 %) junto con **folletos** (2'5 %) y **cartas** (otro 2'5 %).

1.1.4.1. Realmente no es fácil justificar tanto estas como cualesquiera otras propuestas, pues no existen unos criterios claros y objetivos en que basar el reparto, que indudablemente se hace sobre bases subjetivas. Si de lo que se trata es de tener una representación de un estado de lengua –y no tanto de los textos existentes de la misma–, desde luego ese estado no se manifiesta mejor ni peor porque se le conceda mayor representatividad, por ejemplo, a la novela que al cuento, o a los textos periodísticos que a los literarios del género ensayo, etc. Salvo casos excepcionales, como por ejemplo la poesía, que de hecho puede presentar un léxico especial, cada uno de los géneros literarios no implica, al menos en principio, el uso de una modalidad lingüística específica –ni siquiera de un registro propio– y, desde luego, atendiendo al nivel léxico, no parece que un texto de ficción posea vocablos que no puedan aparecer en los de no ficción. Y es que tanto los géneros literarios como los distintos tipos de textos no vienen dados por características estrictamente lingüísticas y, por lo tanto, léxicas, sino por otros rasgos a veces no fáciles de esclarecer. Partir, por tanto, de ellos para la elección de las fuentes en la constitución de un corpus sería algo así como si, para realizar un estudio sobre el estado del código futbolístico tomando como base diversos vídeos de partidos concretos (equivalentes a los textos en el plano lingüístico), dividiéramos esos partidos de acuerdo con el resultado o el número de espectadores asistentes o, incluso, según que los equipos fueran de primera, segunda o tercera división: ¿Es que esas clasificaciones implicarían

[7] Cfr. «Diseño de un corpus del español», ya citado, pág. 24-27.

variación alguna en las reglas del juego o en su utilización? Ni el resultado, ni los espectadores ni, por supuesto, la pertenencia a una determinada categoría o división van a suponer, por ejemplo, un mayor o menor número de faltas cometidas y, por lo tanto, una aplicación diferente del código.

1.1.4.1.1. Ahora bien, siguiendo con el símil futbolístico, desde luego lo normal es que nos guste más un partido de primera que de tercera división, rodeado además de una gran expectación e hinchada y, sobre todo, con un resultado favorable al mejor equipo; pero notemos que eso es una cuestión «estética» que no afecta propiamente al estado del código futbolístico. De igual modo en nuestro caso podemos tener preferencia por un determinado tipo de textos –por ejemplo, los literarios frente a los no literarios– y, dentro de los literarios por un género específico, y a su vez en éste, por una obra o autor concretos, preferencias, por otro lado, en las que incluso podemos coincidir con el sentir de la generalidad. En definitiva, unos textos pueden gozar de mayor prestigio que otros –e incluso tener, por ello, un relativo influjo en la comunidad hablante–, por lo que parece obvio que deban figurar en primer lugar y prevalecer sobre otros a la hora de elegir las fuentes de un corpus lingüístico. No se puede negar que este criterio de prestigio pueda ser utilizado –y de hecho así ha venido ocurriendo tradicionalmente– en la práctica lexicográfica (de ahí por cierto la denominación de *autoridad* aplicado a los textos o pasajes procedentes de esas fuentes); pero, insistimos, no se trata de un criterio estrictamente lingüístico, sino más bien estético, valorativo y, por tanto, de carácter subjetivo; añádase que la valoración dependerá en buena medida de los gustos del momento y, por eso, estará sujeta a modificaciones y fluctuaciones. En conclusión, pues, solo la aplicación de este criterio valorativo, «de autoridad» o «de prestigio», podría llevarnos a establecer un baremo de preferencias –y, por lo tanto, de los porcentajes correspondientes– en relación con los distintos géneros literarios y tipos de textos en general; pero en modo alguno la utilización de tal baremo responderá a la necesidad de ofrecer una muestra del estado real de la lengua en un determinado momento.

1.1.4.1.2. Pese a esto último, la verdad es que, aun cuando no sea indispensable, no parece mal la idea de querer dar representación en un corpus lingüístico al mayor número posible de variedades de textos existentes e incluso, en función de su prestigio o autoridad, aplicar el baremo correspondiente. Notemos, sin embargo, que la adopción de este criterio, que más parece responder a intereses de orden normativista –recordemos el viejo tópico de que la lengua estándar es la utilizada por los «buenos escritores»– plantea un nuevo problema que no debemos soslayar: ¿Hasta qué punto los correspondientes porcentajes han de aplicarse a las fuentes y no a la cantidad de material extraído de las mismas? Podría ocurrir, efectivamente, que, aun concediendo preferencia a una determinada obra o tipo de obras, finalmente, en el correspondiente despojo de materiales, se recogiera un menor número de pasajes que en otra u otras de menor importancia[8]. Desde luego, esto no parecería lógico, pues, al final, esa preferencia no se manifestaría en el conjunto del material recogido, esto es, en la totalidad del corpus, que es lo que realmente interesa. Pero, aun así, notemos que esto último tampoco sería viable porque la cantidad de material dependerá, lógicamente, del tamaño y –lo que es menos controlable a priori– de la riqueza léxica de la obra.

1.1.4.2. Si, como decíamos, de lo que se trata es de tener en el corpus una representación fiel y completa de un estado de lengua, lo primero que habrá que hacer es definir ese estado de lengua bajo unos parámetros que a su vez nos servirán para determinar las fuentes o textos que hemos de tener en cuenta para la formación de dicho corpus. Y, naturalmente, esos parámetros no pueden ser otros que los basados en los puntos de vista cronológico, espacial, diastrático o social, y diafásico o de registro. Si, por ejemplo, la lengua que se pretende describir es la correspondiente a una variedad científica –esto es, se intenta hacer un diccionario terminológico–, las fuentes no podrán, obviamente, elegirse fuera de la literatura sobre el tema, y, si, por otro lado, lo que pretendemos es elaborar un diccionario sobre la lengua estándar actual, habrá que definir ésta desde cada uno de esos parámetros y, en función de ellos, elegir las fuentes correspondientes, que, evi-

[8] Esto ocurrió, por ejemplo, en la recogida de materiales llevada a cabo por el Instituto Caro y Cuervo para el *Diccionario de construcción y régimen* de Cuervo, en cuyo corpus llegó a haber más textos del colombiano Marco Fidel Suárez que de la obra cervantina y de otros escritores clásicos.

dentemente, nunca podrán incluir textos de otras épocas, o de carácter dialectal, o en general representativos de cualquier variedad lingüística no estándar. Por otro lado, como de lo que se trata, en principio, es de recoger la totalidad del léxico correspondiente a ese estado de lengua, más que la variedad en tipos de textos o géneros literarios –que es, como acabamos de ver, el criterio tradicionalmente preferido– lo que sobre todo y ante todo deberá interesarnos es la variedad de temas o aspectos de la realidad tratados en esos textos y solo en segundo lugar cabe aplicarles el criterio tradicional de prestigio o autoridad, aspecto este último que, lógicamente, será muy importante en un diccionario de tipo normativo.

1.2. *Fuentes orales*

1.2. Desde luego, si seguimos un criterio normativo de autoridad, esto es, basado en la calidad o importancia atribuida a los textos, las fuentes orales deberían quedar automáticamente excluidas o, si acaso, aceptadas en una relativamente baja proporción. Por eso nos parece excesiva la propuesta de Alvar Ezquerra en 1976 al conceder a estas fuentes idéntica representación porcentual –otro 45%– que a las escritas. Y esto no solo porque basa, según hemos visto, la repartición de porcentajes en los tipos de textos, usando por tanto un criterio «de prestigio» o «autoridad», sino porque además existen dificultades materiales para llevar a cabo la recogida de ese tipo de materiales: la utilización de fuentes orales, como él mismo reconoce, presenta importantes dificultades sobre todo cuando se refiere a zonas muy alejadas –como ocurre con el español de América– del lugar donde se realizan las tareas lexicográficas[9], a lo que hay que añadir que no siempre es dado obtener información oral sobre todas las unidades léxicas registradas en el corpus. Con independencia de esto, hay que decir que la distinción de las fuentes basadas en su carácter oral o escrito tiene una indudable justificación lingüística, pero solo en cuanto que ambos caracteres representan registros diferentes, cada uno de los cuales implica la utilización de un léxico específico, representado, por ejemplo, en el caso del lenguaje hablado por unidades pertenecientes al que ha

[9] Cfr. *Proyecto*, pág. 169.

dado en llamarse registro *coloquial.* No la tendría, sin embargo, si con esa distinción aludiéramos simplemente al canal utilizado en la realización lingüística, ya que, desde este punto de vista, un texto oral puede ser perfectamente reproducción de un escrito, como, al contrario, un texto escrito puede reproducir otro de carácter oral.

1.2.1. Con referencia a la fuentes orales que pueden utilizarse en la formación de un corpus lexicográfico, podemos señalar dos tipos fundamentales: las que podemos llamar **espontáneas**, recogidas de la realización espontánea de la lengua y correspondientes, por tanto, a emisiones radiofónicas o televisivas, esto es, procedentes de los medios de comunicación, o a conversaciones, discursos, conferencias, etc., y las realizadas **por medio de encuentas**. Cada cual, obviamente, tiene su propio interés y aplicación, como vamos a ver.

1.2.1.1. La utilización de fuentes radiofónicas es particularmente importante en la lengua actual, dado el enorme influjo que este medio, junto con la TV y la prensa, ejercen en el habla de nuestros días, especialmente en la urbana. Conviene, no obstante, utilizar estas fuentes con cautela, dadas las continuas transgresiones a que, especialmente en telefilms y otros programas «enlatados» emitidos por la TV, está sometida continuamente la norma lingüística. Es ciertamente una lástima que los medios de comunicación, habida cuenta del gran influjo que ejercen en el comportamiento lingüístico de la gente, carezcan de técnicos o personas impuestas en materia lingüística que sirvan como asesores, correctores o censores.

1.2.1.2. Más adecuadas por su carácter más formal pueden resultar las conferencias o discursos, aun cuando quienes hablan en público o se dirigen a las masas no siempre sean precisamente paradigmas del buen uso. Recordemos el *doceavo* por *duodécimo* del Sr. Solana cuando era Ministro de Cultura o los discursos bastante pedestres a que nos tienen acostumbrados muchos de nuestros políticos tanto en el Parlamento como en los mítines populares.

1.2.1.3. El uso de encuestas es, desde luego, un método seguro y eficaz, pues tiene la ventaja de proporcionar el dato concreto que se necesita. Pero resulta trabajoso y costoso, puesto que exige desplazamientos, búsqueda de informantes adecuados, largas horas de interrogatorios, personal cualificado para realizar la encuesta, etc. Por eso es aconsejable reservarlo para casos dudosos o para datos no recogidos en el corpus por otros medios. La preparación de estas encuestas, por otro lado, resultará necesariamente laboriosa, sobre todo cuando van enfocadas a la totalidad del léxico: lo normal es ir planteando las preguntas por campos léxicos o mejor quizás asociativos, preguntas que, por otro lado, no presentan especiales dificultades cuando se refieren a sustantivos concretos; pero los problemas van surgiendo a medida que nos adentramos en el léxico abstracto o referido a otras categorías de palabras distintas del sustantivo. Otras posibles preguntas consistirán en ir proponiendo una serie de palabras a los informantes para que las utilicen en diversos contextos y poder así determinar sus respectivos usos y contenidos.

1.2.2. Todos los materiales orales deben ser recogidos en cintas magnetofónicas –aunque tampoco es desdeñable la utilización de cuadernos de notas, sobre todo cuando se trata de encuestas o se pretende tomar un dato oído por casualidad en alguna parte–, y de aquí debe realizarse con posterioridad la transcripción o reproducción gráfica correspondiente, la cual se someterá luego, como si de una fuente escrita se tratara, a todo el proceso de acopio que describiremos más adelante. Hemos de recordar a este respecto que, para el español, hay publicadas algunas versiones gráficas de textos orales que, aun cuando hayan sido recogidos con finalidades distintas de las estrictamente lexicográficas, tienen un indudable interés para la investigación léxica en general; pensemos, por ejemplo, en los textos de grabaciones procedentes del estudio de la norma culta del español hablado en algunas ciudades del mundo hispánico[10].

1.3. *Las fuentes metalingüísticas*

1.3. Refiriéndonos ahora a las fuentes metalingüísticas, hemos de observar que, al contrario que las lingüísticas, no están, en principio, sometidas a selección alguna: en general son aceptables todas,

[10] Así, las publicadas por el Consejo Superior de Investigaciones Científicas sobre el habla de Madrid, y por el Colegio de México sobre el habla de Méjico.

siempre que aporten algún dato que tenga interés para el diccionario que se va a elaborar. Pueden distinguirse, por lo demás, dos tipos fundamentales de fuentes metalingüísticas: las **lexicográficas**, representadas por todos los diccionarios que pueden –y deben– ser tenidos en cuenta, junto a las **no lexicográficas**, constituidas por todo trabajo filológico o lingüístico en que se estudie algún aspecto de interés para el diccionario que se va a elaborar.

1.3.1. El diccionario, como toda obra científica, no es algo que surge por generación espontánea, sino que necesariamente habrá de fundamentarse en otras obras lexicográficas existentes, aunque no para reproducirlas literalmente, como desgraciadamente a veces ocurre, sino para perfeccionarlas y superarlas. Debe, en efecto, aprovechar el contenido de otros diccionarios, contenido que corroborará mediante las investigaciones pertinentes, completará, ampliará o incluso, si fuera el caso, contradirá o corregirá. Una actitud crítica es a este respecto indispensable, aunque no sea más que para evitar errores como los representados, por ejemplo, por las llamadas «palabras fantasma» o falsas entradas, que debido a incorrecciones en la interpretación y transcripción de textos se han ido colando y transmitiendo a lo largo de nuestra lexicografía. El diccionario que, como hemos observado anteriormente, se ha venido tomando sistemáticamente como fuente principal de nuevos diccionarios es el *DRAE*, del que, como ya hemos observado, incluso se llegan a veces a tomar las definiciones al pie de la letra. Sin negar el evidente prestigio y calidad de este diccionario, es conveniente, no obstante, no circunscribirse a él solo, y acudir, por tanto, a otras fuentes lexicográficas, también importantes, tanto generales como particulares, cuya elección en este último caso siempre dependerá, lógicamente, del tipo de diccionario que se vaya a elaborar.

1.3.1.1. La utilización de un diccionario como fuente de otro puede llagar a consistir en tomarlo como «diccionario base»; esto es, realizar sobre él todos los cambios oportunos a fin de actualizarlo, renovarlo y superarlo. Es este un procedimiento muy frecuente en diccionarios no muy extensos, de tipo escolar, tanto monolingües como bilingües, y que se adopta para ahorrar tiempo y esfuerzos innecesarios[11]. Pese, con todo, a que no se puede hablar en este

[11] Cfr. G.Haensh, *Op. cit.*, pág. 430.

caso de verdadero plagio, el método no parece demasiado serio y ortodoxo ni, por lo tanto, aconsejable.

1.3.1.2. Lo que cabe aconsejar cuando se hace un diccionario es que éste sea «de nueva planta», esto es, basado ante todo en fuentes lingüísticas, o sea, en textos hablados y/o escritos, y solo secundariamente en informaciones procedentes de otros diccionarios. Ahora bien, esto no quiere decir que el lexicógrafo deba consultar estas fuentes lexicográficas tan solo una vez que haya realizado su investigación mediante el otro tipo de textos. Por el contrario, puede –y debe– partir de ellas como una primera aproximación al estudio del vocablo cuyo artículo lexicográfico se dispone a redactar; pero, repetimos, solo como una primera aproximación, puesto que, a la vista de los materiales lingüísticos disponibles, puede llegar a la conclusión de que el artículo debe presentar una microestructura bastante o totalmente diferente a la que le sirvió de punto de partida. Es más, en la mayor parte de los casos, cuando se trabaja con textos, es difícil coincidir en la estructuración de los artículos con la adoptada por otro u otros diccionarios existentes[12].

1.3.2. Refiriéndonos ahora a las fuentes metalingüísticas no representadas por diccionarios, digamos ante todo que pueden ser de muy diversa índole tanto por su contenido como por la intención con que hayan sido escritas. Un dato lexicográfico puede ofrecerlo desde una obra de altos vuelos filológicos hasta una breve nota aclaratoria a pie de página en una obra literaria o una comunicación escrita enviada por un desconocido corresponsal.

1.3.2.1. Desde luego los datos que deben ser tenidos en cuenta prioritariamente son los procedentes de obras sobre algún tema lingüístico. Pensemos, por ejemplo, en los repertorios de palabras contenidos en tratados o artículos de lexicología, semántica, dialectología o gramática tanto descriptiva como histórica. Especial mención hay que hacer de los atlas lingüísticos, que, pese a sus limitaciones en la amplitud del vocabulario tratado, ofrecen interesantes y fundamentales testimonios acerca de la extensión geográfica de un vocablo o de su uso efectivo en un determinado lugar[13].

[12] Cfr. J. A. Porto Dapena, *Op. cit.*, págs. 209 y 436.

[13] Cfr. G. Salvador, «Lexicografía y geografía lingüística», en *Semántica y lexicología del español*, págs. 138-144.

1.3.2.2. Menos interés debe prestársele, por regla general, a las informaciones procedentes sobre todo de personas no especialistas. Tienen, si acaso, un valor puramente testimonial, esto es, el de constatar la existencia de una palabra o uso en un determinado ambiente o lugar. Un caso típico es el de léxicos –generalmente de tipo dialectal– recogidos por aficionados, obras que pueden ser utilizadas, pero siempre con una relativa cautela.

2. Acopio del material lexicográfico

2. Una vez determinadas las fuentes de un diccionario, la tarea que sigue inmediatamente es la relativa a la elaboración propiamente dicha del corpus, tarea que, obviamente, consistirá en la formación de un fichero o base de datos donde se registren, por el orden que adoptarán las entradas en el diccionario, todos los datos que, en relación con ellas, se vayan detectando en las obras empleadas como fuentes. A propósito de éstas, es necesario, a su vez, ir formando un fichero bibliográfico, constitutivo de la nómina de autores y obras utilizados en el acopio de material, la cual, sobre todo si se trata de un diccionario de citas, habrá de aparecer en las páginas iniciales o finales de la obra. Corpus y nómina son, pues, dos ficheros independientes y constituyen lo que en otro lugar hemos llamado **archivo lexicográfico**[14].

2.1. *La nómina*

2.1. Refiriéndonos en primer lugar a la nómina, subrayemos ante todo que, aun en el caso de que ésta no hubiera de aparecer en el diccionario, es sin duda indispensable en la elaboración del corpus lexicográfico. Y ello por varias razones: la primera por tener constancia en todo momento de los autores y obras que vayan siendo utilizadas como fuentes, a fin de evitar que un mismo texto sea recogido más de una vez y, al mismo tiempo, para saber en caso de necesidad a qué otras fuentes ampliar la recogida de materiales; por otro lado, habida cuenta de que al lado de los pasajes recogidos, por razones obvias de economía de tiempo y espacio, las referen-

[14] Cfr. J. A. Porto Dapena, *Op. cit.*, pág. 212.

cias bibliográficas se realizan en abreviaturas o siglas, los registros de nómina servirán para dar la explicación de éstas así como la referencia bibliográfica completa una vez por todas. A todo ello hay que añadir que, si el corpus se realizara manualmente, en las correspondientes fichas de nómina sería conveniente anotar, entre otras cosas, junto a los datos bibliográficos correspondientes, el número de textos o pasajes recogidos, la fecha en que se llevó a cabo el acopio, la persona o personas que se encargaron de éste, datos todos ellos que pueden ser muy útiles para llevar un control riguroso sobre la cantidad, porcentajes y calidad de los materiales lexicográficos disponibles.

2.1.1. Esto supuesto, la nómina de un diccionario, contra lo que fácilmente pudiera pensarse, no es un mero repertorio bibliográfico, sino que posee unas características peculiares. Es más, ni siquiera será exactamente igual la nómina que vaya a aparecer en el diccionario y cuyo destino es el lector o usuario de éste, que la preparada para uso del redactor o redactores de la obra. Si se hace manualmente, cada ficha de nómina, efectivamente, consta de dos partes esenciales, cuyo orden de aparición depende justamente de si va dirigida al usuario o al redactor del diccionario: una parte **indicativa**, representada por las siglas o abreviaturas empleadas en las citas, junto a otra **explicativa** o **ampliación**, que consiste en la referencia bibliográfica completa. Lógicamente, si se trata de la nómina destinada a aparecer en el diccionario, la parte indicativa precederá a la explicativa, porque su finalidad es dar una explicación e información ampliada de las referencias o citas contenidas en el cuerpo de la obra. El orden justamente contrario se adoptará en la nómina del redactor, quien en un determinado momento puede tener duda acerca de la forma en que ha de ser citado dentro del diccionario un determinado autor u obra; en ella, además, aparecen, como ya vimos, informaciones suplementarias como el número de papeletas, la fecha de acopio, etc. Evidentemente, si la nómina se lleva a cabo con medios informáticos, consistirá en una base de datos, en la que al menos la parte indicativa corresponda a un campo específico frente a la explicativa, que podrá, como cualquier ficha bibliográfica, distribuirse a su vez en campos diferentes: autor, título, fecha, etc. Otros campos pueden ser ocupados por los datos complementarios (número de ocurrencias recogidas, persona que realizó el despojo, fecha en que se llevó a cabo).

2.1.1.1. A modo de ejemplo y siguiendo lo que ya hemos expuesto en otro lugar[15], vamos a ver ahora, de un modo práctico, cómo se confecciona una ficha de nómina del redactor:

a) Se consignan en primer lugar los apellidos del autor en mayúsculas y, separado por una coma, el nombre en minúscula. Si la obra está firmada con un pseudónimo, éste es el que debe aparecer en primer término, en mayúsculas, y a continuación, entre corchetes, los apellidos y nombre en minúsculas. Así,

FERNÁN CABALLERO [Böhl de Faber, Cecilia]

Si el autor es anónimo o desconocido, la ficha se encabezará con ANÓNIMO, en letras mayúsculas. Por último, tratándose de un diccionario de citas en que hayan de aparecer los textos ordenados cronológicamente, a continuación del nombre y entre paréntesis se indicarán, si es posible, los años de nacimiento y muerte, o en todo caso la época en que ha vivido. Por ejemplo,

CERVANTES SAAVEDRA, Miguel de (1547-1616).

b) Se indica a continuación en línea aparte la fecha de composición de la obra, a falta de la cual, se pone la correspondiente a su primera edición, normalmente coincidente con aquélla. Cuando ambas son desconocidas, se señala el año aproximado, tomando como base alguna fecha significativa en la vida del autor, precedida por las indicaciones *p (post), a (ante)* o *c (circa)*, según que la obra haya sido escrita, respectivamente, con posterioridad, anterioridad o aproximación a esta fecha; así, p1421, a1512, c1730. Puede utilizarse también el signo (?) de interrogación (por ejemplo, 1327?) para indicar que la fecha es simple conjetura, o delimitar mediante dos fechas separadas por un guión (así, 1314-17) el lapso dentro del cual se considera que fue escrita la obra.

c) Inmediatamente después de la fecha, en el mismo renglón, se registra el título completo de la obra, subrayado (o cursiva), junto con todos los demás datos bibliográficos relativos a la edición: editorial, lugar de aparición, fecha, etc.

d) Se expresa a continuación, y aparte, una cita concreta cualquiera, tal como aparece en el diccionario, esto es, en abreviatura,

[15] Cfr. J. A. Porto Dapena, *Elementos*, pág. 214 y ss.

y con explicaciones complementarias, si fueran necesarias, entre corchetes. Esto constituye, naturalmente, la parte indicativa.

e) Por último se anotará –por ejemplo, en la parte superior derecha, si es una ficha de papel– el lugar donde puede consultarse la obra, con indicación de la signatura si se halla en una biblioteca, y demás datos necesarios. A su vez, se indicarán en la parte inferior otros datos complementarios, como el número de textos o pasajes tomados de la obra, la persona que las hizo, fecha de recogida del material, etc.

2.1.1.2. Naturalmente, la nómina que con destino al lector deberá aparecen en el diccionario será igual a la descrita, excepto que no incluirá, por ejemplo, las indicaciones complementarias a que acabamos de aludir en e, y, además, se redactará, según ya queda observado, en el orden contrario; es decir, colocando en primer lugar las siglas o abreviaturas, que aparecerán, lógicamente, en una lista por orden alfabético, y a continuación, precedida por el signo (=), la ampliación o explicación bibliográfica. Considérense, por ejemplo, estos casos tomados de la nómina del *Diccionario histórico* de la Academia:

LAMANO = LAMANO Y BENEITE, José de: *El dialecto vulgar salmantino*, Salamanca, 1915.

LOPE DE VEGA = VEGA CARPIO, Lope Félix de: *Adonis y Venus* (1597-1603). En *Obras* publicadas por la RAE, con observaciones preliminares de D. M. Menéndez y Pelayo, t. 6. Madrid, 1896.

Al pasar del arroyo (1616), *Ibid.* (nueva ed.) por D. Emilio Cotarelo y Mori, t. II. Madrid, 1929.

2.1.2. Digamos, finalmente, que, para el establecimiento de las siglas y abreviaturas con que hayan de ser dadas las citas dentro del diccionario, deben seguirse unas normas concretas y precisas que conviene establecer al realizar el plan de la obra. Por ejemplo, comenzar siempre por el nombre del autor, representado por el primer apellido –o por los dos, en abreviatura, en casos de ambigüedad–, y seguido del título, también abreviado, de la obra, y página. En general, es aconsejable seguir un procedimiento sencillo, que ocupe el menor espacio posible y que, a su vez, sea fácilmente interpretable e identificable.

2.2. *Técnicas de acopio: procedimiento manual*

2.2. Y pasamos ahora a tratar de la formación del corpus propiamente dicho, concretamente de las técnicas empleadas en su formación, técnicas que pueden reducirse básicamente a dos: la **manual**, que es la tradicional, consistente en ir anotando en fichas de papel los datos proporcionados por las fuentes, junto a otra, **mecánica** o **informática**, más moderna, realizada por medio de ordenadores. Esta última técnica, cuyas ventajas en rapidez y posibilidades son indiscutibles y sorprendentes, se ha hecho hoy ya prácticamente imprescindible en las investigaciones lexicográficas, sobre todo en las de gran alcance, frente a la tradicional, que, a pesar de todo, vamos a describir aquí también, en atención sobre todo a que puede seguirse empleado en trabajos lexicográficos de menor envergadura y, al mismo tiempo, para poder entender si acaso de un modo más transparente todo el proceso de la recopilación de materiales para la formación del corpus.

2.2.1. Centrando, pues, nuestra atención en la técnica manual, lo primero que cabe señalar es que se distinguen tres modalidades diferentes: la **manuscrita** o **mecanográfica**, que es la más tradicional y que consiste, obviamente, en la realización de fichas escritas a mano o con una máquina de escribir; la **xerográfica** o **por fotocopia**, consistente en la elaboración de papeletas mediante fotocopia directa de los textos que sirven como fuentes, y, la que podemos llamar **por ordenador**, evidentemente más moderna, y distinta, por supuesto, de la informática o mecánica[16].

2.2.1.1. Aunque, obviamente, el procedimiento más antiguo es el llevado a cabo mediante fichas escritas a mano, a decir verdad de él no difiere sustancialmente el consistente en el uso de la máquina de escribir –de ahí que los consideremos como la misma modalidad de técnica manual–, aun cuando no cabe duda de que el segundo ofrece ciertas ventajillas: mayor comodidad y rapidez para quien confecciona las fichas, y desde luego mayor facilidad de lectura para quien tiene que manejarlas en la redacción.

---

[16] Cfr. M. Alvar Ezquerra, «La redacción lexicográfica asistida por ordenador: dificultades y deseos», en I. Ahumada (ed.), *Diccionarios e informática. III Seminario de Lexicografía Hispánica*, Univ. de Jaén, Jaén, 1998, pág. 5.

2.2.1.2. Pero, hablando de ventajas, resultan sin duda mucho mayores –por su fidelidad a los textos y rapidez en la realización de papeletas– las presentadas por la modalidad mediante fotocopia, pues, mientras en la manuscrita o mecanografiada la transcripción está sujeta a deslices y errores prácticamente inevitables, lo que obliga al redactor a tener que cotejar continuamente las fichas con los textos originales, en la modalidad xerográfica desaparece totalmente este inconveniente al tratarse de fotocopias hechas directamente sobre los textos, ventaja indudablemente importante a la que hay que añadir la a su vez mayor rapidez con que se confeccionan las fichas xerocopiadas, frente a las mecanografiadas y manuscritas, de realización muchísimo más lenta.

2.2.1.3. Finalmente, la utilización del ordenador personal, hoy casi totalmente generalizada hasta el punto de que parece haber arrinconado para siempre la máquina de escribir, ofrece posibilidades que, aun adoptando la técnica manual, supone un nuevo e importante avance sobre las dos modalidades anteriores. La diferencia más importante respecto a éstas es que ya no hace falta elaborar fichas o papeletas, puesto que el mismo ordenador puede archivar en su memoria los textos o datos que vayan siendo recogidos –lo que sin duda ya constituye una evidente ventaja–, y, si se trabaja con escritos ya informatizados, la recogida de materiales es bastante rápida utilizando la función de «cortar y pegar». No hace falta observar a este respecto que resulta, por otro lado, bastante fácil pasar textos escritos a soporte magnético, si se dispone de un buen escáner, sin tener así que transcribir –como en el caso de la máquina de escribir– los textos mediante el teclado.

2.2.2. Como fácilmente puede suponerse, el acopio de materiales para la formación de un corpus lexicográfico no se reduce exclusivamente a la confección de fichas o a la simple grabación de datos en la memoria de un ordenador. En realidad este no es más que uno de los pasos de todo el proceso, en el que pueden distinguirse hasta cuatro fases u operaciones distintas, a saber: a) **lectura** de la obra que sirve de fuente, b) **elección y acotación** de palabras con sus respectivos contextos, c) **papeletización** o confección de fichas, y, finalmente, d) **ordenación** del material recopilado.

2.2.2.1. Quien vaya a realizar la elección y acotación de palabras deberá, lógicamente, efectuar también la primera operación, o sea, la lectura de la obra. Lo ideal es que el acotador, antes de señalar los vocablos cuyos contextos interesa recoger, efectúe una primera lectura de la totalidad del texto elegido como fuente, a fin de tener una idea global del mismo, determinar el tipo de acotación a que aquél deberá ser sometido y, en definitiva, situarse en el contexto general de la obra. Será una lectura rápida y, a poder ser, sin interrupciones, lo que no le impedirá fijarse de un modo especial en aquellos aspectos que más interesan desde el punto de vista léxico y gramatical.

2.2.2.2. Es en una segunda lectura, más lenta y reflexiva, en que se verifica la elección y acotación de vocablos, acotación que puede ser, por una parte, **general** o **especial**, y, por otra, **total** o **parcial**. En la general cualquier vocablo es susceptible de acotación, dado que el acopio de material va destinado a un tesoro o diccionario general, mientras que en la especial deberán acotarse únicamente ciertas palabras, de acuerdo con una lista preestablecida o según unos criterios previamente determinados, puesto que el material es para un diccionario restringido o especial. Por otro lado, la acotación total consiste en detectar todas y cada una de las apariciones de los vocablos, en tanto que la parcial, que en realidad puede ofrecer múltiples grados, apunta tan solo a algunas de tales apariciones.

2.2.2.2.1. La acotación que suele hacerse es siempre parcial en mayor o menor medida, procurando evitar al máximo las repeticiones de los mismos vocablos en idéntico significado y contexto; la elección de todos modos se hace siempre aleatoriamente. La acotación total, por su parte, se reserva únicamente para el caso de que el diccionario que se vaya a hacer sea estadístico o de frecuencias.

2.2.2.2.2. Si el material va a ser papeletizado por fotocopia, la acotación consistirá en una pequeña raya –aproximadamente del tamaño equivalente a dos letras del texto– efectuada con tinta negra. En caso contrario, podrá utilizarse un rotulador por encima del vocablo elegido, aunque, para no manchar demasiado el texto, bastará con un punto hecho a lápiz y repetido al margen de la línea en que se encuentra la palabra acotada: al margen derecho en las páginas de la derecha, y al izquierdo en las de la izquierda, y si se trata de páginas de doble columna, al margen derecho o izquierdo según que se trate de la segunda o primera columna, respectivamente. Si por alguna razón no interesa realizar la acotación directamente en el ejemplar disponible de la obra, puede hacerse en una fotocopia realizada ex profeso. Si la acotación se realiza sobre un texto informatizado, podrá usarse una marca o el rotulador de colores de que se dispone, por ejemplo, en Windows.

2.2.2.3. La fase siguiente es la representada por la papeletización, que, como se sabe, consiste en registrar en fichas o papeletas el material previamente acotado. Esas fichas pueden ser de dos tipos: **tópicas** y **textuales**. En las primeras se registra únicamente el vocablo acotado, en su forma clave o lema, esto es, tal como aparecerá en el diccionario, y a continuación el lugar donde se encuentra empleado: autor, obra, página, etc. En las segundas, en cambio, se anota además el texto en que aparece utilizada la palabra en cuestión. Aquéllas tienen la ventaja de acelerar el proceso de recogida de material; pero solo esto, ya que la redacción resultará, por el contrario, muy lenta, puesto que el redactor no tendrá más remedio que consultar directamente las fuentes para ver el vocablo en sus respectivos contextos. Si esta operación de recogida de materiales se hace con un ordenador sobre textos previamente informatizados, consistirá en abrir un fichero para cada vocablo, convenientemente lematizado, e ir introduciendo en él los textos mediante el procedimiento de «cortar y pegar». Para no tener que andar abriendo y cerrando ficheros cada vez que se recoge un texto, con la consiguiente pérdida de tiempo, un procedimiento más rápido, es, mediante la utilización de la función «buscar», realizar tantos barridos como palabras distintas acotadas, de modo que hasta que se recogen todos los textos pertenecientes a una palabra, no hay necesidad de cerrar el fichero correspondiente; es decir, se abre, por ejemplo, el fichero relativo a la primera palabra acotada en el texto y a continuación, mediante «buscar», se van recogiendo todos los textos correspondientes y así hasta terminar el barrido; una vez efectuado éste, se abre nuevo fichero y se pasa a la palabra siguiente, y así sucesivamente. Es un trabajo sin duda laborioso y lento –sobre todo en el caso de palabras flexivas, que, obviamente, exigen un barrido para cada forma–, pero con todo es mucho más rápido que el realizado a mano o por fotocopia.

2.2.2.3.1. Hemos de tener en cuenta por cierto que en la transcripción de los textos deben seguirse unas normas o criterios que, en general, pueden concretarse así:

a) En primer lugar el texto recogido debe tener sentido completo, esto es, estar constituido por una oración gramatical como mínimo. Tan solo en el caso de que uno de los elementos oracionales esté representado por una oración en estilo directo, es lícito eliminar éste siempre que no vaya en detrimento de la interpretación semántica y sintáctica del vocablo.

b) De la lectura del texto debe deducirse claramente el significado preciso en que está empleado el vocablo así como su categoría y función gramatical.

c) Para la recta comprensión del texto, puede ser necesario suponer o suplir alguna palabra o frase. En ese caso éstas aparecerán entre corchetes.

d) Por otro lado, el texto deberá despojarse de todo aquello que sea inútil e innecesario para la correcta interpretación semántica y gramatical del vocablo. Para indicar la supresión de partes del texto se utilizan tres puntos entre corchetes, que se aconseja no utilizar ni al principio ni al final del texto. Este, en definitiva, deberá ser lo más breve y conciso posible, pero sin sacrificar la recta comprensión del vocablo acotado.

e) Por lo que se refiere a la ortografía, debe, en general, ser respetada siempre la del original. Solo, en todo caso, los signos de puntuación (comas, acentos, signos de interrogación) pueden ser utilizados allí donde faltan (o suprimidos donde sobran) por razones de claridad y uniformidad.

2.2.2.3.2. Toda ficha o papeleta lexicográfica de tipo contextual constará de tres partes: una primera parte constituida por el encabezamiento, donde se hará constar, en letras mayúsculas y en la parte superior izquierda de la ficha, la palabra clave o lema. A continuación aparecerá la transcripción del texto, y, finalmente, una tercera parte estará constituida por la cita o referencia bibliográfica de la fuente y lugar exacto de donde ha sido tomado el texto. En caso de que el acopio se lleve a cabo por medio de un ordenador, no es necesario lematizar cada texto, por la sencilla razón de que ya lo está el fichero correspondiente.

2.2.2.3.3. La papeletización por fotocopia, por su parte, requiere un tratamiento particular, cuya descripción hemos realizado en otro lugar[17] y que reproducimos a continuación:

a) La primera operación es lo que hemos denominado **ventaneo**, que consiste en la copia o reproducción en fotocopia de los textos en espacios equivalentes al tamaño de una papeleta normal. Dado que una máquina fotocopiadora permite, normalmente, reproducir simultáneamente dos páginas de un libro de dimensiones normales, y la fotocopia resultante excedería con mucho los límites de una ficha o papeleta, apareciendo además un texto demasiado amplio, lo que se hace es dividir la fotocopia en diversas partes del tamaño de las papeletas, a cuyo efecto se utiliza una especie de bastidor de plástico o cartulina, consistente en varias «ventanas» o huecos, a cada una de las cuales corresponderá una ficha. Pues bien, colocado este bastidor debajo de las correspondientes páginas que se están fotocopiando, la fotocopia resultante aparecerá cruzada por una serie de márgenes dispuestos en cuadrícula, que más tarde servirán para realizar el encabezamiento y la cita bibliográfica. Teniendo en cuenta, por otro lado, que las barras del bastidor impedirán que salgan en la fotocopia algunas líneas del texto, en las que puede haber algún vocablo acotado, es necesario realizar para cada par de páginas dos copias o tomas, de modo que en una salgan las líneas de texto que no aparecen en la otra, cosa que se consigue desviando un poco la obra que se fotocopia o el bastidor hacia arriba o hacia abajo al realizar la segunda toma.

b) Ahora bien, como en las dos tomas se repetirán varias líneas de texto y éste, por otro lado, puede resultar incompleto para algunos vocablos acotados en las primeras y últimas líneas de cada papeleta, se hace preciso llevar a cabo el **cotejo** de ambas tomas entre sí y con el original. En primer lugar, es necesario eliminar la posibilidad de que ciertos vocablos acotados en una toma sean también tenidos en cuenta en la otra, con lo que muchas veces, se repetirán los textos correspondientes a una misma palabra. Para ello habrá que, convencionalmente, suprimir en una toma las acotaciones reservadas para la otra o, dicho de manera distinta, repartir entre ambas tomas las acotaciones repetidas. Ello puede conseguirse haciendo una señal en cada una de ellas, por ejemplo (<) para indi-

---

[17] Cfr. J. A. Porto Dapena, *Op. cit.*, pág. 239 y ss.

car el lugar a partir del cual se tienen en cuenta las acotaciones, y (>) para señalar lo contrario. Notemos, por cierto, que estas delimitaciones no afectarán para nada a los límites del texto que, luego, se tome como cita o ejemplo para el diccionario. Finalmente, el cotejo con el original tendrá por objeto completar a mano el texto al principio y/o al final de la papeleta cuando aquél resulte insuficiente para alguno de los vocablos acotados, y, por otro lado, para añadir o completar la cita bibliográfica. Para mayor rapidez y comodidad, ésta —solo en sus elementos invariables– puede aparecer ya en la fotocopia, pegándola mediante tiras de papel en las barras del bastidor. En este caso, en la operación de cotejo con el original tan solo habrá que completar la cita con los elementos variables (número de página, parte, capítulo, párrafo, etc.).

c) Efectuada la operación anterior, en la que se habrá de proceder con sumo cuidado para evitar errores que, irremediablemente, se repetirían en un elevado número de papeletas (tantas como acotaciones), se lleva a cabo el **recorte** de las fotocopias, que quedan así convertidas en papeletas independientes. Esta operación mecánica se puede realizar fácil y rápidamente mediante una guillotina o cizalla.

d) Puesto que en cada papeleta así realizada pueden aparecer varias acotaciones, será preciso reproducirla todas las veces necesarias hasta completar el número de acotaciones. Para ello habrá que llevar a cabo el **recuento** de dichas acotaciones, e indicar en el reverso de cada papeleta el número de reproducciones necesarias, que será, lógicamente, el de acotaciones menos uno.

e) Hecho esto, se procede al reparto de papeletas en grupos de acuerdo con el número de reproducciones necesarias, y se pasa al **bandejeo** o reproducción. Para ello se utiliza una especie de «bandeja» de cartón, donde se pueden fijar por las esquinas tantas papeletas cuantas quepan en una fotocopia. Así pues, colocando en la «bandeja» papeletas de las que se necesite idéntico número de reproducciones, se harán las fotocopias necesarias, que, mediante nuevo recorte, quedarán reducidas a nuevas papeletas. Finalmente, éstas se distribuirán por grupos iguales y se irán colocando en una gaveta o caja de fichero.

f) La última operación está representada por el **encabezamiento** o **lematización**, que consiste en ir anotando a mano, en el margen superior izquierdo de la papeleta, el vocablo acotado en el texto. Tratándose de palabras variables, el encabezamiento se realizará en la forma canónica o clave, de acuerdo con las normas que estudiaremos en el próximo capítulo (§ 2.2).

2.2.2.4. En el caso de tratarse de papeletas manuscritas, mecanografiadas o por fotocopia, la fase final de acopio de material lexicográfico viene dado por la ordenación de aquéllas y su inclusión en el fichero general que constituye el corpus. La ordenación, lógicamente, será la misma que la que se aplicará a las entradas del diccionario, normalmente la alfabética. No hace falta advertir que esta última operación se realiza automáticamente si la recopilación de materiales se lleva a cabo mediante un ordenador.

2.3. *Técnica informática*

2.3. La utilización, con todo, de este instrumento, el ordenador, puede optimizarse mediante la adopción de un *software* adecuado, no contentándonos, por tanto, con su manejo como un simple editor o procesador de textos, que es como lo hemos considerado más arriba. Evidentemente, en un trabajo lexicográfico menor (por ejemplo en la elaboración de un pequeño vocabulario) puede emplearse cualquiera de las modalidades manuales a que nos acabamos de referir, preferiblemente la realizada mediante ordenador. Pero las posibilidades que éste nos ofrece, mediante un programa o programas diseñados ex profeso, son tan grandes en comparación con las técnicas manuales descritas, que compensa con mucho el esfuerzo económico que la realización y adquisición de esos programas pueda suponer, sobre todo si el corpus que se va a realizar es relativamente amplio, como, por ejemplo, el que se necesita para la elaboración de un diccionario general o incluso especial de cierta amplitud. La realidad es que hoy ya no tendría sentido emprender esa tarea sin la adopción de la técnica informática propiamente dicha, y de hecho así es como se han realizado y vienen realizando importantes córpora, algunos de ellos lexicográficos, como pueden ser el *CREA* (*Corpus de referencia del español actual*) y el *CORDE* (*Corpus diacrónico del español*) de la Real Academia –y que están por cierto a disposición del público a través de Internet–, el *CUMBRE* (*Corpus lingüístico del español contemporáneo*) de la editorial SGEL, o el realizado en México para la elaboración del *Diccionario del español de México*, etc. En esquema un programa para la formación de un corpus lexicográfico podría representarse mediante el siguiente diagrama:

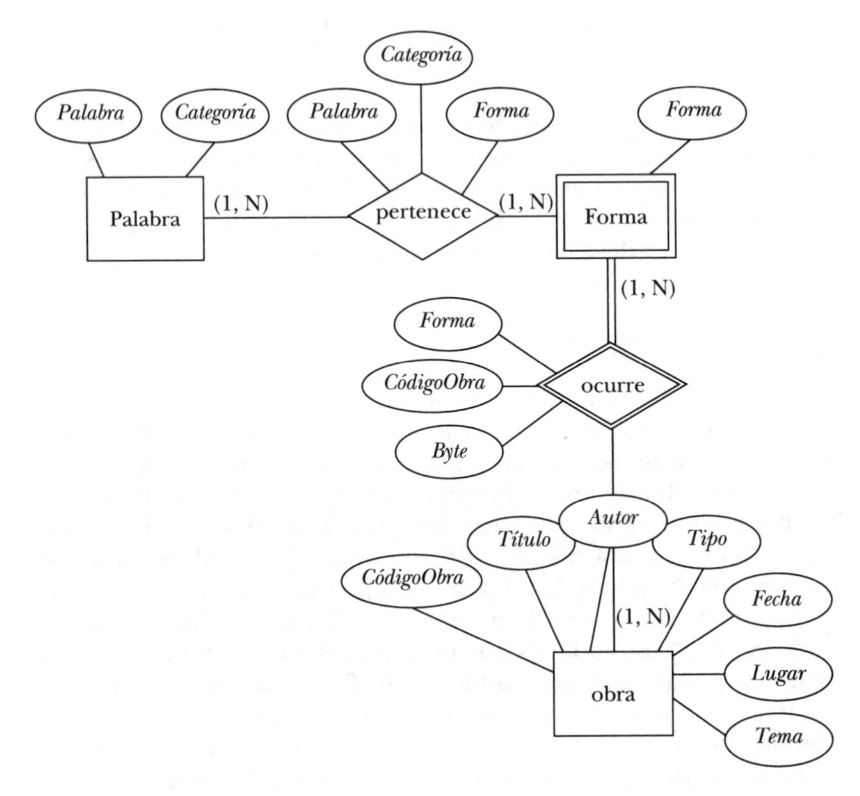

2.3.1. Para empezar, la adopción de la técnica informática implica ante todo una importante simplificación de los pasos señalados más arriba para la técnica de tipo manual. Excepto la lectura previa, que sigue siendo conveniente realizar antes de decidir la inclusión del texto correspondiente entre las fuentes del diccionario, se eliminan al menos en principio todos los demás pasos: ya no es necesario realizar la acotación de palabras –aunque sí una etiquetación, que, según los casos, puede ser más o menos compleja– ni el despojo o separación de pasajes en que éstas aparecen y, por supuesto, tampoco llevar a cabo la ordenación de las fichas correspondientes, porque todo ello será realizado automáticamente por el ordenador. Y en efecto: mientras en los procedimientos manuales las fuentes –o **biblioteca**, como les hemos llamado en el capítulo anterior– constituyen algo plenamente diferenciado del **corpus**, representado por el conjunto de fichas o papeletas formadas mediante el despojo de aquéllas, en el procedimiento informático el corpus viene a estar integrado por las fuentes mismas, puesto que todas, absolutamente todas las palabras que componen sus respectivos textos pueden ser procesadas en cuestión de segundos en cualquier momento por el ordenador. Es decir, éste puede realizar cualquier operación de búsqueda juntando, por ejemplo, y computando todas las apariciones de una misma forma lingüística (palabra, parte de palabra, frase), realizando para ello un barrido a lo largo de toda una obra o de la **biblioteca** contenida en la memoria del ordenador. A modo de ejemplo práctico, vamos a describir a continuación algunas de las para nosotros más importantes operaciones de que puede ser capaz el ordenador, cuando éste se halla provisto de los correspondientes instrumentos informáticos[18].

2.3.1.1. Ante todo conviene observar que, como acabamos de notar y ya señalamos al principio de este capítulo, el concepto de 'corpus' cambia ligeramente en un tratamiento informático, al convertirse en una cadena o serie de textos enlazados uno a otro de forma secuencial, esto es, $t_1 + t_2 + t_n$..., lo que constituye más específicamente un **corpus textual**. Cada uno de estos textos, por lo demás, estará convenientemente etiquetado, esto es, identificado en primer lugar en cuanto a autor y título de la obra que representa junto a otros datos, como, por ejemplo, año de composición y/o edición, tipo de texto, tema de que trata, país al que pertenece y, en general, cualquier otro dato que pueda ser relevante para efectuar las búsquedas que hayan de realizarse en el futuro. A veces puede ser necesario incluso aplicar la etiquetación a algunos elementos que aparecen en el texto, relativa, por ejemplo, a aspectos semánticos, morfológicos o sintácticos, etiquetación que, como es obvio, consiste en una indicación o marca que el ordenador pueda identificar en el momento oportuno. Evidentemente, esta preparación previa de los textos puede ser más o menos laboriosa y, por tanto, tediosa; pero cuanto más amplia sea mayor serán las posibilidades de utilización del corpus.

---

[18] Cfr. P. Cantos, art. cit. en nota 2.

2.3.1.2. De lo que en realidad se trata es de formar una base de datos a partir de los textos y características de cada uno de éstos, asignando a cada uno de esos elementos un campo; por ejemplo, uno para el texto, otro para el año de composición o de edición, otro para el autor, obra, etc. Todo ello permite una serie de posibilidades de consulta, posibilidades que podemos sintetizar en las siguientes:

a) Lo primero que podemos conseguir es que el ordenador nos dé una lista de todas las palabras gráficas –entendidas como conjunto de letras separadas por dos espacios consecutivos en blanco– que aparecen en el texto, ordenadas o bien según el orden de aparición o bien alfabética o estadísticamente, indicándonos además el número de veces que una determinada forma aparece a lo largo de todo el texto. Semejante cómputo nos servirá, por tanto, no solo para saber el número de palabras empleadas por un autor en una determinada obra, sino que nos permitirá determinar la frecuencia de uso de cada una de ellas. Naturalmente, si esto se aplica a la totalidad del corpus, podemos saber en cada momento de cuáles y cuántas palabras está compuesto. Supongamos que partimos de un texto muy sencillo como el siguiente:

Los alumnos de esta Facultad están muy preocupados con los exámenes de final de curso.

Las posibilidades que nos ofrece el ordenador son, entre otras, darnos la cantidad de palabras gráficas (15) o una lista como la siguiente:

alumnos 1
con 1
curso 1
de 3
esta 1
están 1
exámenes 1
Facultad 1
final 1
los 2
muy 1
preocupados 1

con todas las palabras del texto ordenadas alfabéticamente y el número de veces que aparecen en él.

b) Evidentemente, en un texto muy extenso, la lista podría resultar excesivamente grande. Pero el programa nos permite realizar consultas parciales; por ejemplo, las palabras que empiezan o terminan por una determinada o unas determinadas letras. Esta posibilidad se puede aprovechar, al mismo tiempo, para realizar consultas de tipo ortográfico o morfológico: un determinado prefijo o sufijos, cierta desinencia y, por supuesto, cualquier característica de tipo gráfico. Se podría incluso confeccionar una lista de palabras según el número de letras, de mayor a menor o al contrario. Otra posibilidad de reducir la consulta es restringiendo mediante los distintos campos de selección: por ejemplo, pueden interesar los registros correspondientes a unos determinados años, a un determinado autor o tipo de texto, o sobre un determinado tema, etc.

c) Pero quizá lo más importante para el lexicógrafo es la posibilidad de disponer no solo de las palabras tal como aparecen en el texto, sino en su contexto, esto es, junto con un determinado número de palabras que le preceden y/o con otro determinado número de palabras que le siguen. Esto da lugar a una lista de concordancias, como sería, por ejemplo, utilizando en texto anterior, las de *los* y *de*:

	los	alumnos de esta
Facultad		

Los alumnos	de	esta Facultad
los exámenes	de	final de curso
de final	de	curso

Evidentemente, el contexto puede ampliarse todo lo que se necesite. Incluso, en vez de pedir un determinado número de palabras precedentes y siguientes, puede pedirse todo el párrafo en que dicha palabra o forma aparece, lo que sin duda proporcionará un contexto suficiente para determinar el significado de la palabra que se pretende estudiar o la construcción sintáctica de que forma parte.

2.3.2. Por supuesto, no todo son ventajas. Como el ordenador no identifica más que segmentos escritos –por ejemplo, palabras–, no puede, evidentemente, darnos juntas todas las formas de flexión de una palabra variable; habrá, por tanto, que buscar cada forma independientemente. Tampoco distingue, como es lógico, entre formas homónimas, de modo que para *bajo* tanto nos ofrecerá los casos en que éste es adjetivo como verbo, sustantivo o preposición. Lo primero puede solucionarse bastante bien mediante un lematizador, esto es, incorporando al *software* un instrumento capaz de identificar bajo una misma forma o lema (por ejemplo, el infinitivo en el caso de los verbos, o el masculino en el de los nombres) todas las variaciones flexionales. Otro problema viene dado por la riqueza de informaciones capaz de ofrecer el corpus, al no establecer ninguna selección del material disponible. Así, es posible que para un vocablo que se emplea con mucha frecuencia –pensemos en una palabra gramatical como una preposición o un verbo auxiliar, por ejemplo– pueden existir miles de contextos, cuya revisión total supondría un gasto muy grande de tiempo. En ese caso también existen soluciones si el programa informático está diseñado de modo que pueda realizar una selección aleatoria de las apariciones registradas y pueda ofrecernos solo un porcentaje que, en principio, consideremos suficiente: por ejemplo, el diez o el quince o veinte por ciento.

5
LA MACROESTRUCTURA DEL DICCIONARIO: LAS ENTRADAS

0.1. Todo diccionario se halla construido y organizado en torno a dos ejes fundamentales: una **macroestructura**, constituida por todas sus entradas dispuestas de acuerdo con un determinado criterio ordenador, junto a una **microestructura** o conjunto de informaciones –también dispuestas de acuerdo con un determinado patrón o patrones– que se ofrecen dentro del artículo lexicográfico. En el presente capítulo nos vamos a ocupar exclusivamente de la primera, esto es, de las entradas o unidades léxicas sobre las que se ofrece información en el diccionario, aspecto que plantea sobrados problemas tanto de orden teórico como práctico.

0.2. La primera cuestión que cabe plantearnos es por qué tipo o tipos de unidades léxicas han de estar representadas las entradas de un diccionario: ¿Por palabras, como es ya habitual en la lexicografía occidental, o preferiblemente por lexemas o monemas en general? ¿Teniendo en cuenta los problemas que plantea el concepto de 'palabra', tiene todavía algún sentido seguir aceptándola como objeto de descripción lingüística? Si, como es normal, se acepta la palabra como base de descripción lexicográfica, ¿qué hacer, en fin, en los diccionarios con unidades léxicas menores o más complejas que la palabra? Son todas estas –y otras– preguntas a las que no se ha podido, ni tal vez se podrá nunca, dar una respuesta teóricamente aceptable. Otros problemas importantes se refieren más bien a aspectos prácticos, como son los criterios aplicados a las entradas, así como la lematización y localización de éstas en el diccionario. Éste, efectivamente, aun siendo de tipo general, presenta siempre un cierto carácter selectivo, de modo que el lexicógrafo se ve obligado a elegir, bajo unos determinados criterios, las unidades léxicas sobre las que ha de dar información en su obra. Cuando las entradas están representadas por palabras variables o flexivas, el diccionario ha de representarlas en una única forma, llamada **lema**, que aglutine todas las variantes de la flexión, para lo cual existe una normativa establecida por la tradición lexicográfica de cada lengua. Y, por último, no todas las entradas se distribuyen de igual modo en el diccionario, perteneciendo unas a la macroestructura, donde pueden aparecer distribuidas alfabéticamente o en otro orden, mientras que otras se registran en la microestructura, esto es, en el interior de los artículos lexicográficos.

1. Concepto y tipos de entradas

1. Esto último nos lleva a una observación previa importante, y es que el término *entrada* puede interpretarse en dos sentidos diferentes: a) en un sentido estricto, y entonces se toma como 'unidad que es objeto de artículo lexicográfico independiente en el diccionario', y b) en sentido lato, como 'cualquier unidad léxica sobre la que el diccionario, sea en su macroestructura o microestructura, ofrece información'. De acuerdo con esto, pueden distinguirse dos tipos de entradas: las **entradas** propiamente dichas, que son las que están sometidas a lematización, esto es, constituyen enunciado o cabecera de artículo, y las **subentradas**[1], pertenecientes a la microestructura, esto es, que no están sujetas a lematización. La cuestión sobre qué tipo o tipos de unidades deben utilizarse como entradas del diccionario se refiere, obviamente, tan solo a las entradas propiamente dichas, pues, de no ser así, no tendría sentido planteársela, dado que un diccionario tiene por objeto el estudio del léxico y, consiguientemente, toda unidad léxica –criterios selectivos aparte– puede ser estudiada por él.

1.1. *Entradas simples: ¿palabras o lexemas?*

1.1. Por donde habría que empezar, pues, es por el concepto mismo de 'unidad léxica', llamada a veces **lexía**, que por lo general

[1] Tomamos la denominadicón de J. y C. Dubois, *Introduction à la lexicographie: le dictionnaire*, Larousse, Paris, 1971, págs. 40 y 62.

se viene definiendo por oposición a unidad gramatical, aun cuando la distinción entre léxico y gramática siga siendo un punto que no ha recibido todavía una solución satisfactoria y comúnmente aceptada. Desde luego si por léxico entendemos, como se hace comúnmente –así no solo en los diccionarios comunes, sino también en algunos de terminología lingüística[2]– lo mismo que por *vocabulario*, esto es, el conjunto de palabras pertenecientes a una lengua, también estarán en él –como de hecho así ocurre en la práctica lexicográfica– las palabras gramaticales, como los pronombres o los elementos de relación y, por lo tanto, he aquí una clara interferencia, a que ya antes hemos aludido, entre los dos planos, léxico y gramatical. Pero el problema surge, sobre todo, por las dificultades que entraña la aceptación de la palabra como unidad lingüística; por eso algunos se muestran partidarios de aplicar la descripción lexicográfica no a las palabras, sino a los monemas o morfemas, esto es, a las unidades significativas mínimas, y más concretamente a los lexemas, que serían las unidades léxicas más simples, frente a los gramemas o morfemas gramaticales, pertenecientes exclusivamente a la gramática. Pero es esta una postura que, aunque teóricamente aceptable, resulta, sin embargo, improcedente en la práctica.

1.1.1. En realidad, aun aceptado la palabra como unidad lingüística, el léxico, contra lo que comúnmente se cree, no está constituido únicamente por palabras, ni, por otra parte, como hemos sugerido antes, las palabras pertenecen en su totalidad al léxico. También los monemas léxicos o lexemas, unidades más pequeñas que la palabra, junto con algunas expresiones –las llamadas expresiones fijas– constituyen verdaderas unidades léxicas. No obstante, en la práctica lexicográfica occidental, y más concretamente en la hispánica, las expresiones fijas se vienen considerando como subentradas dentro del diccionario, aceptándose, en cambio, como entradas todas las palabras –incluidas las gramaticales– junto con algunos monemas, tan solo los que tienen una función derivativa, e incluso a veces elementos ajenos al léxico, como, por ejemplo, las letras[3].

[2] Así, por ejemplo, en el *Diccionario de términos filológicos* de Lázaro Carreter.
[3] Véase J. A. Porto Dapena, «Las letras como entradas del diccionario», *Revista de Lexicografía*, VII (2000-2001), págs.125-154.

1.1.2. Un diccionario que se ocupara únicamente de los lexemas –entendidos como monemas léxicos[4]–, que los hay aunque referidos a lenguas no europeas, será difícilmente viable. Ya F. Rodríguez Adrados, Rey-Debove, Alvar Ezquerra, R. Werner, entre otros, se han pronunciado en este sentido, señalando los inconvenientes que un diccionario de lexemas o monemas en general tendría en la práctica, y así abogan por seguir considerando como unidad lexicográfica mínima a la palabra, pese a los problemas de orden teórico que plantea. En palabras de J. M. González Calvo, la palabra es la unidad principal de la lexicografía.

1.1.2.1. Pero lo cierto es que los problemas no se agotan en la palabra, pues también el propio concepto de morfema o monema así como el de su clasificación en lexemas y gramemas plantea dificultades que todavía no han alcanzado una solución definitiva[5]. Nosotros nos atreveríamos a decir que tanto el concepto como la clasificación del momena serían impensables si, de acuerdo con la pretensión de algunos, se prescindiera absolutamente de la palabra. Para empezar, los monemas surgen en realidad por un proceso analítico de segmentación de la palabra, al observar que hay series de éstas en que se repiten ciertos segmentos dotados de significado que, a su vez, no pueden analizarse en otros más pequeños. Mirándolo bien, cualquier monema o morfema sería impensable fuera de un contexto verbal: así /-r/ es un morfema de infinitivo, pero sólo en cuanto aparece en *amar, pensar, decir*, etc., pues no

[4] Conviene señalar que a su vez el término *lexema* no siempre se entiende del mismo modo en la literatura lingüística; así, para Greimas (cfr. A. J. Greimas y J. Courtes, *Semiótica. Diccionario razonado de la teoría del lenguaje*, Gredos, Madrid, 1982, s.v. *lexema*), sería una unidad exclusivamente de contenido, concretamente el significado correspondiente a un morfema, equivaliendo, por tanto, al concepto de 'semema', utilizado por algunos autores estructuralistas, como Pottier. En el mismo sentido que Greimas lo emplea Coseriu en su lexemática (cfr. E. Coseriu, *Principios de semántica estructural*, Gredos, Madrid, 1977, pág. 171). Para P. H. Mattews, en cambio, el lexema sería un verdadero signo, que es como lo estamos considerando aquí, con un significado y un significante; pero no lo entiende como un componente de la palabra, sino como lo que aquí llamaremos «palabra léxico-gramatical», es decir, la palabra haciendo abstracción de sus componentes gramaticales (cfr. P. H. Mattews, *Morfología. Introducción a la teoría de la estructura de la palabra*, Paraninfo, Madrid, 1980, pág. 35).

[5] Véase, por ejemplo, J. M. González Calvo, «Sobre el concepto de morfema», en *Variaciones en torno a la gramática española*, Univ. de Extremadura, Cáceres, 1998, pág. 243 y ss.

siempre que nos encontramos con ese segmento fónico podemos decir que se trata de un morfema de infinitivo; del mismo modo en *perro, perruno, perrera, perrería* decimos que existe un monema /perr-/, porque relacionamos la coincidencia fónica de esas palabras con otra de orden semántico, y, fuera de estos contextos, no se nos ocurriría identificar semejante segmento como representante de dicho monema.

1.1.2.2. Y por lo que se refiere a la clasificación de los monemas o morfemas en lexemas y gramemas, si bien nos fijamos, no responde a otra cosa que a la necesidad de distinguir entre monemas que cambian la palabra, y monemas que, simplemente, llevan a variantes de la misma palabra. Pero no hay que olvidar que la separación entre variaciones y variantes de palabra –que, no lo olvidemos, es también una idea tradicional–, resulta bastante imprecisa y, por lo tanto, convencional: en la práctica se consideran gramemas los morfemas flexivos y son, sin embargo, lexemas, además de las raíces de las palabras flexivas, los afijos derivativos. Si éstos son recategorizadores, es decir, implican un cambio en la categoría de la palabra, pase; pero ¿qué hacer con los no recategorizadores? Un caso claro lo tenemos en los aumentativos y diminutivos, que mientras unos los consideran derivativos, para otros, sin embargo, serían morfemas gramaticales, puesto que no siempre implican un cambio de palabra. La utilización, por lo demás, de la palabra, como base para la clasificación de los morfemas es evidente en el caso de morfemas libres y ligados, división, sin embargo, aceptada aun por lo más convencidos detractores de la palabra como unidad lingüística.

1.1.2.3. Pero hay, por otro lado, razones prácticas que hablan en favor de la utilización de las palabras y no de los monemas como entradas del diccionario. Como muy bien observan Alvar Ezquerra y E. Werner[6], el público al que va destinado el diccionario no lo entendería si éste, en lugar de las palabras, tomara como entradas los lexemas. No hay que olvidar, efectivamente, que los diccionarios no están, normalmente, escritos para especialistas, sino para el público en general, en cuya conciencia lingüística la palabra está muy arraigada, frente a unidades como los monemas –lexemas o gra-

[6] Cfr. M. Alvar Ezquerra, art. cit., pág. 160; R. Werner, «La unidad léxica y el lexema», en G. Haensch y otros, *La lexicografía*, pág. 225.

memas–, cuyo manejo incluso por los propios especialistas crearía hartas dificultades. La palabra es, desde luego, imprescindible en nuestra tradición lingüística. Tan imprescindible que ya desde niños en el propio aprendizaje de la lengua hablada, lo que vamos memorizando son casi siempre palabras sueltas, que asociamos a distintas porciones de la realidad. Pero quizás cuando más arraiga en nuestra conciencia lingüística la palabra es en el aprendizaje de la escritura, la cual supone, ante todo, una segmentación o análisis –justificable o no científicamente, eso es otra cosa– del discurso en palabras y no en morfemas o monemas, lo que corresponde a un análisis posterior y más refinado de la cadena hablada. Tal es, en fin, la fuerza de la palabra escrita en nuestra conciencia lingüística que incluso a veces invertimos los términos, creyendo que la lengua oral es algo así como la reproducción fónica de la escrita; de donde que, por influjo de ésta, se frene en muchos casos la evolución fonética o, por ejemplo, se creen artificialmente pronunciaciones inexistentes. No hay que olvidar, por otro lado, que el diccionario es una obra escrita, y, como tal, tiene que partir de la segmentación gráfica de las palabras: salvo casos muy excepcionales, el usuario, antes de consultarlo, habrá de preguntarse de qué unidad gráfica se trata y cómo se escribe. De ahí por cierto que los diccionarios, aun sin pretenderlo, sirven con frecuencia para informar sobre la ortografía de los vocablos.

1.2. *Naturaleza y segmentación de la palabra*

1.2. Dada, pues, la importancia de la palabra en la descripción lexicográfica, nos parece esencial plantearnos aquí brevemente –aunque ello sea más bien tema de la lexicología– la cuestión de su naturaleza[7] y, al mismo tiempo, determinar si verdaderamente exis-

---

[7] Aquí, de todos modos, vamos a tratar de la cuestión en sus aspectos más bien prácticos que propiamente teóricos, aspectos estos últimos sobre los que existe una extensa bibliografía. Nos remitimos, entre otros, a L. Bloomfield, *El lenguaje*, Univ. de S. Marcos, Lima, 1964, págs. 210-226; V. Bröndal, *Essais de linguistique, générale*, Munksgaar, Copenhague, 1943, págs. 117-123; V. García de Diego, «La palabra, fantasma del lenguaje», en *Lecciones de lingüística española*, Gredos, Madrid, 1966, págs. 145-151; A. H. Gardiner, *The theory of speech and language*, Oxford Univ. Press, Oxford-London, 1951, págs. 119-129; J. M. González Calvo, «Consideraciones sobre la palabra como unidad lingüística», *REL*, 12/2 (1982), págs. 375-410 (también en *Estudios de morfología*

ten unos criterios válidos de segmentación que justifiquen, desde el punto de vista lingüístico, la existencia de este tipo de unidad. A nuestro entender, como vamos a ver inmediatamente, la aceptación de la palabra como unidad lingüística es algo plenamente demostrable, al menos en las lenguas occidentales y más concretamente en el caso del español, donde este elemento sigue jugando sin duda un papel de primerísimo orden.

1.2.1. Lo que ocurre –eso sí– es que el término *palabra*, al igual que sus sinónimos *vocablo, voz, dicción* y *término*, no siempre se emplean, incluso en la terminología lingüística, con idéntico sentido. Depende del nivel del lenguaje en que la situemos: en la escritura, en el discurso o en el sistema, lo que nos lleva a postular tres conceptos distintos de palabra, que podemos denominar, respectivamente, **palabra gráfica**, **fonológica** o **de discurso** y **léxico-gramatical** o **de sistema**. Para ejemplificar esta distinción triple incluso en la lengua corriente, observemos que se alude a la palabra gráfica cuando decimos que la palabra *hermano* se escribe con *h*; nos referimos, en cambio, a las palabras fonológicas si afirmamos que el enunciado

Tengo dos hermanos y dos hermanas

consta de seis palabras, y, por último, cuando observamos que *hermano* y *hermana* son variantes de la misma palabra, nos estamos refiriendo a ésta en el plano léxico-gramatical.

1.2.1.1. Entendemos por **palabra gráfica** un conjunto de letras delimitado por dos espacios consecutivos en blanco. Notemos que

---

española, Univ. de Extremadura, Cáceres, 1988, págs. 11-37); J. H. Greenberg, «The word as a linguistic unit», en *Psycholinguistics. A survey of theory and rechearch*, Baltimore, 1954, págs. 66-71; L. Hjelmslev, *Prolegómenos a una teoría del lenguaje*, Gredos, Madrid, 1971, págs. 105-108; J. Kramsky, *The word as a linguistic unit*, Mouton, The Hague-Paris, 1969; A. Lacziczius, «La définition du mot», *Cahiers de F. de Saussure*, V (1945), págs. 32-37; J. Lyons, *Introducción en la lingüística teórica*, Teide, Barcelona, 1971, págs. 201-213; A. Martinet, *Elementos de lingüística general*, Gredos, Madrid, 1972, págs. 143-147; J. Roca Pons, «El concepto de palabra», en *El lenguaje*, Teide, Barcelona, 1875, pág. 188 y ss.; A. Rosetti, *Le mot. Esquisse d'une theorie générale*, Copenhague-Bucarest, 1947; del mismo autor, «Remarques sur la définition du mot», *Cahiers de Linguistique Théorique et Appliquée*, II (1965), pág. 261 y ss.; E. Sapir, *El lenguaje*, Fondo de Cultura Económica, México, 1971, págs. 32-51; S. Ullmann, *Semántica. Introducción a la ciencia del significado*, Aguilar, Madrid, 1972, págs. 43-65.

la separación ortográfica de las palabras, aunque en principio coincida, como veremos, con la delimitación fonológica, ello no ocurre siempre, dado que la ortografía en este caso, como en tantos otros, procede de un modo totalmente convencional y hasta caprichoso. Esta falta de correspondencia determina que, por ejemplo, en español los semianalfabetos tengan con frecuencia problemas a la hora de separar gráficamente ciertas palabras, como las preposiciones o pronombres átonos. La propia ortografía vacila a veces, permitiendo escribir *asimismo, enseguida, deprisa* al lado de *así mismo, en seguida, de prisa,* o presentando algunas incoherencias como *para que* junto a *porque* y *aunque, me da* frente a *dame,* etc. Este carácter convencional de la delimitación ortográfica de las palabras junto al hecho de que éstas nos son conocidas fundamentalmente a través de la grafía –es propiamente al aprender a escribir cuando adquirimos verdadera conciencia de la palabra– es lo que ha llevado a muchos a no aceptar a ésta más que como una convención ortográfica y, por lo tanto, a negarle su estatuto de unidad lingüística.

1.2.1.2. A nuestro juicio, sin embargo, creemos que, prescindiendo de ciertos convencionalismos y vacilaciones evidentes, la palabra gráfica, al menos en español, es en la mayor parte de los casos representación de la **palabra fonológica**, esto es, la palabra realizada por medio de fonemas o sonidos en el discurso. La denominación, que adoptamos aquí por haber sido utilizada por otros autores[8], quizás no sea del todo adecuada, dado que su existencia no solo se puede demostrar por rasgos fonológicos, sino también semánticos y gramaticales. Basándose, efectivamente, en criterios estrictamente fónicos se ha definido alguna vez la palabra como todo segmento delimitado por pausas virtuales consecutivas o, también, como unidad acentual, esto es, un conjunto de sílabas en torno a un acento. Pero se trata de definiciones a todas luces insuficientes, que hay que completar con otros rasgos tanto fónicos como gramaticales o incluso semánticos, a que nos referiremos más adelante. De momento bástenos con decir que palabras fonológicas son los trozos más pequeños de discurso asignables a una categoría léxico-gramatical (esto es, sustantivo, adjetivo, verbo, etc.).

[8] Cfr., entre otros, J. Lyons, *Introducción,* pág. 203; Z. Muljacic, *Fonología general,* pág. 277.

1.2.1.3. Entendemos, finalmente, por **palabra léxico-gramatical** la unidad abstracta –perteneneciente al sistema de la lengua– con la que se identifican todas las formas o variantes pertenecientes a un único paradigma flexional, formas que, por su parte, no son otra cosa que palabras de discurso. Así pues, tenemos:

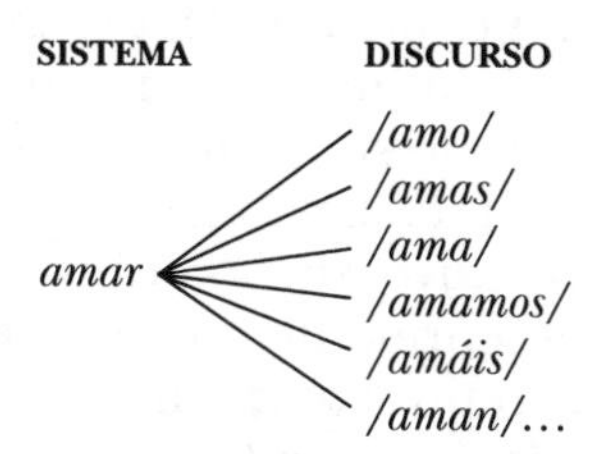

Ahora bien, esto no quiere decir que los morfemas flexionales o desinencias carezcan absolutamente de pertinencia para definir la palabra léxico-gramatical, puesto que, si así fuera, ésta vendría a identificarse con la base léxica o lexema. En realidad los morfemas flexionales actúan como categorizadores, y no hay que olvidar que la categorización constituye un ingrediente esencial en la constitución de la palabra, dado que ésta, como hemos sugerido más arriba, es la unidad categorizable mínima. Según ya dijimos antes, un lexema considerado en sí mismo, esto es, fuera de una categoría –de una palabra, por tanto– no podría ni siquiera definirse léxicamente. ¿Cómo podríamos, por ejemplo, definir el lexema /am-/ con independencia de los vocablos *amar, amor, amante, amable* en que aparece?

1.2.2. Refiriéndonos ahora a la segmentación del discurso en palabras, palabras fonológicas, digamos que, si bien con distinto grado de validez –cosa que depende de cada lengua en concreto–, esa segmentación puede realizarse por procedimientos basados en criterios semánticos, fónicos y gramaticales o funcionales.

1.2.2.1. En primer lugar, el criterio semántico, que es sin duda el adoptado, aunque de un modo no explícito, tradicionalmente –en realidad se remonta a Aristóteles–, se basa en la idea, desde luego errónea, de la palabra como unidad significativa más simple, «uno de los pedacitos más pequeños, y completamente satisfactorios, de 'significado' aislado en el que se resuelve una oración», según diría Sapir[9]. Es decir, aunque es al morfema o monema al que correspondería la definición de unidad significativa mínima, tan solo la palabra conservaría ese significado fuera del contexto. Esta concepción es sin duda bastante discutible, ya que, como se ha dicho muchas veces, tampoco la palabra posee propiamente un significado fuera de un contexto, cosa todavía más evidente cuando se trata de palabras puramente gramaticales. El criterio semántico así entendido podría resultar, no obstante, válido en alguna medida, pues, dado que toda palabra tiene que estar constituida por un segmento significativo, dicho criterio podría usarse negativamente, esto es, en el sentido de que un segmento que carezca de significado no puede representar ninguna palabra. Ahora bien, el procedimiento resultará, sin embargo, plenamente adecuado si, en lugar de partir de la idea de palabra como unidad significativa en general, observamos que su contenido característico es su significado categorial, esto es, su pertenencia a una categoría léxico-gramatical, porque entonces se considerarán palabras tan solo aquellos segmentos significativos más pequeños que sean identificados como sustantivos, adjetivos, verbos, etc. Pero, claro, antes habría que definir adecuadamente todas estas categorías desde el punto de vista semántico, cosa no menos difícil y discutible a su vez.

1.2.2.2. Los criterios fónicos pueden resultar más seguros en la medida en que las palabras presentan en este aspecto una fisonomía particular en cada lengua concreta. Los fonólogos de Praga hablan, por esta razón, de **señales demarcativas de la palabra**, las cuales pueden ser de varios tipos: **positivas**, cuando indican la presencia de un límite de palabras, y **negativas** en el caso contrario, esto es, cuando indican la inexistencia de un límite; **fonemáticas** y **afonemáticas**, según que esas señales estén constituidas, respectivamente, por fonemas u otro tipo de unidades fónicas, y, finalmente, **simples**, si están representadas por un solo elemento, y **complejas**, por varios[10]. En español, como ha señalado E.Alarcos[11], existen señales demarcativas positivas afonemáticas simples, positivas fonemáticas complejas y algunas negativas. Veamos:

---

[9] Cfr. E. Sapir, *Op. cit.*, pág. 43.
[10] Cfr. N. Trubetzkoy, *Principios de Fonología*, Cincel, Madrid, 1973, pág. 249 y ss.
[11] Cfr.E. Alarcos Llorach, *Fonología española*, Gredos, Madrid, 1967, págs. 206-208.

a) Entre las primeras pueden señalarse ante todo los alófonos o variantes de fonemas que tan solo aparecenen en posición inicial o final de palabra. Así, la variante [ŷ] africada tan solo puede encontrarse en posición inicial de palabra, excepto cuando le precede una *n*, circunstancia que puede darse en interior de palabra, o cuando se encuentra en inicial de un monema (así en *ad-yacente*). También las pausas y los acentos pueden servir como señales demarcativas en la medida en que donde hay una pausa (real o virtual) tiene que haber también un límite de palabras, y en cuanto a los acentos porque, si bien poseen colocación libre, sabemos que no pueden aparecer normalmente antes de la antepenúltima sílaba de la palabra y, por lo tanto, el límite de palabras se encontrará inmediatamente después de la sílaba acentuada o en una de las dos siguientes.

b) Las señales positivas fonemáticas son siempre de orden complejo, puesto que están representadas por grupos consonánticos entre los cuales tiene que darse necesariamente un límite de palabras. Se trata, pues, de combinaciones fonemáticas que jamás se pueden dar en interior de palabra, como las siguientes:

/D#θ/: *virtud ciega*
/θ#θ/: *diez céntimos*
/l#l/: *papel liso*
/r#r̄/: *ir rápidamente*
/l#l̬/: *costal lleno*
/θ#l̬/: *cruz llevadera.*

c) Finalmente, pueden considerarse como señales negativas, fonemas como /ñ/ y /ĉ/, que no aparecen nunca en final de palabra, así como /r/ y los archifonemas /B/ y /G/, que jamás comienzan vocablo. También ciertos grupos de fonemas, como los constituidos por /s/ precedido y seguido de consonante, así como /l̬/ o /y/ + /i/, que solo aparecen en interior de palabra. Como señales afonemáticas asimismo negativas pueden citarse los sonidos semiconsonánticos [j] y [w], que nunca pueden aparecer en final de palabra.

1.2.2.3. El criterio sin duda más seguro para la segmentación de palabras es, al menos en el caso del español, el **gramatical** –mejor llamado quizás **morfosintáctico**–, basado en los caracteres de permutabilidad y separabilidad, propuestos, respectivamente, por Hjelmslev y Martinet para caracterizar las palabras. Quien mejor lo ha formulado hasta el momento ha sido R. H. Robins[12], según el cual la palabra vendría caracterizada por los siguientes rasgos: a) imposibilidad de reordenar sus elementos constituyentes, b) posibilidad de aparecer en diversos lugares del enunciado, y c) capacidad de ser separada mediante otro segmento o una pausa momentánea. El criterio así formulado, sin embargo, si bien nos llevaría a considerar palabras a la mayoría de los segmentos tradicionalmente aceptados como tales palabras, quedarían fuera otros que, a pesar de no poseer esas tres características, sin duda deben analizarse también como vocablos. Esto supuesto, pensamos que el criterio debe ser modificado y formulado de esta otra manera:

a) En primer lugar los dos primeros rasgos propuestos por Robins pueden reducirse, a nuestro juicio, a uno solo, aunque visto desde dos ángulos diferentes: desde la palabra en relación con el contexto de que forma parte, y desde la palabra en relación con las partes que la componen. Se trata en ambos casos de la **permutabilidad**, esto es, la capacidad de un segmento del discurso para cambiar de lugar dentro de éste, la cual se da tan solo en el primer caso. Por ejemplo, en

Román estudia mucho
Estudia mucho Román
Mucho estudia Román
Román mucho estudia,

tenemos tres segmentos permutables, que son palabras, en tanto que, por ejemplo, los morfemas de *niñ-o-s* no podrían reordenarse como **niñ-s-o, *o-niñ-s* o **s-o-niñ*, porque los constituyentes de un vocablo carecen de esa capacidad: no son permutables, dada su posición fija dentro del mismo. Esto significa que un segmento permutable nunca podrá ser considerado como constituyente o parte de una palabra, pero no lo contrario: que todo segmento permutable sea una palabra y que ésta haya de ser siempre permutable. Así, el enunciado

El perro no comió el hueso

puede dividirse en tres segmentos permutables (*el perro, no comió* y *el hueso*), constituidos todos por un par de vocablos.

b) El tercer rasgo propuesto por Robins –y éste sí es común a todas las palabras, aunque no exclusivo de ellas– se refiere a lo que

[12] Cfr. R. H. Robins, *Lingüística general*, Gredos, Madrid, 1971, págs. 244-245.

aquí vamos a llamar **separabilidad**. Decimos que dos segmentos contiguos de una cadena hablada son separables cuando entre ellos puede introducirse un nuevo segmento[13]; así, por ejemplo, los morfemas constituyentes de

El-perr-o

son separables porque entre ellos podemos introducir nuevos elementos:

El- [noble] *-perr-* [it] *-to.*

Nótese, sin embargo, que existe una importante diferencia entre los dos segmentos que hemos introducido en el contexto anterior: mientras *noble* es permutable (comp.

El perro noble),

-it- no lo es. Ello quiere decir que el segmento /noble/ no puede interpretarse como parte de una palabra, lo que implica que los elementos separables /el/ y /perr/ pertenecen en este caso a vocablos distintos. Dicho de otra manera, el segmento en cuestión marca necesariamente un límite de palabras, teniendo en cuenta que éstas nunca son signos discontinuos, o lo que es lo mismo, en el interior de una palabra nunca puede introducirse un elemento sin que pase a ser constituyente de esa palabra.

c) Así pues, no es necesario que dos segmentos separables sean a su vez permutables para constituir palabras. Basta, como acabamos de ver, con que entre ellos pueda introducirse un segmento que sí posea las dos características, esto es, que sea separable y permutable a la vez. Es lo que ocurre, por ejemplo, con el artículo y otras palabras gramaticales átonas.

Esto supuesto, el principio de segmentación podría enunciarse así:

Se considerará palabra todo segmento significativo mínimo separable y permutable, o sólo separable por medio de otro que sea separable y permutable.

---

[13] Prescindimos de que pueda introducirse también una pausa, como apunta Martinet, ya que ésta puede aparecer incluso en los límites silábicos y, por lo tanto, no constituye una prueba firme.

De acuerdo con ello no solo constituirán verdaderas palabras las pertenecientes al léxico, que son separables y permutables, sino también, como acabamos de ver, las llamadas «palabras vacías» o gramaticales, que son únicamente separables. No hace falta observar que, cuando hablamos de segmentos en la aplicación de este criterio, nos referimos siempre a porciones de la cadena hablada dotadas de significado, pues, de lo contrario, podríamos llegar a postular como palabras elementos que ni siquiera son signos. Pero con todo la aplicación de este criterio no está exenta ni mucho menos de dificultades, representadas sobre todo por el caso de los compuestos y de las expresiones fijas en general; así, en los adverbios en *-mente,* este segundo elemento es separable mediante palabras, de manera que, por ejemplo, entre los componentes de *inesperada-mente* puede introducirse un segmento separable y permutable:

Inesperada [*e incomprensible*] *-mente* → *Imcompresible e inesperada-mente*

lo que nos llevaría a la conclusión de que nos encontramos ante dos palabras diferentes, cosa que además vendría avalada fonéticamente por el hecho de que ambos elementos poseen acento propio. Por otro lado en locuciones como *con tal de que, a través de,* en las formas compuestas de los verbos del tipo *hemos trabajado, había visto,* o en modismos como *a ojos vistas, el perro del hortelano,* al tratarse de expresiones fijas, resulta imposible la aplicación del principio de segmentación, ya que las palabras componentes no poseen en estos contextos separabilidad ni permutabilidad. En realidad lo que ocurre en estos casos es que las palabras pasan a comportarse como si de verdaderos monemas o componentes de palabra se tratase, circunstancia que en lexicografía nos lleva a considerar a muchas de estas expresiones como verdaderas entradas –o mejor dicho, subentradas– del diccionario.

1.3. *Subentradas: las expresiones fijas*

1.3. Dado, pues, el indudable interés que para la lexicografía presenta este tipo de expresiones, a las que, siguiendo a Coseriu[14], podemos llamar **discurso repetido** por oposición a la **técnica del dis-**

---

[14] Cfr. E. Coseriu, «Structure lexical et enseignement du vocabulaire», en *Actes du Premier Colloque International de Linguistique Appliquée,* Nancy, 1966, pág. 195.

curso, generadora de expresiones libres, vamos a dedicarles también aquí alguna atención. Ante todo se trata siempre de construcciones o segmentos pluriverbales que el hablante, al igual que las palabras, retiene en la memoria y reproduce en el discurso sin que, por otro lado, pueda cambiarlas so pena de introducir una variación de significado. Existe toda una terminología tradicional para denominar estas expresiones fijas así como sus variedades –pensemos en *frase hecha, dicho, locución, modismo, idiotismo, proverbio, refrán* y tantas otras denominaciones–, cuyas respectivas definiciones por cierto resultan harto difíciles de establecer[15]. La consideración, por otro lado, de este tipo de frases ha dado lugar a una nueva disciplina, la fraseología, cuyo desarrollo ha tenido lugar en los últimos años[16].

---

[15] Para el concepto de 'unidad fraseológica, véase M. A. Castillo Carballo, «El concepto de unidad fraseológica', *Revista de Lexicografía,* IV (1997-1998), págs. 67-79.

[16] Realmente hasta principios de los años 70 prácticamente lo único que se había escrito, al menos en nuestro país, sobre la materia eran las observaciones provisionales de J. Casares en su *Introducción a la Lexicografía moderna* (pág. 167 y ss.). Hoy, sin embargo, disponemos de una ya relativamente extensa bibliografía, representada, entre otros, por H. Burger, *Idiomatik des Oeutschen,* Niemeyer, 1973; Z. Carneado Moré, «Notas sobre las variantes fraseológicas», *Anuario de L/L* (La Habana), 16 (1985), págs. 269-277; W. L. Chafe, «Idiomaticity as an anomaly in the chomskyan paradigm», en *Fondations of Language,* 4 (1968), págs. 109-127; G. Corpas Pastor, *Manual de fraseología española,* Gredos, Madrid, 1997; D. O. Dobrovol'skij, *Phraseologie als Objekt der Universalienlinguistik,* Leipzig, 1988; B. Fraser, «Idioms within a transformational grammar», en *Foundations of Language,* 6 (1970), págs. 22-42; M. García-Page, «Léxico y sintaxis locucionales: algunas consideraciones sobre las palabras 'idiomáticas'», *Estudios Humanísticos. Filología,* 12 (1990), págs. 279-290; del mismo autor, «Sobre las variantes fraseológicas en español», *Revista canadiense de estudios hispánicos,* 20/3 (1996), págs. 477-490; M. Gross, «Une classification des phrases figées du français», *Revue Québécoise de Linguistique,* 11/2 (1982), págs. 151-185; J. Häusermann, *Phraseologie,* Tubinga, 1977; J. J. Katz y P. M. Postal, «Semantic interpretation of idioms and sentences containing them», en *MIT Research Laboratory of Electronics. Quaterly Progress Report,* 70 (1963), págs. 275-282; A. Makkai, *Idiom structure in English,* Mouton, The Hague, 1972; M. Militz, «Zur gegewärtigen Problematik der Phraseologie», en *Beitrage zur romaniechen Philologie,* XI (1972), págs. 95-117; J. M. Romera, «Estudio introductorio» a J. M. Iribarren, *El porqué de los dichos,* 6ª ed., Gobierno de Navarra, Pamplona, 1994, págs. VII-XXXI; L. Ruiz Gurillo, *Aspectos de fraseología teórica española,* Valencia, 1997; A. M. Tristá, «La fraseología como disciplina lingüística», *Anuario de L/L* (La Habana), 7-8 (1976-77), págs. 153-160; H. Thun, *Probleme der Phraseologie,* Max Niemeyer, Tubinga, 1978; U. Weinreich, «Lexicology», en *Current trends in linguistics,* I, The Hague, 1963, págs.60-9; G. Wotjak (ed.), *Introducción al estudio de las expresiones fijas,* Frankfort, 1980; L. Zgusta, «Multiword lexical units», *Word,* 23 (1967), págs. 578-587;

1.3.1. Para empezar, partimos de una distinción que, desde el punto de vista lexicográfico, nos parece básica y fundamental: la que separa construcciones fijas con valor de unidades léxicas, que son las que pertenecen a una categoría léxico-gramatical (sustantivo, adjetivo, verbo, etc.), frente a las que carecen de tal valor, esto es, que no son categorizables. Evidentemente, cuando decimos *A río revuelto, ganancia de pescadores*, tal enunciado, que pertenece al discurso repetido, no es ninguna unidad léxica porque no puede asignarse e una categoría léxico-gramatical ni, por otro lado, forma parte de sistema opositivo alguno. Por el contrario, el sintagma *empinar el codo* constituye una unidad lingüística y léxica, puesto que posee le función de verbo y, además, forma parte de un sistema en el que es sinónimo de otras unidades léxicas, como *emborracharse*, y se opone, por ejemplo, a *beber, comer*, etc. Así pues, una construcción fija tiene valor de unidad léxica solo cuando funciona como una palabra, esto es, cuando, desde el punto de vista sintagmático, desempeña funciones propias de ella y, paradigmáticamente, forma parte de campos o paradigmas léxicos junto a palabras simples.

1.3.2. **La locución**. Aunque por lo común los diccionarios generales incluyen frecuentemente expresiones fijas que, como es el caso, por ejemplo, de los dichos, refranes y frases proverbiales, no constituyen verdaderas unidades léxicas, desde luego lo obligado es que recojan sin restricción las que, por el contrario, constituyen tal tipo de unidades. A éstas corresponden ante todo las llamadas **locuciones** –y en parte también los modismos o idiotismos–, puesto que son las únicas susceptibles de categorización. De cuerdo con J. Casares, podemos definir la locución como «una combinación estable de dos o más términos, que funciona como elemento oracional y cuyo sentido unitario, familiar a la comunidad lingüística, no se justifica, sin más, como una suma del significado normal de los componentes»[17], definición que adopta F. Lázaro Carreter en su *Diccionario de términos filológicos*[18] y la RAE en su *Diccionario*[19]. Así

H. A. Zuluaga, «Estudios generativo-transformativistas de las expresiones idiomáticas», en *Thesaurus*, XXX (1975), págs. 1-48; del mismo autor, «La fijación fraseológica», en *Thesaurus*, XXX (1975), págs. 225-248; del mismo autor, *Introducción al estudio de la expresiones fijas*, Frankfort, Berna, Cirencester, 1980.

[17] Cfr. J. Casares, *Op. cit.*, pág. 170.

[18] Cfr. F. Lázaro Carreter, *Diccionario de términos filológicos*, Madrid, Gredos, 1953. s.v.

[19] Cfr. R.A.E., *Diccionario de le lengua española*, 21ª ed., 1992, s.v., acep. 2.

pues, toda locución es, por una parte, una construcción estable, fija, y, por otra, funciona como una palabra única dentro de le oración, además de ofrecer un sentido que no equivale a la suma de los significados de sus componentes. Según eso, *ojo de buey* o *cabello de ángel* serán locuciones –y por tanto unidades léxicas– porque son invariables, equivalen funcionalmente a sustantivos y sus respectivos significados no tienen nada que ver con los de sus componentes. Esta última característica –la de poseer un significado especial– en realidad no es más que una consecuencia de la **lexicalización**, esto es, el proceso por el cual una forma lingüística se integra en el sistema léxico.

1.3.2.1. Este concepto tradicional de 'locución' coincide, pues, con el de 'lexía compleja', acuñado modernamente por el lingüista francés B. Pottier[20] y que viene a representar la unidad léxica inmediatamente superior a la palabra, pues así como ésta puede estar constituida por uno o varios morfemas o monemas la lexía puede estar formada por una o varias palabras; es decir,

$palabra_1 + (palabra_n)$

donde el elemento entre paréntesis es facultativo. Así pues, pueden distinguirse tres tipos de lexías: la **lexía simple**, que coincide con le palabra; la **lexía compuesta**, conjunto de palabras más o menos integradas y que vienen e equivaler a la noción tradicional de 'palabra compuesta' y, por último, la **lexía compleja**, que es una construcción fija lexicalizada, esto es, lo que aquí llamamos **locución**.

1.3.2.2. Pueden manejarse múltiples criterios para determinar si una construcción dada constituye una locución o lexía compleja, criterios que se reducen a tres órdenes: semánticos, distribucionales y gramaticales[21].

1.3.2.2.1. Los **criterios semánticos** responden a la característica, ya apuntada, de que a una locución corresponde siempre un significado único, esto es, que no equivale a la suma de los significa-

[20] Cfr. B. Pottier, *Presentación de la lingüística*, Madrid, 1972, pág. 55.

[21] Cfr. L. Zgusta, *Manual of lexicography*, Mouton, The Hague, 1971, pág. 144 y ss. Véase también A. Zuluaga, «La fijación fraseológica», ya citado, pág. 227 y ss., así como el art. cit. de M. A. Castillo Carballo.

dos de cada uno de sus componentes, y, por lo tanto, la combinación de palabras ha de considerarse globalmente bajo el punto de vista semántico. Según eso, la lexía en cuestión ofrecerá los siguientes rasgos:

a) El significado de la totalidad no será derivable del correspondiente a cada uno de sus miembros. Así, además de los casos de *ojo de buey* 'ventana pequeña y redonda' y *cabello de ángel* 'especie de mermelada', ya citados, podemos añadir otros coma *tomar las de Villadiego* 'escapar', *a pie juntillas* 'firmemente', *de padre y muy señor mío* 'intensidad o magnitud de una cosa', etc., etc. No obstante, esta característica depende, como hemos visto, de la lexicalización, la cual ofrece grados, de suerte que, por tanto, el significado global puede coincidir a veces en algún carácter o sema con el sentido de alguno de sus elementos; por ejemplo, *ave del Paraíso* es, efectivamente, una determinada especie de ave, *noche toledana* es 'la noche en que no se puede dormir'. A este último tipo de locuciones es a las que U. Weinreich llama «unidades fraseológicas»[22], denominación que hoy se utiliza en un sentido muy general equivalente a *expresión fija*[23], lo cual resulta sin duda abusivo ya que toda expresión fija no constituye una verdadera unidad lingüística (por ejemplo, un proverbio o refrán).

b) De la existencia de un significado global no derivable de los componentes de la locución puede deducirse que ésta ofrecerá, al mismo tiempo, un significado literal, el que le correspondería si se tratase de una construcción libre. Así, *cabello de ángel,* además de significar 'una especie de mermelada' (significado locucional o idimático), puede interpretarse como 'pelo de ángel' (significado literal). Este circunstancia, que ha sido notada también por U. Weinreich, no se da, sin embargo, en todas las locuciones (comp. *de bruces, de pe a pa, a troche y moche, sin ton ni son*), aunque sea lo más frecuente[24].

c) Dada su calidad de unidad léxica, una locución podrá tener sinónimos constituidos por lexías simples, esto es, por palabras únicas. Pensemos, por ejemplo, en la locución *mujer de la vida,* que

---

[22] Cfr. U. Weinreich, «Problems in the analysis of idioms,» en *Substance and structure of language,* Univ. of California, 1969, pág. 42.

[23] Cfr. G. Corpas Pastor, *Op. cit.,* pág. 18.

[24] Weinreich llama *pseudo-idioms* a las locuciones que no ofrecen ese doble sentido.

puede perfectamente sustituirse por *prostituta*, *ramera* o el término vulgar *puta*.

d) Por la misma razón, una locución formará parte de campos o paradigmas léxicos en que se oponga a unidades léxicas simples, esto es, a palabras. Así, en los grados militares correspondientes a la clase de jefes en el Ejército español, tenemos que *teniente coronel* –que no es la suma del significado de *teniente* más el de *coronel*– se opone e *comandante* y *coronel*.

e) Por último, y también como consecuencia de su carácter de unidad léxica, una locución o lexía compleja puede indicar algo que en otra u otras lenguas se expresa mediante una palabra única. Así, por ejemplo, esp. *arco iris* = ingl. *rainbow*, fr. *pomme de terre* = esp. *patata*.

1.3.2.2.2. Los **criterios distribucionales**, por su parte, se basan en el hecho de que toda locución es una construcción fija, y, por lo tanto, los elementos que la constituyen son inalterables. Según eso, pues, las locuciones presentarán, en general, los siguientes rasgos:

a) Ninguno de sus componentes será conmutable o sustituible por otro diferente, pues, en ese caso, la construcción resultante ofrecería un contenido semántico completamente distinto y, además, carecería de un sentido unitario. Así, en *cabello de ángel* no podemos sustituir *cabello* por *pelo*, ni *ángel* por *santo*, pues los sintagmas resultantes *pelo de ángel* y *cabello de santo* no tendrían más sentido que el que les es atribuible literalmente. Alguna vez, sin embargo, el resultado puede ser una nueva locución: si conmutamos *ojo* por *pata* en *ojo de gallo* 'callo de los pies', tendríamos *pata de gallo*, que es una especie de planta; pero esto no se debe más que a una pura coincidencia formal de dos locuciones distintas, y, por tanto, no dice nada contra la insustituibilidad de los componentes de toda construcción fija. La conmutación, por lo demás, no puede realizarse ni siquiera con un sinónimo, como ya hemos visto en el caso de *pelo de ángel* por *cabello de ángel*; no obstante, se dan casos excepcionales, como, por ejemplo, *tomar las de Villadiego* o *coger las de Villadiego*, *andar a la cuarta pregunta* o *estar a la cuarta pregunta*; pero, en este caso, el carácter excepcional es puramente aparente, ya que en realidad se trata de variantes, por lo general con distribución geográfica diferente y, por otro lado, la conmutación solo puede realizarse entre esos elementos variables concretos, no con cualquier otro sinónimo.

b) Tampoco, en general, una locución admite la adición o inserción de nuevos elementos. Así, *subirse a la parra* no puede cambiarse en *subirse a la alta parra*: en el primer caso significa 'encolerizarse', mientras que en el segundo tendría solamente el sentido literal, no sería una locución. A pesar de ello, por tratarse de una locución verbal, podría fácilmente admitir un adverbio: de alguien puede decirse, por ejemplo, que «se sube *muy pronto* a la parra». Hay que exceptuar asimismo el caso de locuciones que exigen algún complemento, que, lógicamente, no forma parte de la locución, como *tomar el pelo [a alguien]* o *beber los vientos [por algo]*.

c) Hay palabras que en el uso de la lengua solamente aparecen en locuciones, aunque hay que observar que esta característica no es indispensable para que nos encontremos ante una locución. Así, en español, *bruces* solo aparece en la locución *de bruces*, y lo mismo *juntillas* en *a pie juntillas*. Algunos autores, como Mel'čuk, Rohrer y Burger[25], han confundido este tipo de locuciones con las construcciones debidas a lo que Coseriu llama **solidaridades léxicas** y más concretamente **implicaciones**[26], tales como *guiñar los ojos* o *nariz aguileña*, expresiones en las que, por una parte, el complemento directo de *guiñar* es siempre *ojo* u *ojos*, y, por otra, el adjetivo *aguileño* sólo se aplica al sustantivo *nariz*; pero las frases anteriores no constituyen locución alguna porque su significado es perfectamente derivable del de sus componentes; lo que ocurre es que hay una implicación léxica o semántica, de suerte que la presencia de un elemento exige la de otro. Y por la misma razón tampoco hay que confundir las locuciones con las **colocaciones**, que consisten asimismo en cierta combinación estable de un elemento léxico con otro u otros, pero sin que se produzca, al contrario de lo que ocurre en las solidaridades[27], exigencia por parte de ninguno de ellos y, desde luego, el conjun-

---

[25] Cfr. A. Zuluaga, «La fijación», pág. 231.

[26] Para el concepto de 'solidaridad', véase E. Coseriu,»Las solidaridades léxicas», en *Principios de semántica estructural*, págs. 143-161; P. Pernas Izquierdo, *Las solidaridades léxicas del español*, Univ. Complutense, Madrid, 1992; G. Salvador Caja, «Las solidaridades lexemáticas», *Revista de Filología de la Universidad de La Laguna*, 8-9 (1989-90), págs. 339-365.

[27] No compartimos la opinión de G. Corpas Pastor (*op. cit.*, pág. 64 y ss.), para quien las solidaridades no serían más que un tipo de colocaciones. Pero éstas, como bien observa esta autora, pertenecen al plano lingüístico de la norma o uso, mientras que las solidaridades son, según observa Coseriu, hechos de lengua (paradigmáticos) que se manifiestan sintagmáticamente.

to no posee un significado distinto del literal; es el caso, por ejemplo, de *fruncir el ceño, caluroso aplauso, saludo cordial, trato amable, riguroso orden, dormir profundamente.*

d) Tampoco una locución admite la permutación o alteración en el orden de sus elementos. Así, por ejemplo, no es posible decir *cantar y coser* en lugar de *coser y cantar, a locas y a tantas* en vez de *a tontas y a locas,* etc.

1.3.2.2.3. Los **criterios gramaticales** se basan en el hecho de que toda locución es una lexía o unidad léxica y, por tanto, su comportamiento equivale al de una palabra. Por eso la locución ofrece, bajo el aspecto gramatical, las siguientes características:

a) Desde el punto de vista morfológico presenta, por lo general, invariabilidad de alguna categoría gramatical (número, género, tiempo, etc.). Así, *pagar los platos rotos* no puede cambiarse en *pagar el plato roto*; por el contrario, *pagar el pato* no se puede alterar en *pagar los patos.* Hay que observar, no obstante, que ciertas locuciones pueden presentar variabilidad en otros aspectos. Así, tratándose de locuciones verbales, el verbo que constituye el núcleo del sintagma ofrece variaciones flexionales (por ejemplo, en *irse al otro barrio* el verbo *ir* es conjugable); lo mismo hay que decir de algunas locuciones nominales, como *niño gótico* 'que sigue las modas con afectación', que, además de admitir artículo (*el niño gótico*), prestan también flexión (*los niños góticos*). Hay que advertir también que existen locuciones con casillas variables; por ejemplo, *echarle los perros a alguien,* donde *alguien* es un comodín que debe ser sustituido por un nombre de persona en la realización concreta de la locución[28]; en realidad no forma propiamente parte de la locución.

b) Sintácticamente, una locución desempeñará en la oración los oficios correspondientes a la categoría léxico-gramatical a que pertenece. Es decir, si es nominal, podrá funcionar como sujeto, complemento directo, etc.; si es adverbial, desempeñará el papel de complemento circunstancial o complemento de un adjetivo o un adverbio (o incluso de una oración); siendo adjetiva, actuará como complemento nominal, etc. Así,

[28] No estamos de acuerdo en llamar a estos elementos «contorno», como hace J. Martínez Marín, ya que este término se aplica exclusivamente a los elementos contextuales incluidos en una definición lexicográfica.

Este fuera de borda *me costó mucho dinero*
Compré un fuera de borda
Ese hombre es de armas tomar
Nos hemos reído a mandíbula batiente.

1.3.2.3. A nuestro juicio, la mejor clasificación de las locuciones es la realizada por J. Casares en su *Introducción a la lexicografía moderna*[29], clasificación que, sin duda por ello, es la seguida con más o menos modificaciones por otros autores más recientes. El criterio empleado por el lexicógrafo español consiste en una tipificación por categorías léxico-gramaticales, aunque, evidentemente, pueden manejarse otros, como los basados en puntos de vista morfológicos y léxico-semánticos.

1.3.2.3.1. Bajo el aspecto de la categorización, J. Casares establece dos grandes grupos de locuciones: las **significantes**, que se caracterizan por ofrecer un significado léxico, y las **relacionantes** o **conexivas**, cuyo comportamiento equivale al de una conjunción o preposición y no tienen, por tanto, verdadero significado. Las primeras pueden, a su vez, clasificarse en **nominales**, **adjetivales**, **verbales**, **participiales**, **adverbiales** y **pronominales**[30], según que equivalgan a un nombre, adjetivo, verbo, etc., y las segundas en **conjuntivas** y **prepositivas**. Son, por ejemplo, locuciones conjuntivas *con tal que, con el fin de, así pues, por tanto,* etc., y prepositivas *encima de, frente a, alrededor de, en torno a, detrás de* y tantas otras.

1.3.2.3.1.1. Las **locuciones nominales** pueden ser **denominativas**, **singulares** e **infinitivas**. Las primeras son aquellas que equivalen a un sustantivo de los llamados apelativos; esto es, desde el punto de vista semántico, sirven para denotar una entidad (persona, animal o cosa). Así, *lengua de gato* 'tipo de bizcocho', *bocado de Adán* 'nuez de la garganta', *martín pescador* 'especie de pájaro', *pez espada* 'especie de pez'. Desde el punto de vista gramatical, tienen un funcionamiento idéntico al de cualquier nombre común y pueden ir precedidos por un artículo, demostrativo o algún adjetivo e incluso pueden cambiar de número. Así,

---

[29] Cfr. pág. 170 y ss.

[30] J. Casares (*Op. cit.*,pág. 172) añade las locuciones **interjectivas** o **exclamativas**, que, a nuestro juicio, no son verdaderas locuciones, puesto que no equivalen a una palabra, sino a toda una oración.

Estas lenguas de gato
Todos los peces espada
El bocado de Adán.

Según su constitución morfológica, estas locuciones pueden ser **geminadas** o **complejas:**

a) Las **locuciones geminadas** vienen a ser el eslabón intermedio entre la locución y la palabra compuesta, pues la distinción entre éstas se efectúa tan solo a nivel ortográfico, pero, lingüísticamente, vienen a ser una misma cosa (comp., por ejemplo, *boca-calle* y *peje rey*). Estas locuciones, por lo demás, están constituidas, como puede observarse, por dos sustantivos apuestos, de los cuales uno –generalmente el segundo– se adjetiva pasando a significar una cualidad propia del objeto representado por el sustantivo; así, *hombre rana* es 'el que nada como una rana', *pájaro mosca* es un 'pájaro pequeño', *cartón piedra* es un 'cartón duro'.

b) Por el contrario, **locuciones complejas** son aquellas que están constituidas por un sustantivo y un adjetivo o sintagma preposicional equivalente a un adjetivo. Por ejemplo, *niño gótico, boca de dragón* 'especie de flor', etc.

Al contrario que las locuciones denominativas, las **singulares** equivalen más bien a nombres propios, razón por la que no admiten cambio de número ni adjetivos calificativos u otros complementos determinantes. El uso del artículo, sin embargo, es imprescindible y, sintácticamente, estas locuciones suelen funcionar únicamente como predicados nominales. Así, por ejemplo, *el cuento de nunca acabar, la carabina de Ambrosio, el gallo de Morón, el perro del hortelano,* etc. Muchas de ellas consisten en una alusión o referencia a una situación o personaje mítico o histórico. Por último, las **locuciones infinitivas** se caracterizan por poseer como núcleo un verbo en infinitivo. Así, *coser y cantar, pedir peras al olmo.* Los verbos en estas locuciones no admiten más forma que la de infinitivo, de donde su valor nominal, ni tampoco el artículo.

1.3.2.3.1.2. Son **locuciones adjetivas** las que se comportan como un adjetivo, esto es, sirven siempre como complementos de un nombre o actúan como predicados con verbos copulativos. Por ejemplo, *de órdago, de padre y muy señor mío, de rechupete.* Estas locuciones, por lo general, no admiten aditamentos de cuantificación, aunque hay excepciones: por ejemplo, *duro de pelar* (se puede decir *muy* o *bastante duro de pelar*).

1.3.2.3.1.3. Las **locuciones verbales** consisten en sintagmas cuyo núcleo es un verbo conjugable. Por ejemplo, *tener la mosca tras la oreja, empinar el codo, sacar las castañas del fuego, estar a día treinta y uno,* etc. Se diferencian de las locuciones nominales infinitivas en que el verbo va siempre en forma personal, de suerte que la locución hace oficio de predicado. Por lo demás, pueden estar constituidas por un verbo transitivo, intransitivo o copulativo. A veces exigen un complemento, como en el caso, por ejemplo, de *echarle los perros* (a alguien), *dar al traste* (con algo), *tomarle el pelo* (a alguien), *poner* (a alguien) *de patitas en la calle,* etc. Un caso particular de locuciones verbales es el presentado por las que G. Corpas llama **clausales**, representadas por aquéllas que incluyen entre sus componentes el sujeto gramatical; así, *caérsele a uno la cara de vergüenza, írsele a uno el santo al cielo, írsele a uno la cabeza, salirle a uno el tiro por la culata,* etc.

1.3.2.3.1.4. Llámanse **locuciones participiales** aquellas que comienzan con el participio *hecho* (o *hecha*). Así, *hecho un brazo de mar* 'persona ataviada con lujo', *hecho un mar de lágrimas, hecho una sopa.* Hay que tener en cuenta que cuando el participio puede cambiar en una forma personal o sustituirse por *como,* el sintagma correspondiente no constituye una locución participial. Tal ocurre, por ejemplo, con *hecho polvo* en contextos como

Estoy hecho polvo,

ya que puede decirse

Me hizo polvo,

y lo mismo con *hecho un tronco* en

Estaba hecho un tronco,

pues la frase no cambia de sentido si decimos

Estaba como un tronco.

Por el contrario, en las locuciones participiales citadas antes no podemos realizar esas sustituciones. Algunos autores, como

Zuluaga o Corpas Pastor, prescinden de este tipo de locuciones, que en todo caso incluyen en las adjetivas o adnominales.

1.3.2.3.1.5. **Locuciones adverbiales** son las que se comportan como un adverbio –o complemento circunstancial en general– y, por lo tanto, pueden clasificarse en **temporales**, **modales**, **de cantidad**, **de lugar**, etc. Veamos algunos ejemplos: *a sabiendas, en un santiamén, a mandíbula batiente, para la semana de dos jueves, en el quinto pino,* etc. Estas locuciones son las más numerosas en español y constituyen lo que tradicionalmente se llaman «modos adverbiales».

1.3.2.3.1.6. Las **locuciones pronominales**, que mejor sería llamar **deícticas**, equivalen funcionalmente a un pronombre, entendido éste como sustituto de un nombre o persona gramatical. A esta clase pertenecen locuciones como *un servidor, este cura, este menda, menda lerenda, el hijo de mi padre, cada quisque, el que más y el que menos, todo hijo de vecino,* etc.

1.3.2.3.2. Pero, como decíamos al principio, las locuciones pueden también clasificarse siguiendo criterios morfológicos y léxico-semánticos. Bajo el primer punto de vista, habrá que distinguir **locuciones invariables** y **locuciones variables**. Serán invariables aquellas que ofrecen una fijación absoluta de sus componentes y no admiten ningún complemento o aditamento; así, *coser y cantar, flor y nata, ni fu ni fa, la carabina de Ambrosio, el cuento de nunca acabar.* Por el contrario, locuciones variables son aquellas que admiten cambios en alguno de sus elementos o piden algún complemento que varía según las circunstancias de la elocución. Naturalmente, la variabilidad de las locuciones nunca llega a un grado de absoluta libertad, puesto que, en ese caso, dejarían de ser construcciones fijas para convertirse en construcciones libres, dependientes, por tanto, de la técnica del discurso. Como ha señalado B. Fraser[31], existe una jerarquía de fijación, es decir, que los elementos constituyentes de una locución pueden presentar una mayor o menor cohesión y, por consiguiente, un distinto grado de fijación. Sin pretender ser exhaustivos, veamos algunos tipos de **locuciones variables**:

---

[31] Cfr. B. Fraser, «Idioms within a transformational grammar», en *Foundations of language,* 6 (1970), págs. 22-42.

a) **Con variabilidad flexional.** Este tipo de variabilidad es típico, como hemos visto, de las locuciones verbales, cuya palabra principal es un verbo conjugable. Así, *hacer novillos* ofrece todas las posibilidades flexionales de *hacer* (*yo hago novillos, él hacía novillos, tú has hecho novillos,* etc.), y lo mismo *estar en Las Batuecas* o *en Babia, andar a la cuarta pregunta, estar a día treinta y uno,* etc. Algunas locuciones nominales admiten también flexión de número; por ejemplo, *noche toledana / noches toledanas.* En el caso de locuciones nominales geminadas, la palabra que admite el morfema de número es el sustantivo determinado: *pez espada / peces espada, hombre rana / hombres rana.*

b) **Con variabilidad tópica.** Hay locuciones, efectivamente, que pueden cambiar el orden de alguno de sus elementos, sin que por ello se destruya su valor locucional. Pensemos, por ejemplo, en *ni títere dejaron con cabeza* es una variante de *no dejar títere con cabeza.* Por lo general, la alteración de orden requiere la adición de algún otro elemento: *con esas ruedas de molino no comulgo yo,* variante de *comulgar con ruedas de molino.*

c) **Con variabilidad categorial.** Toda locución, como hemos visto, pertenece necesariamente a una categoría léxico-gramatical; pero hay algunas que, mediante una operación derivativa, pueden pasar a formar parte de otra categoría. Así, por ejemplo, la locución verbal *tomar el pelo* puede sustantivarse en *tomadura de pelo,* de la locución *romper(se) la cabeza* 'pensar demasiado' se puede pasar a la palabra compuesta *rompecabezas,* que es un sustantivo.

d) **Con variabilidad sinonímica.** Como ya hemos dicho, hay algunas locuciones que admiten conmutación sinonímica de alguno de sus elementos, como es el caso de *coger* o *tomar las de Villadiego, andar* o *estar a la cuarta pregunta, mirar* o *ver los toros desde la barrera,* etc. En todos los casos se trata, como ya hemos dicho, de sustituciones fijas, es decir, la alternancia se produce entre determinadas palabras, de suerte que ni siquiera puede realizarse la conmutación por cualquier sinónimo.

e) **Con casilla vacía.** Existen muchas locuciones –especialmente entre las verbales– que necesitan un complemento que varía según las necesidades de la elocución; se trata de locuciones variables con casilla vacía. Tales son, por ejemplo, *sacarle (a alguien) las castañas del fuego, estar en (mis, tus, sus) trece, cantarle (a uno) las cua-*

renta, etc., etc. En realidad esa casilla vacía no forma parte de la locución, sino que es un elemento exigido por ella, con la que tiene una relación de determinación, y, como hemos señalado anteriormente, es impropio hablar en este caso de «contorno».

1.3.2.3.3. Pero las locuciones no solo presentan gradación en cuanto a la estabilidad o fijación de sus elementos, sino también, como ya hemos señalado, en cuanto a la lexicalización. Hemos dicho más atrás que una característica fundamental de las locuciones es su significado global, no derivable del correspondiente a la suma de sus elementos. No obstante, en esto también existen varias posibilidades, alguna de las cuales ya las dejamos ver anteriormente. Bajo este aspecto, podemos señalar tres tipos de locuciones fundamentales:

a) **Con significado completamente diferente al literal**. Es el caso, por ejemplo, de *bocado de Adán, ojo de buey, pata de gallo, hacer novillos* y tantísimas otras. No existe, pues, ninguna relación significativa entre el sentido literal y el locucional, aunque ello no implica que no existiese anteriormente alguna relación; pero esta es una cuestión puramente diacrónica que en nada afecta a la independencia significativa actual.

b) **Con significado semejante al literal**. Ya hemos señalado anteriormente algunos casos, como el de *ave del Paraíso*, que, efectivamente, es una determinada ave, y *noche toledana*, que también es una clase de noche. Su carácter locucional, sin embargo, es patente, puesto que las determinaciones *del Paraíso* y *toledana* no justifican de por sí la diferencia entre el significado locucional y el real o literal[32]. Este no es el caso, por ejemplo, de *máquina de escribir*, ya que el objeto designado por ese sintagma es efectivamente una máquina que sirve para escribir; por eso no puede tener más significado que el literal y, consiguientemente, no es una locución. A veces incluso ocurre que el significado literal está contenido en el locucional, el cual ofrece una mayor riqueza semántica; así, por ejemplo, *caja de ahorros* es realmente una 'oficina pública para guardar los ahorros', pero no solamente esto, pues, locucionalmente, se

[32] Solo en el caso de *noche toledana* podría pensarse en una solidaridad, siempre que al adjetivo se le asignase un contenido especial 'con aplicación a *noche*, cuando no se puede dormir'.

trata de un tipo de banco, donde no solo se guardan los ahorros, sino que se hacen créditos y otras operaciones; *hombre rana* no es tan solo un hombre que nada bien, sino que va provisto de un traje especial, realiza determinadas tareas, etc.

c) **Sin significado literal**. Existen, por último, otras locuciones que tan solo poseen significado locucional. Ello se debe a que alguno de sus elementos constituyentes no tiene existencia fuera de esas locuciones. Así, por ejemplo, *en vilo, ni fu ni fa, de pe a pa, a troche y moche, a hurtadillas, de bruces*. Estas locuciones son las que Weinreich llama «pseudo-idioms», Greimas «idiotismos fósiles» y Henri Frei «locuciones con monemas obliterados»[33]. Por lo demás, la inexistencia de esos elementos fuera de las locuciones en que se emplean puede deberse a varias razones: 1ª) porque se trata de palabras arcaicas fosilizadas en esas expresiones (comp. *colgarle [a uno] un sambenito, a diestra y siniestra*); 2ª) o vocablos procedentes de otra lengua (comp. *el non plus ultra, por fas y por nefas*); 3ª) o de una variedad especial de la misma lengua (así, *tener sus bemoles, irse por la tangente*), o, por último, 4ª) por tratarse de palabras inventadas sin sentido alguno (por ejemplo, *ni fu ni fa, a troche y moche*).

1.3.2.4. Un problema importante desde el punto de vista lexicográfico –y que por lo tanto no podemos soslayar aquí–, es el concerniente a la delimitación sintagmática de las locuciones. Más arriba ya hemos apuntado el hecho de que una locución puede exigir la presencia de ciertos complementos, que en realidad no forman parte de ella, como es el caso de *echarle los perros (a alguien), poner (a alguien) de patitas en la calle, meter las narices (en algo)*, etc., circunstancia que no ofrece mayor dificultad. El verdadero problema surge en casos, como, por ejemplo, *costar (una cosa) un ojo de la cara, hablar como una cotorra, dormir como un lirón, andar a gatas*, cuyos verbos subrayados no sabemos hasta qué punto forman o no parte de las correspondientes locuciones: por una parte parece que sí, dado que dichos verbos aparecen obligatoriamente en esos contextos y, por lo tanto, forman parte de verdaderas expresiones fijas; pero, por otra, a cada una de estas expresiones no corresponde propiamente un significado locucional, ya que éste queda restringido a los elementos que acompañan al verbo. Precisamente estas dos posibilidades de delimitación dan

---

[33] Cfr. A. J. Greimas, «Idiotismes, proverbes, dictions», *CL*, II (1960), págs. 41-61; H. Frei, «L'unité linguistique complexe», en *Lingua*, XI (1962), págs. 128-140.

lugar en los diccionarios a fluctuaciones que denotan la inexistencia de un criterio fijo y seguro al respecto, y así, mientras en el *DRAE* aparece registrada la expresión *estar [uno] sin* (o *no tener*) *oficio ni beneficio,* en el *DUE* de M. Moliner aparece *sin oficio ni beneficio* 'sin profesión'; pero, por el contrario, mientras en este último se registra *dejar [a alguien]* (o *quedarse [alguien]*) *pegado a la pared,* aquél presenta tan solo *pegado a la pared* 'confundido, avergonzado'. Creemos que el problema podría solucionarse si partimos de la idea, sin duda cierta, de que una locución, precisamente por ser una unidad léxica y que, por tanto, funciona como una palabra, puede a su vez formar parte de una expresión fija, que, obviamente, ya no será una locución, sino una simple colocación o, también, una solidaridad, circunstancia que es la que se da, a nuestro modo de ver, en los ejemplos anteriores. Así, no cabe duda de que *un ojo de la cara,* que aquí funciona como un intensificador equivalente a *mucho,* es una locución con idéntico valor, por cierto, que *como una cotorra* y *como un lirón;* lo que pasa es que estas locuciones están semánticamente determinadas para aplicarse, respectivamente, a los verbos *costar* (o *valer, cobrar, pagar*), *hablar* y *dormir,* lo que quiere decir que tales locuciones forman parte de otras tantas solidaridades. En el caso de *sin oficio ni beneficio* y *pegado a la pared,* que también son locuciones, se construyen normalmente (no obligatoriamente) con los verbos *estar* y *no tener* en el primer caso, y *dejar* y *quedarse,* y, por consiguiente, nos hallamos ante simples colocaciones. Desde luego si aplicamos con rigor el concepto de 'locución' como expresión fija con significado locucional, no nos cabe duda de que el problema de la delimitación quedará solucionado en la inmensa mayoría de los casos.

1.3.3. **Modismo e idiotismo.** La lingüística tradicional, junto al término *locución,* viene empleando también, como ya hemos dicho, los de *modismo* e *idiotismo,* cuyo contenido conceptual no ha sido fijado con precisión. Según el *DRAE,* modismo es, por una parte, una «expresión fija, privativa de una lengua, cuyo significado no se deduce de las palabras que la forman» (y da como ejemplo *a troche y moche*), y, por otra, lo hace equivalente a *idiotismo,* esto es, una «expresión o sintagma privativo de una lengua, contrario a las reglas gramaticales[34]. En el primer caso vendría a corresponder práctica-

[34] Cfr. *DRAE,* s.v. *modismo.* En el artículo *idiotismo* presenta esta otra definición: «Giro o expresión contrarios a las reglas generales de la gramática, pero propios de una lengua, v.gr., *a ojos vistas.*»

mente al concepto general de 'expresión fija', que incluiría, por tanto, la locución, mientras que en el segundo se trataría de un sinónimo de *idiotismo,* que es como aquí lo entendemos nosotros. De acuerdo, pues, con la definición académica lo característico del modismo o idiotismo serían sus anomalías gramaticales; falta, no obstante, concretar en qué consisten esas anomalías.

1.3.3.1. Julio Casares, que se ocupó extensamente del tema[35], niega, sin embargo, que la contravención de las reglas gramaticales sea una característica definitoria del modismo o idiotismo, términos que, en ese caso, tan solo se podrían aplicar a un reducido número de expresiones, como *a pie juntillas, a ojos vistas, a ojos cegarritas* y pocas más, donde, efectivamente, se da una anomalía gramatical. Por eso propone que el modismo consiste en una locución con carácter expresivo: «Cuanto más llamativos –dice– y evocadores sean los elementos significantes del modismo tanto menos podrá ponerse en duda el carácter de tal»[36]. Quizás, para llegar a este postulado de que es la expresividad y no la agramaticalidad el carácter fundamental y definitorio del modismo o idiotismo, Casares se fundamenta en la definición dada por Covarrubias, según quien los modismos son «ciertas frasis y modos de hablar particulares a la lengua de cada nación que, trasladadas en otra, no tienen tanta gracia». A pesar de todo, tampoco J. Casares logra caracterizar y definir con precisión estos términos, los cuales quedan totalmente difuminados y confusos a lo largo de las páginas que les dedica.

1.3.3.2. A nuestro modo de ver, sin embargo, la afirmación de que el modismo o idiotismo contraviene las reglas de la gramática no puede interpretarse, tal como hace Casares, única y exclusivamente referida al aspecto estrictamente formal (por ejemplo, a anomalías de concordancia). Más bien se quiere decir con ello que el modismo es una expresión que no puede explicarse acudiendo a las reglas generales de la gramática, cosa que no ocurre tan solo en *a pie juntillas* o *a ojos vistas,* sino también en otras muchísimas expresiones tales como *sacarle (a uno) las castañas del fuego, tener la cabeza a pájaros* o *estar como un cencerro.* Estas últimas frases, en efecto, aunque formalmente no presentan ninguna anomalía gramati-

[35] Cfr. J. Casares, *Op. cit.*, págs. 205-242.
[36] *Ibid.*, pág. 218.

cal, se encuentran, en cierto modo, fuera de la gramática, dado que ésta es incapaz de generarlas de un modo adecuado, en la medida en que la sola aplicación de las reglas no explica sus respectivos sentidos especiales. De ahí, por tanto, que tampoco sean traducibles a otras lenguas, ya que en estas perderían absolutamente ese sentido especial; perderían, en definitiva, esa gracia de que habla Covarrubias. Así pues, dado que los modismos o idiotismos son frases que no pueden ser explicadas por la gramática, se puede decir perfectamente que son gramaticalmente anómalos.

1.3.3.3. Ahora bien, esta característica esencial del modismo corresponde, como hemos visto, a toda locución con significado léxico, por lo cual caben dos posibilidades: o que modismo y locución sean una misma cosa, o que las locuciones no sean más que un determinado tipo de modismos o idiotismos. A nuestro juicio, este último es el criterio que debe prevalecer, ya que hay expresiones con sentido gramaticalmente inexplicable que, sin embargo, no constituyen locuciones; pensemos, por ejemplo, en la frase *si estudiaras, otro gallo te cantara*, cuya oración principal no es una locución, precisamente porque no equivale ni a un sustantivo, ni a un verbo u otra categoría léxico-gramatical, y, sin embargo, presenta un sentido «idiomático» que nada tiene que ver con el literal. Lo mismo podría decirse de otros enunciados, como *aquí hay gato encerrado, no está el horno para bollos, hay ropa tendida*, etc., etc. Así pues, la locución (concretamente la que hemos llamado **locución significante**) es un modismo o idiotismo que posee carácter de unidad léxica, lo que equivale a decir que no todo modismo es una unidad perteneciente al léxico.

1.3.3.4. Aunque esta posición acerca del concepto de idiotismo coincide a grandes rasgos con la mantenida tradicionalmente e incluso en la actualidad por la mayor parte de los lingüistas, existen, no obstante, algunas concepciones diferentes. Dejando aparte la de J. Casares, que, como hemos visto, centra el carácter idiomático en la expresividad, negando, por eso, valor de idiotismos a las locuciones conexivas y a las nominales denominativas geminadas y complejas, es interesante resaltar la de Ch. F. Hockett, para quien idiotismo es «toda forma gramatical cuyo significado no se puede deducir de su estructura»[37], definición en la que no solo

[37] Cfr. Ch. F. Hockett, *Curso de lingüística moderna*, B. Aires, 1971, pág. 174.

entrarían las construcciones fijas, sino también las palabras simples. Para el lingüista americano, por otra parte, todo idiotismo es una unidad léxica, con lo que quedarían fuera las expresiones que hemos citado anteriormente. El concepto de idiotismo de Hockett coincide más bien con el de lexía propuesto por B. Pottier.

1.3.3.5. Otro lingüista que ha tratado de definir el concepto de idiotismo es U. Weinreich[38], quien le concede un sentido muy restringido, al considerar como tal toda expresión fija cuyo significado es totalmente distinto del que le correspondería literalmente. Junto a ellos coloca los pseudo-idiotismos, que, como vimos, son también expresiones fijas en cuya composición entra un elemento cuyo uso se reduce a esas expresiones. Locuciones, como *peje rey, pez espada, ave del Paraíso* no serían idiotismos, puesto que sus respectivos significados tienen algo en común con alguno de sus componentes.

1.3.3.6. En conclusión, pues, digamos que un modismo o idiotismo es una construcción fija cuyo sentido no puede derivarse de su estructura gramatical. Según eso, toda locución significante es un modismo, pero no todo modismo es una locución, dado que ésta, además de las características del modismo, ofrece la de constituir unidad léxica, es decir, el poderse categorizar. Por último, otro concepto del que se debe distinguir el idiotismo es el de *hispanismo,* que J. Casares[39] identifica como idiotismo o modismo propio del español, concepción que no es del todo exacta, ya que no todo hispanismo es un idiotismo, aunque todo idiotismo es un hispanismo. Este es, por tanto, un concepto más amplio, pues no solo abarca todos los modismos, sino también giros o estructuras libres propias de nuestra lengua. Así, por ejemplo, *dar con una cosa,* que no es una construcción fija, constituye un hispanismo porque el verbo *dar* posee un régimen típico del español[40].

1.3.4. **Construcciones fijas sin valor de unidades léxicas**. Como ya hemos señalado al principio, no todo lo que constituye «discurso

[38] Cfr. U. Weinreich, *Op. cit.*, pág. 42.

[39] Cfr. J. Casares, *Op. cit.*, pág. 207.

[40] En realidad el término *hispanismo* es polisémico, pues, además del significado que acabamos de indicar, posee el de 'palabra o construccián propia del español empleada en otra lengua' y, quizá, el de 'palabra o construcción propia del español de España'.

repetido» es una unidad léxica. Lo acabamos de comprobar al tratar de los modismos o idiotismos, los cuales, aunque son construcciones fijas, no siempre pueden considerarse unidades léxicas, como es el caso, por ejemplo, de *¿Quién pone el cascabel al gato?*, *¿Pies, para qué os quiero?*, *No está el horno para bollos*, etc. Refiriéndonos a las construcciones fijas que no tienen valor de unidades léxicas, de las que aquí tan solo vamos a tratar superficialmente, pues, aunque de hecho algunas de ellas aparecen –a veces obligatoriamente– en los diccionarios, evidentemente no pueden constituir entradas propiamente dichas, que es de lo que aquí tratamos. Hay que distinguir por lo demás entre las que poseen un significado distinto del literal frente a las que carecen de él, esto es, que no poseen más significado que el literal. A su vez, en el primer tipo hay que establecer dos clases diferentes: las que poseen un significado «idiomático», que son, por tanto, modismos o idiotismos, y aquellas cuyo especial significado es de tipo «paremiológico», es decir, encierran alguna sentencia o doctrina.

1.3.4.1.**La frase hecha**. En nuestra lengua existe toda una serie de expresiones, como *¡En paz descanse!*, *¡Que vaya bien!*, *¡Encantado de conocerlo!*, etc. cuyo carácter fijo es indiscutible, pero que, al mismo tiempo, no ofrecen un significado distinto del literal. Se trata siempre de **fórmulas** prefabricadas, esto es, que, al igual que los modismos, el hablante guarda en su memoria y reproduce en determinados contextos y situaciones. Dado su uso frecuente –y a veces obligado–, resultan en muchas ocasiones huecas y sin verdadero sentido; pero, aparte de su función pragmática, desde el punto de vista lingüístico, no tienen más significado que el literal. Pues bien, a este tipo de expresiones fijas con sentido literal es a lo que llamamos **frases hechas** (aun cuando este término parece aludir más bien a toda clase de construcción fija) y otros prefieren denominar **fórmulas estereotipadas** o, también, **rutinarias**[41].

1.3.4.1.1. A esta categoría pertenecen, naturalmente, todas las fórmulas de cortesía compuestas de varias palabras. Así, los saludos, como *Buenos días, Buenas tardes, Buenas noches, Hasta luego, Que vaya bien, Hasta vernos, ¿Cómo está?, ¿Cómo le va?*, etc.; fórmulas de agradecimiento, como *Dios se lo pague, Muchas gracias, Muy amable*;

---

[41] Véase, por ejemplo, G. Corpas Pastor, *Op. cit.*, pág. 170.

fórmulas de presentación: *Mucho gusto, El gusto es mío, Encantado de conocerlo, Por muchos años*; de petición: *Por favor, Tenga la bondad, Haga el favor*, etc. Hay que observar, por lo demás, que este tipo de frases suelen presentar muchas variantes, lo que, por supuesto, no quiere decir que se trate de construcciones libres, pues esas variantes son, a la vez, algo preestablecido.

1.3.4.1.2. También hay que considerar como frases hechas ciertas jaculatorias, como *Ave María Purísima* (empleada también como saludo), *Viva Cristo Rey, Alabado sea el Santísimo, Dios me valga*, y, por supuesto, también algunas expresiones de juramento o maldición; por ejemplo, *por Dios, Voto a Dios, El diablo me lleve, El demonio te coma*, etc. En este último caso, existen fórmulas eufemísticas carentes de significado, como *Me cago en diez, Me cachis en plin.*

1.3.4.2. **La frase proverbial**. El *DRAE* considera equivalentes la frase hecha y la frase proverbial. Ésta consiste en una expresión fija con sentido «paremiológico», es decir, que encierra una enseñanza filosófica, moral o de otro tipo. Como observa Casares[42] , no existe una distinción tajante entre ella y el proverbio o refrán, del que, como veremos, se diferencia por su contenido y estructura. Muchas frases proverbiales no son en realidad otra cosa que fragmentos de antiguos refranes desaparecidos. Así, por ejemplo, la expresión *Mucho te quiero, perrito* sería una frase proverbial para quien desconociera el refrán *Mucho te quiero, perrito; pero pan poquito.* Hemos de observar, sin embargo, que no toda frase proverbial ha de proceder necesariamente de un refrán o proverbio; el adjetivo *proverbial* está tomado aquí con el sentido de 'prototípico', 'ejemplar'. De ahí que una frase proverbial en realidad no consista más que en una alusión –aplicable a determinadas situaciones– a algo ejemplar o prototípico, que puede ser un pensamiento expresado en un refrán, pero también un dicho de un personaje histórico, un hecho real o ficticio, etc.

1.3.4.2.1. Entre las frases proverbiales, merecen especial mención los **dichos** o **citas**, como *Ser o no ser, Las paredes oyen, Vale más honra sin barcos que barcos sin honra, Manos blancas no ofenden.* A veces estas citas van precedidas en el lenguaje coloquial por frases presenta-

---

[42] Cfr. J. Casares, *Op. cit.*, pág. 187.

doras, de las cuales las más usadas son: *Como dijo el otro, Como quien dice.* En ocasiones la alusión no es a una frase, sino a un hecho histórico, a una anécdota o a un simple personaje: *Tijeretas han de ser, Siempre lo fue don García; Díjolo Blas, punto redondo.*

1.3.4.2.2. También podrían incluirse aquí –auque en este caso son a la vez locuciones y, por tanto, unidades léxicas– ciertas frases de tipo comparativo utilizadas para realzar una cualidad o defecto que se considera prototípico de un determinado sujeto, el cual actúa como término de la comparación. Así, por ejemplo, *tener más años que Matusalén, estar como una cabra, estar como un cencerro, tener más cuento que Calleja.* A veces se juega con dos sentidos, porque la palabra que expresa la cualidad es polisémica, lo que produce hilaridad; tal es el caso de *ser más feo que pegarle a un padre, ser más pesado que el plomo, tener más concha que un galápago, tener más capas que una cebolla,* etc. Esta mezcla de locución y frase proverbial se encuentra también en otras expresiones del tipo *armar la de San Quintín, la carabina de Ambrosio, el perro del hortelano,* que además de funcionar como locuciones, aluden a alguna realidad histórica o ficticia. Lo mismo cabe decir de frases como *Otro gallo te cantaría* (o *cantara*), *No está el horno para bollos,* modismos que posiblemente, en su origen, aludan a alguna situación concreta histórica o ficticia.

1.3.4.3. **El proverbio o refrán**. Nos queda, por último, hablar del **refrán** o **proverbio**, el cual, como la frase proverbial, consiste en una expresión fija con significado «paremilógico», pero con una pequeña diferencia: mientras en la frase proverbial se alude a una situación, personaje o hecho concreto, que se toma como prototipo o ejemplo, en el refrán se da una sentencia de carácter relativamente general. Por otro lado, existen también diferencias en cuanto a la estructura: frente a la frase proverbial, el refrán es una frase pensada, en la que normalmente aparecen aliteraciones, rimas y otros recursos formales con funciones mnemotécnicas. Según J. Casares[43], el refrán es «una frase completa e independiente, que en sentido directo o alegórico, y por lo general en forma sentenciosa y elíptica, expresa un pensamiento –hecho de experiencia, enseñanza, admonición, etc.–, a manera de juicio, en el que se relacionan por lo menos dos ideas». Como ejemplos clásicos de refranes,

---

[43] Cfr. J. Casares, *Op. cit.*, pág. 192.

podemos citar *Al que madruga Dios le ayuda, En Abril aguas mil, Al que a buen árbol se arrima buena sombra le cobija, Dime con quién andas y te diré quién eres, El que mal anda mal acaba, Ande mi cuerpo caliente y ríase la gente.*

1.3.4.3.1. Como se ve por los ejemplos anteriores, el refrán ofrece, por lo general, una estructura bimembre: *Al que madruga / Dios le ayuda, En Abril / aguas mil.* Pero puede ser también plurimembre: *Al comer de las morcillas / ríen las madres y las hijas;/ y al pagar / todas a llorar.*

1.3.4.3.2. Existen, por último, refranes unimembres, como *No es oro todo lo que reluce* o *No todo el monte es orégano.* En este caso resulta a veces difícil determinar si la expresión fija correspondiente es en realidad un refrán o una frase proverbial.

2. Elección, forma y organización de las entradas

2. Aceptada la palabra como unidad lingüística plenamente válida para ser adoptada como prototipo de las entradas del diccionario, aunque éstas, como ya queda dicho, no se limiten exclusivamente a este tipo de unidad, vamos a ocuparnos en la segunda parte de este capítulo de los aspectos más específicamente lexicográficos, como son los criterios selectivos en la determinación de las entradas, así como su lematización y ordenación en la obra lexicográfica.

2.1. *Criterios selectivos*

2.1. Como ya dijimos anteriormente, todo diccionario por general que sea, está siempre sujeto a unos criterios selectivos. Naturalmente, aquí no podemos determinar esos criterios, puesto que dependen del diccionario concreto o, en todo caso, del tipo de obra lexicográfica de que se trate. En este aspecto, no es lo mismo, obviamente, un diccionario general o común que un diccionario normativo o meramente descriptivo, etc. En todo caso, aquí nos vamos a ocupar tan solo de cuestiones muy generales aplicables a todos los diccionarios o a algunos tipos en particular.

2.1.1. El primer criterio selectivo de un diccionario podría pensarse que viene, normalmente, marcado en su propio título por un adjetivo o complemento determinativo, de manera que denominaciones como *diccionario de americanismos, diccionario de uso, diccionario de anglicismos* ya señalan de por sí el tipo de léxico o vocabulario considerado. Notemos, sin embargo, que, además de que no siempre los títulos están de acuerdo con la realidad, puesto que con ellos se busca muchas veces más el éxito comercial que otra cosa, tales restricciones no se refieren al aspecto selectivo propiamente dicho, sino a la delimitación de la parcela léxica estudiada, la cual, a su vez, puede considerase en todos sus elementos o tan solo en algunos, y es precisamente en este caso cuando hablamos, como se recordará, de diccionario selectivo y, por consiguiente, es a éste al que nos referimos al tratar de los criterios de selección.

2.1.2. Siguiendo a G. Haensch[44], pueden señalarse dos tipos de criterios selectivos: **externos** o **extralingüísticos**, representados básicamente por la finalidad y tamaño del diccionario o, por ejemplo, por prejuicios ideológicos y morales, e **internos** o **lingüísticos** entre los que cabe destacar los basados en la frecuencia de uso, en la contrastividad con otro u otros sistemas lingüísticos, en la corrección, etc.

2.1.2.1. Veamos, en primer lugar, los **criterios de orden externo**:

a) **Criterio de finalidad**. De acuerdo con la finalidad, en la que hay que incluir el tipo de público a que el diccionario va destinado, es evidente que, aun refiriéndose a la misma parcela léxica, un diccionario de uso dará acogida a un mayor número de vocablos que otro de carácter normativo, en el que se propone dar una imagen no del uso real del vocabulario, sino más bien del uso ideal. En un diccionario escolar, destinado a un público joven y, con unas necesidades más elementales y específicas que el público en general, todavía el carácter selectivo será mayor que en aquéllos. De todos modos, si ese diccionario escolar es a su vez monolingüe, puede ser aconsejable la inclusión de ciertos elementos enciclopédicos, puesto que el diccionario no solo ha de servir para la resolución de las dudas de tipo lingüístico que puedan presentársele al estudiante, sino también las referentes a otros órdenes de la cultura y del conocimiento técnico y científico.

[44] Cfr. G. Haensch y otros, *Lexicografía*, pág. 394 y ss.

b) **Criterio de tamaño**. A veces las restricciones vienen impuestas por el espacio disponible. Un diccionario de bolsillo destinado, por ejemplo, a los turistas incluirá tan solo un vocabulario considerado esencial y tan solo en aquellas acepciones más imprescindibles. No ocurre lo mismo cuando el diccionario ha de constar de varios volúmenes, donde se dará cabida en general a todo lo perteneciente al ámbito léxico estudiado. Como la publicación de diccionarios obedece en la mayor parte de los casos a móviles de tipo comercial, no es infrecuente que las dimensiones materiales de la obra no vengan determinados, como sería lo lógico y natural, por criterios lingüísticos o pedagógicos, sino por la propia editorial, que, de acuerdo con unas disponibilidades materiales, programa y encarga una obra lexicográfica que se atenga a unas dimensiones y características formales muy concretas. Desde luego, hay siempre que desconfiar de obras así realizadas, que a veces son absolutamente inútiles cuando no un auténtico fraude.

c) **Criterios basados en algún prejuicio**. Alguna vez se ha dicho que todo diccionario es producto de la cultura y del momento histórico en que se produce y, por lo tanto, inevitablemente, ha de manifestar de alguna manera el aspecto ideológico de la sociedad a que va destinado y de la que el propio autor es componente. Pues bien, un ejemplo claro de esto lo tenemos, con frecuencia, en la elección de las entradas, de las que suelen quedar excluidas totalmente o en parte aquellas que aludan a alguna realidad o aspecto de la vida considerado inmoral o innoble. Se trata de las denominadas palabras tabúes, malas palabras, palabra feas o palabrotas, que, curiosamente, no siempre se hallan registradas en los diccionarios generales, comunes y de uso, pese a su frecuente utilización. Precisamente, para rellenar esta laguna y dada la riqueza de semejante vocabulario, considerado generalmente como proscrito, vulgar y de mal gusto, han tenido que elaborarse diccionarios o vocabularios especiales, cuyos títulos, curiosamente, siguen manifestando en ocasiones la misma mentalidad que pretenden combatir, al denominarse, por ejemplo, *diccionarios secretos* o *de expresiones malsonantes*[45].

[45] Pensemos, por ejemplo, en el *Diccionario secreto* de C. J. Cela (2 volms., Barcelona, 1971-1972), o en el *Diccionario de expresiones malsonantes del español*, de J. Martin (Istmo, Madrid, 1974).

2.1.2.2. Pasando ahora a los **criterios de orden propiamente lingüístico**, tenemos como más importantes los siguientes:

a) **Criterio de frecuencia.** Es quizás el que hoy posee un mayor predicamento, debido sin duda al cientificismo y prestigio concedido a los métodos estadísticos en el mundo actual. De acuerdo con él, el orden de preferencia en la acogida de vocablos dentro de un diccionario vendría dado, lógicamente, por el grado de frecuencia de uso. En teoría, el criterio resulta impecable, pero otra cosa es su aplicación práctica, que resulta francamente difícil, de ahí que, propiamente hablando, no haya ningún diccionario que se atenga a este criterio de un modo objetivo y estricto, esto es, basándose en estadísticas reales y concretas. Los lexicógrafos a este respecto proceden, por lo general, intuitivamente, esto es, se basan en apreciaciones meramente subjetivas o apriorísticas, sin realizar para ello las comprobaciones estadísticas correspondientes. El método estadístico, por otro lado, puede llevar a resultados muy distintos según las fuentes utilizadas en la recopilación de materiales. Queremos decir que no siempre el orden de frecuencia de acuerdo con los datos disponibles en el corpus lexicográfico coinciden con la frecuencia real. Por eso puede ocurrir que un vocablo relativamente frecuente en el uso corriente de la lengua apenas aparezca en textos escritos, y viceversa, palabras relativamente frecuentes en la lengua escrita casi no se usen oralmente; pero aun tratándose, por ejemplo, de la lengua hablada, un vocablo puede ser relativamente frecuente en unos ambientes sociales o geográficos y ser inusual en otros, etc.[46] Para que el método estadístico, en lexicografía, fuera realmente fiable, tendría que llevarse a cabo con carácter independiente en sus distintas normas, estilos, registros, lo que implicaría la realización de una serie de cortes –no siempre fáciles de efectuar tampoco– en la masa total del vocabulario.

b) **Criterio de corrección.** Un criterio muy utilizado tradicionalmente es el que podríamos llamar de corrección lingüística, según el cual tan solo serán admitidos como entradas del diccionario aquellos vocablos sancionados por la tradición y el buen uso. Se distinguen dos actitudes, la purista y casticista, que en el fondo

[46] Para una consideración de los problemas que plantea la aplicación del método estadístico al léxico, véase Ch. Muller, *Estadística lingüística*, Gredos, Madrid, 1973, pág. 225 y ss.

persiguen el mismo ideal: preservar a la lengua –en este caso el vocabulario– del influjo extranjero. En un diccionario normativo, como es, por ejemplo, el caso del *DRAE*, no deben aceptarse como entradas neologismos innecesarios y que no hayan sido sancionados suficientemente por el uso de manera que se pueda pensar que han adquirido carta de naturaleza en el sistema o norma lingüísticos. La proverbial prudencia de la corporación académica a la hora de admitir palabras nuevas responde, como puede verse, a esta actitud, plasmada en su conocido lema «limpia,fija y da esplendor».

c) **Criterio diferencial o de contraste**. Es el utilizado, como vimos anteriormente, en ciertos vocabularios o diccionarios dialectales o, en general, sobre alguna variedad concreta de la lengua. De acuerdo con él, se incluyen tan solo como entradas aquellas palabras que no existen en la lengua estándar o, si existen, poseen algún sentido especial o diferente. Al mismo criterio de selección responden también los diccionarios de neologismos y, en general, todos aquellos que implican un contraste o comparación entre los léxicos de varios sistemas, pertenezcan o no a la misma lengua histórica.

2.2. *La lematización o encabezamiento*

2.2. De todo el conjunto de unidades léxicas que son elegidas o seleccionadas para ser estudiadas dentro de un diccionario, hay unas que serán objeto de artículo independiente, y, por lo tanto, constituirán las entradas propiamente dichas, junto a otras que, por el contrario, serán objeto de estudio en el interior de artículos dedicados a otras unidades, y que constituyen lo que hemos llamado **subentradas**. Salvo casos muy concretos y puntuales, es práctica generalmente aceptada en lexicografía la de tomar como entradas únicamente las unidades léxicas constituidas por un único vocablo, aun en aquellos casos en que éste carezca de uso fuera de un determinado contexto o expresión fija, como ocurre, por ejemplo, con las palabras *bruces, horcajadas, oxte* y *moxte*, que tan solo aparecen en las locuciones *de bruces, a horcajadas* y *no decir oxte ni moxte*. Todas las demás unidades léxicas, constituidas siempre por varias palabras, se consideran subentradas y son tratadas dentro del artículo correspondiente a uno de sus componentes, cuya elección, por cierto, no es caprichosa, sino que está sujeta a unas reglas precisas y concretas[47].

2.2.1. Aunque no todos los diccionarios siguen al pie de la letra estas reglas, podemos decir que la práctica lexicográfica más generalizada a este respecto es la preconizada por la RAE[48] y que obedece al siguiente criterio: de todos los componentes de la expresión fija se elegirá el artículo correspondiente al primer sustantivo y, si no hay sustantivos, al primer verbo o, a falta de verbos, al primer adjetivo y, en caso de carecer también de adjetivos, al primer pronombre o, finalmente, al primer adverbio, si la frase carece también de pronombres. Para el caso de los sustantivos se exceptúan *persona* y *cosa* cuando más que componentes son «palabras comodín», que están en lugar de elementos variables de la frase en cuestión, y, tratándose de verbos, hay que exceptuar también los auxiliares. Así pues, por ejemplo, frases como *andar a la cuarta pregunta, dársela a alguien, a tontas y a locas*, aparecerán, respectivamente, en los artículos correspondientes a *pregunta, dar* y *tonto.*

2.2.2. Centrando ahora nuestra atención en las entradas propiamente dichas, esto es, aquellas que constituyen cabecera, enunciado, encabezamiento, rúbrica o lema de artículo, una cuestión importante es la relativa a la **lematización** o **encabezamiento**, es decir, a la forma que ha de adoptar, cosa que no ofrece ningún problema cuando se trata de una palabra invariable, esto es, con una única forma. Pero no ocurre lo mismo en el caso de que la palabra en cuestión presente variabilidad o polimorfismo tanto léxico como gramatical: decimos que una palabra posee polimorfismo léxico cuando ofrece diversas conformaciones fónicas y/o gráficas, como, por ejemplo, *substancia / sustancia, despabilar / espabilar*; el polimorfismo gramatical, por su parte, se refiere a las formas flexionales de las palabras variables. Pues bien, cuando esto ocurre, se elige como lema una de esas formas, la cual recibe, por ello, los nombres de **forma básica**, **canónica** o **clave**.

---

[47] Para el tratamiento de las expresiones fijas en los diccionarios, veáse, por ejemplo, M. Bagalló Escrivá, J. Caramés Díaz, V. Ferrando Aramo y J. A. Moreno Villanueva, «El tratamiento de los elementos lexicalizados en la lexicografía española monolingüe», *Revista de Lexicografía*, IV (1997-1998), págs. 49-65, y J. Martínez Marín, «Fraseología y diccionarios modernos del español», *Voz y Letra*, II/1 (1991), págs. 117-126.

[48] Cfr. *DRAE*, pág. XXII.

2.2.2.1. En el caso de polimorfismo léxico los diccionarios proceden de diferentes modos, desde los que, como el *Diccionario histórico* de la Academia, acumulan en el enunciado todas las formas atestiguadas, colocando en primer lugar, esto es, como forma clave o lema propiamente dicho, la más frecuente o actual, hasta los que, como el *DRAE*, las utilizan todas como rúbricas independientes, registrando cada una en el lugar alfabético que le corresponda, si bien remitiendo a la considerada como principal, que es la que da lugar al artículo correspondiente.

2.2.2.2. Para el caso de las palabras flexivas, el procedimiento utilizado a la hora de elegir la forma clave, es el siguiente[49]:

a) Tratándose de **sustantivos**, se elige la forma masculina singular seguida de la terminación femenina, también de singular, si el sustantivo ofrece alternancia genérica. En caso contrario, se usa el singular masculino o femenino (según el género del sustantivo), y, si carece de singular, como ocurre en los **pluralia tantum** el sustantivo se enuncia, lógicamente, en plural por ser su única forma.

b) Los **adjetivos** se encabezan o lematizan también en singular, mediante la forma masculina seguida de la terminación femenina, si se trata de adjetivos con dos terminaciones, o en la única forma, masculina y femenina, cuando no tienen más que una terminación, y, por supuesto, siempre en grado positivo. Los pronombres siguen la misma regla, aunque la forma clave –la que aparece en primer lugar– suele ir acompañada de todas las demás expresadas íntegramente. Se exceptúa el caso del artículo, cada una de cuyas formas da lugar a artículos independientes y, por lo tanto, se lematizan todas sus variantes flexionales. El mismo proceder se aplica al pronombre personal, así como a las formas átonas de los posesivos, que aparecen en artículos independientes, aunque constituyendo forma clave tan sólo el singular.

c) Los **verbos**, por su parte, no ofrecen dificultad: en la tradición lexicográfica hispánica se toma como forma clave o lema el infinitivo por ser sin duda la menos caracterizada semánticamente (no ofrece persona, ni tiempo, ni modo, ni número) y a partir de él se pueden derivar todas las demás formas de flexión. No ocurre lo mismo en la lexicografía de la lenguas clásicas: en los diccionarios

[49] Cfr. J. A. Porto Dapena, *Elementos de lexicografía*, pág. 186.

latinos, por ejemplo, se toma como forma clave la primera persona de singular del presente de indicativo, a la que acompañan, además, la primera persona del pretérito perfecto, el infinitivo y el supino, debido a que cada una de ellas representa una raíz o base léxica imprescindible para poder establecer las distintas formas flexionales. Volviendo al caso del español y de las lenguas románicas en general es también frecuente incluir, pero en artículos independientes, los participios, cuando pueden tener un valor adjetivo. Y sobre todo en diccionarios de tipo didáctico, bilingües o monolingües, se registran asimismo como entradas independientes las formas irregulares, que, lo mismo que en los casos de polimorfismo léxico, remiten al artículo encabezado por el infinitivo del correspondiente verbo. Digno de destacarse, a este respecto, es el procedimiento de M. Moliner de separar los usos pronominales de los no pronominales de los verbos en artículos independientes, como si de palabras distintas se tratase; es un procedimiento sin duda injustificado, lo que ha llevado a prescindir de él en la reciente nueva edición del *DUE*.

2.2.2.3. Un problema, finalmente, que a propósito de la lematización hay que tener en cuenta es el representado por los casos de homonimia, esto es, cuando dos o más entradas coinciden en el significante, coincidencia que, como es sabido, puede tan solo llevarse a cabo en el plano fónico o de la pronunciación y entonces hablamos de **homófonos** (así, *baca / vaca, hasta / asta, hola / ola*); pero también en el gráfico, denominándose por ello **homógrafos**, como ocurre con *banda* 'cinta' / *banda* 'conjunto de músicos', *bota* 'calzado' / *bota* 'recipiente para el vino'. El problema se plantea únicamente en este último caso, ya que en el primero, dado el carácter escrito del diccionario, tales palabras aparecerán claramente diferenciadas en sus correspondientes enunciados. Cuando existe coincidencia gráfica se podrían dar dos soluciones: o bien tratar bajo un mismo lema o cabecera los vocablos, cosa que no resulta aconsejable, pues de este modo los casos de homonimia no se diferenciarían de los de polisemia, o bien introducir bajo la misma forma tantos artículos como palabras homónimas, las cuales se tratarán así independientemente, como palabras distintas que son. Este último es el proceder más generalizado en nuestra tradición lexicográfica, en la que, además, se suelen diferenciar los correspondientes lemas mediante unos números, que unas veces se colocan inmediatamente antes de la forma clave o, como prefiere la Academia, inmediatamente después en forma de subíndices o superíndices. No obstante, el problema subsiste a la hora de distinguir los casos de homonimia de los de polisemia, cuestión teórica de la que nos ocuparemos en el próximo capítulo al tratar de la microestructura del diccionario (ver Cap. 6, § 1.2.).

2.3. *Ordenación de las entradas y subentradas*

2.3. Y para terminar, nos resta hablar de la ordenación que las entradas y subentradas (los diccionarios en general incluyen entre éstas toda expresión fija, aunque no sea unidad léxica) habrán de adoptar entre sí dentro del diccionario. Como es sabido, el procedimiento más típico y básico de ordenación de las entradas es el **alfabético**, hasta el punto de considerar corrientemente este orden como algo esencial al concepto mismo de diccionario. A su lado, sin embargo, y si bien con cierto carácter secundario, hay que hablar de otros tipos de ordenación lexicográfica, como son el **ideológico**, el **etimológico** y el **estadístico**. La utilización de cada uno de estos procedimientos no es en absoluto caprichosa, pues depende de las metas o fines perseguidos por el diccionario y, a su vez, se propone siempre una finalidad práctica, que no es otra que la de facilitar al máximo la consulta del diccionario.

2.3.1. Decimos que de todos estos tipos de ordenación el principal es el alfabético porque, aun aquellas obras que utilizan la ordenación ideológica, etimológica o estadística, echan al mismo tiempo mano de ella. Este tipo de ordenación, por lo demás, se basa en la distribución fija de las letras en el abecedario o alfabeto, y puede ser de dos tipos: **directa**, esto es, aplicando la alfabetización desde la primera a la última letra de cada palabra-entrada, que es lo que se hace normalmente, o bien **inversa**, o lo que es lo mismo, realizando la alfabetización en sentido contrario, desde la última letra a la primera, lo que, como se recordará, da nombre precisamente a los diccionarios inversos.

2.3.1.1. Pese a que las letras ofrecen en el alfabeto un orden universalmente aceptado, la ordenación alfabética no se ha venido verificando exactamente igual en la tradición lexicográfica española que en la de otras lenguas. Las diferencias en este sentido residen, por una parte, en la existencia de una letra, la *ñ*, que es exclusiva del español y se sitúa inmediatamente después de *n*, y, por otra, en la ordenación relativa a los dígrafos *ch* y *ll*, que han venido siendo tratados como si de letras simples se tratase. Así, en la ordenación tradicional no solo aparecen separadas las palabras que empiezan por *ch* de las que lo hacen por *c*, y lo mismo las iniciadas por *ll* de las que comienzan por *l*, sino que, por ejemplo, el vocablo *ocho* aparecerá después de *ocupar*, y *calle* después de *caluroso*. Este proceder se podría justificar por el hecho de que los dígrafos en cuestión representan en realidad fonemas diferentes de los indicados por *c* y *l*. El caso no es exactamente igual al de *rr*, que, si bien representa siempre el fonema /r̄/, éste puede ser asimismo representado por *r*; por ejemplo en posición inicial de palabra, por lo que, frente al caso de *ch* y *ll*, no hay palabras que comiencen por *rr*, la cual, por lo tanto, a efectos de la alfabetización se consideró siempre[50] como un grupo de dos letras, de manera, pues, que *porra* aparecerá, por ello, antes que *porte*.

2.3.1.2. Hemos de observar, sin embargo, que la RAE ha tomado recientemente el acuerdo de variar estas normas en sus diccionarios –lo que es de suponer influirá en el proceder general–, considerando, como se viene haciendo internacionalmente, tanto a *ch* como *ll* grupos de letras lo mismo que *rr* y, por tanto, alfabetizables cada una por separado. Esto significa que en lo sucesivo los diccionarios –al menos los académicos– registrarán las palabras que empiecen por *ch* dentro de la letra *c*, y las que comiencen por *ll* en la *l*[51]. Tal proceder en realidad no es totalmente nuevo dentro de nuestra lexicografía, pues fue utilizado ya por otros lexicógrafos, como, por ejemplo, M. Moliner y es el seguido por otros diccionarios recientes como el *DEA* de M. Seco *et alii*, el de Alcalá, Salamanca, etc.

2.3.2. Así como la ordenación alfabética caracteriza al diccionario de tipo semasiológico, esto es, concebido más bien para la des-

[50] Existe, sin embargo, algún autor, como es el caso de R. J. Cuervo en su *Diccionario de construcción y régimen*, que a pesar de todo considera a *rr* en interior de palabra como una sola letra, de modo que, según eso, *cortar* se registrará antes que *correr*.

[51] Estando en pruebas el presente libro, llega a nuestras manos la novísima edición del *DRAE*, la 22ª, en la que se observa, efectivamente, la inclusión de *ch* y *ll* en la *c* y *l*, respectivamente; pero con una curiosa –y no menos sorprendente— solución que no convence: los correspondientes artículos aparecen encabezados por los dígrafos en cuestión, produciéndose así una inexplicable ruptura en la sucesión alfabética de *c* y de *l*.

codificación o descifrado del lenguaje, en cuanto que sirve para resolver las dudas que en relación con la interpretación de las palabras le puedan surgir al usuario, existen otros diccionarios, los ideológicos, cuya función es justamente la contraria, la de codificar o cifrar el mensaje, proporcionando las palabras adecuadas a las ideas que el usuario quiere expresar. Se trata de diccionarios onomasiológicos, en los que se parte de las ideas para descubrir las palabras correspondientes. Su ordenación, por ello, se establece partiendo de un esquema conceptual, desde una clasificación ideológica muy general hasta llegar, por diversas y sucesivas subdivisiones, a las ideas más particulares y concretas. Un diccionario de este tipo, como es, por ejemplo, el de J. Casares, incluye, sin embargo, una segunda parte semasiológica imprescindible, donde se puede comprobar si la palabra elegida en la lista conceptual es o no la adecuada.

2.3.3. Por su parte, las ordenaciones estadística y etimológica se basan, respectivamente, en la frecuencia y la raíz o étimo de las entradas. De acuerdo con la ordenación estadística pueden hacerse diversos cortes o grupos según el grado de frecuencia; por ejemplo, el vocabulario fundamental, frente al común o usual, culto, etc. Desde el punto de vista etimológico, la ordenación consiste en agrupar por familias las palabras procedentes de la misma raíz. Tanto este procedimiento como el anterior se combinan siempre con la ordenación alfabética. Así, el orden etimológico ha sido adoptado por M. Moliner en su *DUE* con el fin de facilitar a los extranjeros el aprendizaje del vocabulario y de crear en el usuario nativo un sentido etimológico de los vocablos[52]; pero la verdad es que su adopción lo único que hace es entorpecer la búsqueda de las palabras[53], razón por la cual se ha prescindido de semejante tipo de ordenación en la nueva edición de 1998.

2.3.4. Terminemos diciendo que las subentradas están sujetas asimismo a una ordenación, en este caso dentro de la microestructura, esto es, en el interior del artículo lexicográfico. La ordenación es siempre la alfabética, con la particularidad de que las locuciones sustantivas, constituidas por el sustantivo que sirve de

[52] Cfr.M. Moliner, *Diccionario*, pág. XXVIII.
[53] Cfr. M. Seco, *Estudios de Lexicografía moderna*, pág. 203.

entrada y un adjetivo o complemento determinativo, se separan de todos los demás tipos de expresiones fijas, constituyéndose así dos grupos ordenados alfabéticamente entre sí. Por ejemplo, la expresión *capa torera*, que como *hacer de su capa un sayo*, se registra en el artículo correspondiente a la palabra *capa*, aparecerá sin embargo en primer lugar. Este tipo de ordenación, que no siempre se respeta en todos los diccionarios, ha sido justamente criticada por J. Casares, quien por otro lado propone la inclusión de cada expresión fija dentro de la acepción en que dicha expresión tiene origen[54]. Esta solución, sin embargo, dificultaría la búsqueda de las expresiones fijas en el diccionario, a menos que se incluyera una especie de índice de éstas, dispuestas alfabéticamente, al final del artículo o, incluso, del propio diccionario.

[54] Cfr. J. Casares, *Introducción a la lexicografía moderna*, pág. 99.

6
LA MICROESTRUCTURA DEL DICCIONARIO

0.1. Todo diccionario, como ya se dijo en otras ocasiones, consiste en un estudio atomístico del léxico en la medida en que considera aisladamente las palabras que le sirven de entradas. Al estudio particular de que, por otra parte, es objeto cada una de éstas es a lo que se llama **artículo lexicográfico** o simplemente **artículo**[1], el cual viene a ser la base y fundamento del diccionario. La arquitectura o macroestructura de éste viene, según eso, a consistir en la inmensa mayoría de los casos –frente a otras obras científicas, estructuradas en partes, capítulos, párrafos, etc.– en un conjunto de artículos sin otra conexión entre sí que la del puro orden alfabético. El contenido y organización de un artículo lexicográfico, que es lo que constituye la microestructura del diccionario, varía de unas obras a otras, pues depende, lógicamente, del tipo de diccionario a que corresponda ese artículo. Se dan, pese a ello, una serie de características más o menos comunes y generales, que son precisamente las que nos proponemos considerar en el presente capítulo.

0.2. Así pues, el artículo lexicográfico tiene por objeto ofrecer una serie de informaciones acerca de la palabra o unidad léxica que estudia, informaciones que pueden referirse a múltiples aspectos, entre los cuales se da, generalmente, prioridad al semántico. Por esa razón, en este capítulo, si bien vamos a considerar los principales puntos que pueden ser tratados en un artículo de un diccionario monolingüe de tipo común, nuestra mayor atención recaerá sobre

---

[1] G. Haensch y R. Werner (*La lexicografía,* págs. 462 y 218) señalan que en español se usa también el término *monografía,* denominación que, como hemos observado en otro lugar (*Elementos de lexicografía,* pág. 247), solamente ha sido utilizada por parte de los continuadores del *Diccionario de construcción y régimen* de Cuervo, basándose en una frase de éste en el prólogo de su obra, cuando dice:

«Puestos siempre los ojos en el asunto principal de esta obra, ha sido nuestro designio formar una monografía (si se permite repetir una expresión ya usada por Freud y Littré) de la palabra que encabeza el artículo» (pág. LIV).

el aspecto semántico, representado por la separación y organización de las acepciones, lo que constituye sin duda, junto con la definición lexicográfica, una de las cuestiones centrales y fundamentales de la lexicografía teórico-técnica.

1. Partes del artículo

1. Para empezar, en todo artículo lexicográfico hay que distinguir dos partes fundamentales: la **enunciativa** y la **informativa**. La primera, que está constituida por la palabra que sirve de entrada, viene a ser, como veremos en el próximo capítulo, el tema o punto de partida al que se refiere el rema o información nueva representada por la parte informativa, la cual, por su parte, puede referirse, entre otros puntos, a la pronunciación, categorización, etimología y significación de la palabra-entrada. Como es obvio, un artículo no puede carecer de ninguna de esas partes, pues aun en los casos en que solo aparece la parte enunciativa –por ejemplo, en las nomenclaturas o meras listas de palabras– puede decirse que ésta desempeña en realidad los dos papeles, ya que al menos informan de su existencia o, como ocurre en los diccionarios corrientes, de su ortografía. Lo mismo cabe decir de las remisiones de que a veces son objeto algunas entradas en los diccionarios propiamente dichos, pues, aunque no son en sí mismas informativas, constituyen indicaciones para hallar la información ya dada en otro lugar. Añadamos, por lo demás, que la parte enunciativa recibe los nombres de **enunciado**, **encabezamiento**, **cabecera** o **rúbrica**, y la informativa es lo que se denomina **cuerpo** o **desarrollo** del artículo.

1.1. *El enunciado y el lema*

1.1. Así pues, el enunciado es el primer elemento constitutivo del artículo lexicográfico. Puede estar constituido por una o varias formas de la palabra-entrada, por lo que podemos hablar de **enunciados monomórficos** y **enunciados polimórficos**. Un vocablo, en efecto, puede presentar no solo diversas conformaciones flexionales, sino también variantes fónicas y/u ortográficas que conviven sincrónicamente; este último es el caso, por ejemplo, de *amoblar / amueblar, biscocho / bizcocho, encrudecer / crudecer, cántiga / cantiga,* etc. Pues bien, decimos que el enunciado es polimórfico cuando en él se incluyen las variantes fónicas o meramente ortográficas.

1.1.1. Los enunciados son por lo general monomórficos, esto es, constituidos por la palabra-entrada en una única forma. Entre ellos hay que incluir los correspondientes a vocablos flexivos o variables, pese a que incluyen, aunque por lo general mediante la pura terminación o desinencia, alguna otra forma flexional. Ahora bien, notemos que de éstos así como en los enunciados polimórficos solo se tiene en cuenta la forma que aparece en primer lugar a la hora de realizar la ordenación alfabética. Tal forma es el elemento que recibe el nombre de **lema**, **forma clave** o **canónica**, o también **voz-guía,** términos que con frecuencia se emplean, pensamos que impropiamente, como sinónimos de **enunciado** o **cabecera**, cuando no de **entrada**.

1.1.1.1. A este último respecto hemos de decir que el término **entrada**, que incluso a veces se usa como sinónimo de **artículo**[2], no debe confundirse ni con el enunciado ni con el lema, pues mientras éstos se refieren a las formas concretas que preceden al desarrollo de un artículo lexicográfico, la entrada es la unidad léxica de que esas formas son mera representación. Digamos, para entendernos, que la entrada tiene carácter abstracto y forma parte de lo que algunos llaman **nomenclatura** del diccionario, esto es, el conjunto de léxico estudiado por éste, mientras que tanto el lema como el enunciado son formas concretas de la palabra-entrada y forman parte del artículo lexicográfico o microestructura del diccionario.

1.1.1.2. Esto supuesto, ni siquiera deben identificarse, como se hace corrientemente, los términos **enunciado** o **cabecera** y **lema**, pues, según lo dicho, éste es tan solo una parte, si bien la más importante, de aquél. Lo que ocurre es que, cuando el enunciado es monomórfico, éste se halla representado únicamente por el lema o forma clave y, por lo tanto, se produce una identificación, aunque puramente circunstancial, entre ellos. Repitamos que **lema** es la parte del **enunciado** sometida a ordenación alfabética en el prototípico diccionario organizado bajo ese criterio.

1.1.2. Refiriéndonos ahora al caso de palabras con polimorfismo léxico[3], en lexicografía pueden adoptarse tres soluciones distintas:

[2] Cfr.G. Haensch, *Op. cit.*, pág. 462.

[3] Cfr. J. A. Porto Dapena, *Elementos de lexicogafía*, pág. 185 y ss.

la primera consiste en la utilización, tal como ya hemos señalado, del enunciado polimórfico, esto es, incluyendo todas las formas en la parte enunciativa; otra solución es considerar a cada una de las formas como enunciados independientes, aunque desarrollando el artículo tan solo al lado de una de ellas y remitiendo a ésta en todos los demás casos; la tercera solución consiste en la suma de las dos primeras, esto es, las formas aparecen juntas en el enunciado del artículo, pero a su vez las que no representan el lema aparecen independientemente en el lugar alfabético correspondiente con remisión a dicho artículo. Por razones obvias, la mejor solución, aunque no la más practicada, es esta última, ya que ofrece las ventajas de las dos primeras: dar juntas todas las variantes y, al mismo tiempo, facilitar al lector la consulta cuando no conoce más que una de ellas. Ahora bien, en caso de adoptar esta última solución o la primera, se plantea el problema de la elección de la forma que ha de utilizarse como lema y, a su vez, la ordenación a que han de someterse entre sí las formas correspondientes. En realidad la solución de lo primero está en relación con lo segundo: el criterio más empleado es el de la frecuencia, de tal manera que aparecerá en primer lugar, como lema, la forma más usada; pero también puede utilizarse el criterio alfabético (sobre todo en caso de que no existan claras diferencias en frecuencia de empleo) y, por lo tanto, será este tipo de ordenación lo que determine la forma clave o canónica.

1.2. *La cuestión de la homonimia y polisemia*[4]

1.2. Pero con lo dicho no se agotan todos los problemas planteados por el enunciado del artículo. Una cuestión muy discutida

[4] Véase, entre otros, O. Duchaček, «L'homonymie et la polysémie», *Vox Romanica*, XXI, págs. 49-56; C. Muller, «Plysémie et homonymie dans l'élaboration du lexique contemporain», *Études de Linguistique Apliquée*, 1 (1962), págs. 49-54; K. Heger, «Homographie, Homonymie und Plysemie», *Zeitschrift für romanische Philologie*, LXXIX (1963), págs. 471-491; J. y Cl. Dubois, *Introduction à la lexicographie*, págs. 66-83; R. Werner, «Homonimia y plisemia en el diccionario», en G. Haensch *et al.*, *La lexicografía*, págs. 287-314; P. D. Deane, «Polysemy and cognition», *Lingua*, 75 (1986), págs. 325-361; P. A. Messelaar, «Polysémie et homonymie chez les lexicographes: Plaidoyen pour plus de systématisation» *Cahiers de Lexicologie*, XLVI (1985), págs. 45-56; J. Lyons, *Semántica lingüística. Una introducción*, Paidós, Barcelona, 1997, pág. 81 y ss.; M. Casas y D. M. Muñoz, «La polisemia y la homonimia en el marco de las relaciones léxicas», en G. Wotjak (ed.), *Estudios de lexicología y metalexicografía del español actual*, Max Niemeyer,

y discutible es la representada por la distinción entre las nociones de homonimia y polisemia, cuestión a la que ya hemos aludido en el capítulo anterior (cfr. Cap. 5, § 2.2.2.3) y a la que aquí nos vamos a referir ahora, siempre, por supuesto, desde una perspectiva práctica, que es lo que interesa al lexicógrafo.

1.2.1. El problema, efectivamente, corresponde a los casos en que a un mismo significante corresponden diversos significados, pues entonces al lexicógrafo se le presenta la alternativa de tratar todos esos significados en el mismo artículo, bajo un mismo enunciado, lo que constituiría un caso de polisemia, o, por el contrario, considerar que cada significado corresponde a un signo diferente y, por lo tanto, habrán de registrarse tantos artículos como significados, aunque, eso sí, coincidentes en el encabezamiento, lo que constituye un caso de homonimia. Tratando de situar el problema en sus verdaderos límites, notemos ante todo que, evidentemente, en cualquiera de esos dos casos nos hallaremos ante unidades léxicas distintas, de manera entonces que la distinción entre homonimia y polisemia se reduce a una cuestión estrictamente lexicográfica, no propiamente semántica o, por mejor decir, lexicológica, puesto que afecta exclusivamente a la forma de registrar los significados dentro del diccionario: bajo un solo enunciado en el primer caso o, por el contrario, bajo enunciados diferentes en el segundo.

1.2.2. En teoría la distinción entre homonimia y polisemia es clara: la primera se entiende como un conjunto de vocablos o unidades léxicas diferentes –en nuestro caso palabras-entrada– que coinciden en el significante (por ejemplo, *banda* 'cinta' / *banda* 'conjunto de músicos'), mientras que la segunda se interpreta como un vocablo único, pero con diferentes significados (así, *gato* 'animal doméstico' / *gato* 'aparato para levantar pesos'). Ahora bien, lo que se plantea es bajo qué criterio o criterios podemos decidir en cada caso concreto si se trata de una homonimia o, por el contra-

---

Tübingen, 1992, págs. 134-158; J. L. Cifuentes Honrubia, «Polisemia y lexicografía», en *Euralex'90, Actas del IV Congreso Internacional,* Biblograf, Barcelona, 1992, págs. 265-272; G. Clavería Nadal, «El problema de la homonimia en la lexicografía española», en S. Ruhstaller y J. Prado Aragonés (eds.), *Tendencias en la investigación lexicográfica del español: El diccionario como objeto de estudio lingüístico y didáctico,* Junta de Andalucía y Univ. de Huelva, 2001, págs. 365-375.

rio, de una polisemia. A este propósito pueden señalarse tres criterios fundamentales, que, por cierto, no siempre llevan a los mismos resultados, a saber: **diacrónico** o **etimológico**, **sincrónico** y **mixto**. A estos criterios de distinción hay que oponer la postura de quienes no ven propiamente una diferencia entre ambos fenómenos, que en realidad serían uno solo y el mismo, aunque visto desde perspectivas diferentes.

1.2.2.1. Según el criterio diacrónico, que es el empleado corrientemente en la tradición lexicográfica española, dos o más formas constituyen vocablos distintos y, por tanto, homónimos, cuando provienen de étimos diferentes de tal manera que la coincidencia en el significante es puramente casual y fortuita. En caso contrario, se tratará de una polisemia, esto es, de un solo vocablo con significado múltiple, a no ser que dichas formas pertenezcan a paradigmas flexionales diferentes[5]. Así, en el ejemplo anterior de *banda* 'cinta' / *banda* 'grupo de músicos' el carácter homónimo se justifica porque el primero procede del germánico *band* o *bind* 'faja', mientras que el segundo lo hace del gótico *bandwo* 'signo, bandera'. Del mismo modo *bota* 'calzado' / *bota* 'recipiente del vino' son homónimos, porque, mientras éste procede del lat. *buttis* 'odre', aquél proviene del francés *botte* con el mismo significado. Por el contrario, en el caso de *gato* 'animal doméstico' / *gato* 'aparato para levantar pesos', pese a la enorme diferencia semántica, se trata de la misma palabra –y, por lo tanto, de una polisemia– porque en estos casos existe una sola etimología (<lat. *cattus* 'gato'). A este criterio basado en la etimología se le han señalado algunos reparos, no siempre justificados, como, por ejemplo, el hecho de que implique una mezcla de perspectivas en el caso de los diccionarios descriptivos, los cuales deberían atenerse a aspectos estrictamente sincrónicos; más digna de tenerse en cuenta es la objeción de que no siempre nos es conocida la etimología de un vocablo concreto y, por

[5] Es lo que ocurre con formas como *cantar* (sustantivo) y *cantar* (verbo), que pese a proceder una de la otra y poseer, en definitiva, el mismo origen, se interpretan como homónimas. Se ha hablado por cierto para estos casos de un **criterio gramatical**, que actuaría con independencia del etimológico cuando un mismo significante representa categorías léxico-gramaticales distintas; pero esto no es exactamente así, ya que su actuación se reduce a los casos en que se trata de un verbo y un nombre (con flexiones claramente diferenciadas), y no, por ejemplo, de un sustantivo y adjetivo, o de un adjetivo y adverbio (cfr.§ 2.2.2).

lo tanto, el lexicógrafo se verá obligado a partir de bases no siempre seguras[6].

1.2.2.2. Pero si problemas plantea la adopción del criterio diacrónico, mayores sin duda son los suscitados por el sincrónico, en el que englobamos en realidad dos diferentes, que podemos denominar **criterio del sentimiento lingüístico** y **criterio componencial** o **semántico**. De acuerdo con el primero, la decisión entre la homonimia y la polisemia dependería del juicio de los hablantes, quienes relacionarían unos significados con otros en el caso de la polisemia, identificándolos en un solo vocablo, en tanto que en los casos de homonimia no se produciría tal relación, sintiendo, por tanto, el usuario cada significado como propio de una palabra diferente[7]. El segundo criterio, por su parte, se basaría en el parentesco semántico, de manera que se considerarían significados de un mismo vocablo aquellos que poseyeran algún rasgo o sema en común, o lo que sería lo mismo, se inscribiesen dentro de un mismo campo semántico, mientras que –prejuicios etimológicos aparte– se interpretarían como vocablos diferentes los casos en que los significados en cuestión no ofrecieran el más mínimo parentesco y, por lo tanto, correspondieran a campos semánticos distintos. Ambos criterios, sin embargo, plantean, como decimos, problemas bastante serios[8]:

a) En primer lugar, porque el parentesco semántico ofrece grados y, por lo tanto, una palabra puede poseer una serie de acepciones semánticamente relacionadas y constituir una cadena cuyos extremos, por deslizamiento semántico, ya no tengan ningún rasgo semántico común. Obsérvese, si no, el caso de la palabra polisémica *banco*:

a. **Banco**. Asiento para varias personas, generalmente de madera.
b. **Banco**. Madero sobre cuatro patas para realizar ciertos trabajos.
c. **Banco**. Mesa de trabajo de los cambistas.

[6] Cfr. R. Werner, *Op. cit.*, pág. 301.

[7] En esta dirección están enfocados, por ejemplo, los trabajos de A. Lehrer, «Homonymy and polysemy: measuring simility of meaning», *Language Sciences*, 3 (1974), págs. 33-39; O. Panman, «Homonymy and polysemy», *Lingua*, 58 (1982), págs. 105-136, y A. Soares da Silva, «Homonímia e polissémia: análise sémica e teoria do campo léxico», en R. Lorenzo (comp.), *Actas do XIX Congreso Internacional de Lingüística e Filoloxía Románicas, II. Lexicoloxía e metalexicografía*, Fundación «Barrié de la Maza, Conde de Fenosa», A Coruña, 1992, págs. 257-285.

[8] Cfr. J. A. Porto Dapena, *Elementos*, págs. 181-182.

d. **Banco**. Establecimiento para cambio de moneda, crédito, ahorro y otras operaciones financieras.

Es decir, *a* se parece a *b*, *b* a *c*, y *c* a *d*, pero entre *a* y *d* ya no existe nada en común. Y no por esto parece adecuado considerar a *a* y *d* como casos de homonimia.

b) Acudir, por otro lado, al sentimiento lingüístico del hablante para resolver casos como este no parece un procedimiento serio ni riguroso, puesto que no todos poseemos los mismos conocimientos de los hechos lingüísticos. Por ejemplo, uno de los procedimientos más comunes en la formación de nuevos significados es, obviamente, la metáfora, pero no siempre el hablante tiene presente la comparación implícita que ésta lleva consigo, de modo que *enredar* 'prender con una red' y *enredar* 'sembrar intrigas' puede no relacionarlos semánticamente, y lo mismo *caballo* 'animal' y *caballo* 'aparato de gimnasia', pongamos por caso. En definitiva, pues, la distinción entre homonimia y polisemia dependería en múltiples casos de la mera apreciación subjetiva del lexicógrafo, lo cual, evidentemente, no deja de ser un criterio inseguro y poco riguroso.

1.2.2.3. Finalmente, hemos de observar que, sobre todo entre los semantistas y lexicólogos, hoy parece prevalecer la idea de que entre homonimia y polisemia no existirían propiamente diferencias, pues tanto en una como en otra de lo que se trata es de signos diferentes con el mismo significante y, en todo caso, la utilización de uno u otro concepto dependería de la distinta perspectiva bajo la que se considere el léxico. De esta opinión es, por ejemplo, R. Bergmann, según quien tal distinción tan solo se justificaría por la perspectiva onomasiológica o del hablante, y semasiológica o del oyente, respectivamente. De todos modos, como muy bien ha señalado R. Werner[9], es difícil mantener esta postura, que, irremediablemente, llevaría a contradicciones insalvables. En fin, otra solución al problema, que parece por cierto subyacer al criterio semántico-componencial a que nos acabamos de referir, así como al pensamiento de quienes, como Coseriu, piensan que las acepciones de los diccionarios no son más que variantes de un mismo y fundamental significado, consistiría en ver la homonimia y polisemia como fenó-

[9] Cfr. R. Werner, *Op. cit.*, pág. 312.

menos pertenecientes a planos diferentes del lenguaje, al del **sistema** y **norma** respectivamente; es decir, en el sistema todas las palabras serían monosémicas –y por lo tanto la coincidencia de significante habría de interpretarse siempre como una homonimia–, en tanto que únicamente en la norma el significado de una palabra podría diversificarse constituyendo así la polisemia. En esta misma dirección parece moverse, por ejemplo, S. Gutiérrez[10], para quien la distinción **homonimia / polisemia** sería de grado y no de naturaleza: lo importante sería distinguir dentro de los contenidos ligados a una misma expresión entre los que constituyen significados independientes y los que no son más que puras variantes de un significado. La propuesta podría ser teóricamente aceptable, pero la polisemia, según esto, quedaría reducida a la pura y simple polivalencia de un signo, cuando en realidad lo que aquí estamos planteando es la distinción entre la polisemia entendida como diversidad de significados de lengua y, por lo tanto, como algo opuesto a la homonimia o, lo que es lo mismo, situada al mismo nivel que ésta: en principio todo signo es polivalente, en la medida en que puede aplicarse a un indefinido número de realidades, pero no polisémico.

1.2.2.4. Esto supuesto, a nosotros nos parece que lo más práctico en Lexicografía es mantener la distinción en los términos tradicionales, esto es, basándonos en la perspectiva diacrónica, cuya adopción por cierto en un estudio descriptivo del léxico no tiene por qué ser inadecuada: solo desde la historia nos es dado constatar, efectivamente, si en relación con un mismo soporte fónico ha habido una divergencia de significado o, por el contrario, una convergencia de significantes. La sincronía es indiferente a esta distinción, ya que, desde ella, lo único que podemos constatar es la asociación a un significante de diversos significados, lo que quiere decir que tanto en los casos de polisemia como de homonimia hay que hablar, por supuesto, de una diversidad de unidades léxicas. Esto significa que una palabra polisémica –sin dejar de ser, históricamente, la misma palabra– representa en realidad tantas unidades léxicas como acepciones, pues en cada una de ellas dicha palabra se incardina dentro de un paradigma léxico diferente. Ahora bien, esto no implica una identificación con la homonimia, en que, evi-

---

[10] Cfr. S. Gutiérrez Ordóñez, *Introducción a la semántica funcional*, Síntesis, Madrid, 1989, pág. 126.

dentemente, nos hallamos ante unidades léxicas distintas, pero correspondientes a palabras también históricamente distintas.

1.2.3. Recordemos, finalmente, que la homonimia posee dos vertientes: la **homofonía**, cuando la identificación de significantes se produce en el nivel fónico, junto a la **homografía**, que por su parte se produce en la expresión gráfica. Aunque puede haber homófonos no homógrafos, como es el caso de *hasta / asta, basta / vasta, cabo / cavo*, etc., en español no se da el caso contrario, de modo que todos los homógrafos son a la vez homófonos. Pues bien, dado el carácter escrito de un diccionario, solo los homógrafos son considerados en lexicografía como verdaderos homónimos, dando así lugar a entradas independientes, aunque registradas bajo lemas coincidentes que habrá que diferenciar mediante algún signo diacrítico, por ejemplo, como es lo más habitual, mediante un superíndice o número en voladita. Los homófonos no homógrafos, evidentemente, no plantean ningún problema ya que, gráficamente, presentan significantes distintos.

1.3. *El cuerpo del artículo*

1.3. Aunque, como ya hemos observado, la parte enunciativa del artículo lexicográfico posee, si bien secundariamente, un cierto carácter informativo, ya que, al menos, da cuenta de la existencia de un determinado vocablo, de su ortografía o incluso a veces de sus distintas conformaciones o posibilidades morfológicas, la parte informativa propiamente dicha está constituida, según ya queda dicho, por el cuerpo o desarrollo del artículo. A este propósito hay que decir que los puntos tratados en éste, así como la estructura o disposición de las informaciones en él contenidas dependen, lógicamente, del tipo de diccionario de que se trate. Aquí, por ello, nos vamos a referir tan solo a aquellos aspectos que más frecuentemente suelen ser tenidos en cuenta en esa parte informativa.

1.3.1. **La pronunciación**. A veces los diccionarios, inmediatamente después del enunciado, presentan la transcripción fonética del lema con el fin de informar acerca de su pronunciación[11]. Ello es

[11] Cfr.A. Quilis, «Diccionarios de pronunciación», *LEA*, IV, 2 (1982), págs. 325-332.

particularmente importante en los diccionarios bilingües o plurilingües, sobre todo si son, como es lo general, de tipo pedagógico. Tal práctica es necesaria sobre todo cuando la ortografía de la lengua se halla muy alejada de la pronunciación, como es el caso, por ejemplo, del inglés o del francés. Esto explica que, salvo casos muy excepcionales[12], en obras lexicográficas del español se prescinda normalmente de esa información, dado el carácter bastante fonético de nuestra ortografía[13]. La transcripción, por lo demás, que suele realizarse mediante el alfabeto fonético internacional, puede ser **total** o **parcial**; en este último caso se transcribe tan solo aquella parte de la palabra que pueda ofrecer duda. Finalmente, la transcripción corresponde a la palabra tomada aisladamente, esto es, fuera de contexto, y trata de representar la pronunciación normativa o más común.

1.3.2. **La categorización**. Después de la pronunciación –o del enunciado, en caso de faltar ésta–, todo artículo lexicográfico debe asignar el vocablo-entrada a una categoría gramatical (nombre, adjetivo, verbo, etc.) y, a continuación, a una subcategoría (masculino, femenino, transitivo, etc.). Los diccionarios suelen utilizar con esta finalidad una serie de marcas en abreviatura, como *s.* (sustantivo), *adj.* (adjetivo), *tr.* (transitivo), etc., cuyas equivalencias aparecen en una lista al principio de la obra. En realidad estas categorizaciones y subcategorizaciones suelen ser redundantes con las definiciones lexicográficas, ya que éstas, como veremos, han de estar constituidas por una palabra o conjunto de palabras que posean idéntico contenido categorial que el definido. No obstante, salvo casos excepcionales (así, el *DUE* de M. Moliner en su primera edición), todos los diccionarios incluyen –y creemos que deben hacerlo– la categori-

[12] El primer diccionario monolingüe del español que incluye la pronunciación es el *Diccionario de uso: gran diccionario de la lengua española*, dirigido por A. Sánchez López y publicado por SGEL, información sobre cuya utilidad se pronuncia con mucha razón M. Seco en sus *Estudios de lexciografía española*, págs. 213-214. Un tipo de información que a veces incluyen los diccionarios, sobre todo los relativos a la enseñanza del español, es la sepración silábica (indicada en el propio lema).

[13] Hay, no obstante, algunos casos, representados generalmente por préstamos de otras lenguas, en que se hace necesario indicar la pronunciación, como ocurre, por ejemplo, con *hall* o *happening*, a los que diccionarios como el de M. Moliner en su última edición o el *Diccionario del Español Actual* de M. Seco *et alii*, atribuyen la pronunciación [χol] y [χápenin]. Otras veces se hace una simple indicación acerca de alguna particularidad fónica; por ejemplo si es tónica o átona, si se pronuncia con diptongo o hiato, etc.

zación. A veces el vocablo que sirve de entrada puede pertenecer, alternativamente, a más de una categoría o subcategoría; en ese caso el cuerpo del artículo se organiza conforme a esas categorías, de modo que en primer lugar aparecen, por ejemplo, las acepciones correspondientes a su uso como adjetivo y a continuación como sustantivo, o, tratándose de un verbo, como transitivo, intransitivo, pronominal, etc. El orden depende de cada caso particular.

1.3.3. **La etimología**. Después de la categorización (a veces antes), los diccionarios –incluso de tipo sincrónico– suelen dar entre paréntesis la etimología del vocablo, con indicación, en abreviatura, de la lengua a que pertenece el étimo. El estudio de la etimología es, como se sabe, el punto central de los diccionarios etimológicos y tiene gran importancia en los históricos. En los de tipo sincrónico, en cambio, la consideración etimológica no se justifica más que por una tendencia, todavía vigente en la lexicografía actual, a ver los hechos lingüísticos como resultados de una evolución o transformación diacrónica. Este prejuicio historicista se halla hoy superado y, por lo tanto, es de esperar que en un futuro próximo los diccionarios no etimológicos ni históricos dejen de ofrecer información sobre la etimología, cosa que, salvo casos muy especiales, carece de importancia para el usuario medio.

1.3.4. **El significado**. La información sobre el contenido semántico de las palabras constituye, sin duda, el punto de mayor interés en casi todos los diccionarios, de carácter normalmente semasiológico. Por eso vamos a dedicarle aquí toda la segunda parte del capítulo. De momento bástenos con observar que los artículos pueden registrar, a propósito de las palabras que estudian, dos tipos fundamentales de acepciones o significados: **generales** o **comunes** y **especiales** o **particulares**. Los primeros pertenecen al dominio de todos los hablantes, y los segundos, por el contrario, los que adquiere el vocablo en ciertos niveles, registros o variedades de la lengua en general. Los diccionarios marcan, por lo demás, las significaciones especiales anteponiéndoles una marca, generalmente en abreviatura, que restringe su empleo a una determinada zona geográfica, lengua profesional, nivel o registro concreto; así, *mús.* (música), *mil.* (milicia), *Amér.* (América), *poét.* (lenguaje poético), *pop.* (popular), etc. Más adelante nos ocuparemos también de la marcación y los problemas que ésta comporta.

1.3.5. **Las autoridades o citas**. Como es sabido, algunos diccionarios –los de autoridades o citas– incluyen además en sus artículos textos pertenecientes generalmente a la lengua escrita. Su objeto es doble: de una parte ejemplificar los usos y acepciones de cada palabra, y, por otra, apoyar o autorizar esos usos y acepciones. El valor informativo de estas citas es claro, puesto que dan el contexto o contextos posibles donde puede aparecer la palabra en cuestión. A veces los textos utilizados no proceden de ninguna fuente escrita, sino que han sido inventados por el propio autor o autores del diccionario, circunstancia en la que pierden su calidad de «autoridades» para convertirse en meros ejemplos, a veces muy apropiados y útiles.

1.3.5. **Las expresiones fijas**. En la parte final del artículo lexicográfico se suelen incluir por orden alfabético las expresiones fijas (locuciones, modismos, etc.) de que forma parte la palabra que se estudia y de acuerdo con una normativa ya estudiada en el capítulo anterior. Estas expresiones fijas, como ya hemos dicho, constituyen verdaderas **subentradas** del diccionario y reciben, por tanto, un tratamiento similar al de las entradas propiamente dichas: son, a su vez, objeto de categorización y, asimismo, se registra el significado o significados que les correspondan. Observemos, por lo demás, que las expresiones fijas se presentan normalmente en un tipo de letra especial (cursiva o negrita) y la palabra en cuyo artículo figuran se suele sustituir en ellas por el signo convencional ~ o –.

1.3.5. **Otras informaciones**. Un artículo lexicográfico, finalmente, puede ofrecer información sobre otros aspectos, a veces centrales, según el tipo de diccionario de que se trate. Así, entre los más frecuentes cabe citar la sinonimia y antonimia, puntos capitales de los, por ello, denominados diccionarios de sinónimos y antónimos, la cronología de la aparición de la palabra o de sus acepciones o usos, cuestión fundamental en los diccionarios históricos, la frecuencia de uso, y a veces incluso las ilustraciones, que sirven para conectar la palabra con la cosa y son típicas en los llamados diccionarios enciclopédicos. Otra información posible en los diccionarios es la relativa a aspectos gramaticales tanto en lo que concierne a la morfología como, sobre todo, a la sintaxis; así, por ejemplo, cuando se observa que tal verbo es irregular y se conjuga según un determinado modelo, o cuando se informa que tal palabra lleva un determinado complemento preposicional, etc. Es este un aspecto poco explotado, en general, dentro de nuestra lexicografía, y constituye, como es sabido, el punto central de atención de los diccionarios de construcción y régimen o de valencias.

2. Separación de acepciones

2. En la redacción de un diccionario monolingüe hay dos actividades tan fundamentales como difíciles a las que inexcusablemente ha de enfrentarse el léxicógrafo: **la separación de acepciones** por una parte, junto a **la elaboración de las consiguientes definiciones** por otra. Para la realización de la primera se suele confiar la mayor parte de la veces –por no decir siempre– en la pura intuición de quien se propone llevar a cabo la redacción de un artículo lexicográfico, puesto que no existen –o al menos no se han descrito suficientemente– unos criterios objetivos para la realización de semejante operación[14]. Ello explica las frecuentes discrepancias de los diccionarios a la hora de señalar los diversos significados de una palabra polisémica y, si de hecho existen coincidencias, éstas no se deben normalmente más que a la práctica, también frecuente en lexicografía, de repetir las informaciones, a veces al pie de la letra, tomadas de diccionarios anteriores. En las líneas que siguen nos proponemos, no obstante, sentar una serie de criterios generales tratando de conjugar –y en lo posible perfeccionar– el proceder lexicográfico tradicional en este aspecto con los logros de la semántica estructural en materia de análisis componencial.

[14] Excepción hecha de I. A Mel'čuk, A. Clas y A. Polguère en su *Introduction à la lexicologie explicative et combinatoire* (Éditions Duculot, Louvain, 1995, págs. 57-69), donde, si bien insuficientemente como veremos, abordan con cierto rigor el tema, la cuestión de la separación de acepciones en el artículo lexicográfico ha sido sistemáticamente orillada y obviada por la bibliografía existente sobre lexicografía técnica. Existe también un trabajo, relativamente reciente, de G. Gorcy sobre el tema (cfr. «Différenciation des significations dans le dictionnaire monolingue: problèmes e méthodes», en F. J. Hausmann *et al.*, *Encyclopédie internationale de lexicographie*, II, W. Cruyter, 1989-1990, págs. 905-917), pero, a nuestro juicio, no aporta prácticamente nada desde el punto de vista estrictamente metodológico. Aunque formuladas pensando no precisamente en la redacción lexicográfica, resultan indudablemente útiles las «reglas de determinación de significante en la homonimia» propuestas por S. Gutiérrez en su *Introducción a la semántica funcional*, Síntesis, Madrid, 1989, pág. 49 y ss.

2.1. *Conceptos previos*

2.1. Naturalmente, no es este el momento ni el lugar de abordar la exposición de todo un cuerpo de doctrina acerca de la estructura semántica del léxico, cuestión, como es bien sabido, ampliamente tratada por lexicólogos y semantistas a lo largo de las últimas décadas, y por lo tanto sobre la que existe una muy amplia bibliografía que creemos improcedente ni siquiera esbozar aquí. Pero sí resulta imprescindible antes de entrar concretamente en la cuestión de los criterios de separación de acepciones, presentar unas obligatoriamente breves notas acerca de las nociones básicas sobre las que vamos a sentar nuestro estudio. En primer lugar es fundamental señalar lo que hemos de entender por *acepción*, término que, como muy bien ha señalado H. Hernández, no siempre se entiende del mismo modo ni siquiera dentro de la literatura lingüística[15], y, por otro lado, es necesario observar que el planteamiento mismo de la separación de acepciones implica, evidentemente, la aceptación de la polisemia como algo distinto y opuesto a la homonimia en los términos que hemos expuesto más arriba.

2.1.1. En relación con el concepto de 'acepción', es bien conocido el tópico bloomfieldiano según el cual una palabra adquiriría verdadero significado únicamente cuando se emplea en el discurso, lo que equivale a afirmar que aquél, el significado, dependería exclusivamente del contexto. Tal afirmación es, sin embargo, inexacta para Coseriu, puesto que, según éste, el significado propiamente dicho es anterior a su actualización en el discurso (y, por tanto, sería imposible establecer el significado basándose en datos meramente contextuales), puesto que éste viene representado por el contenido que cada palabra o signo posee en el nivel del **sistema** o **lengua** en virtud de las relaciones u oposiciones que contrae con las demás unidades de su rango pertenecientes al mismo paradigma; es decir, el vocablo *pluma*, por ejemplo, significa en la medida en que se opone paradigmáticamente a *lápiz, bolígrafo*, etc.; pero este significado abstracto, ideal se manifiesta en el nivel del **habla** –o más bien de la **norma**– en diversas variantes, a las que el

[15] Cfr. H. Hernández, «Sobre el concepto de 'acepción': revisiones y propuestas», *Voz y Letra*, II/1 (1991), págs. 127 y ss.

lingüista rumano llama precisamente **acepciones**, término que toma de la lexicografía tradicional[16].

2.1.1.1. Esto supuesto, de acuerdo con estas afirmaciones del maestro, ningún diccionario estudiaría semánticamente las palabras más que en el nivel del habla o de la norma: no existirían, pues, propiamente diccionarios de lengua, puesto que todos se basarían en textos o realizaciones lingüísticas concretas. Por otro lado, las acepciones nunca representarían invariantes semánticas, esto es, significados, sino meras variantes de éstos; las acepciones, según eso, vendrían a ser, frente a los significados, lo que, en el plano fónico, los alófonos respecto a los fonemas. Es decir,

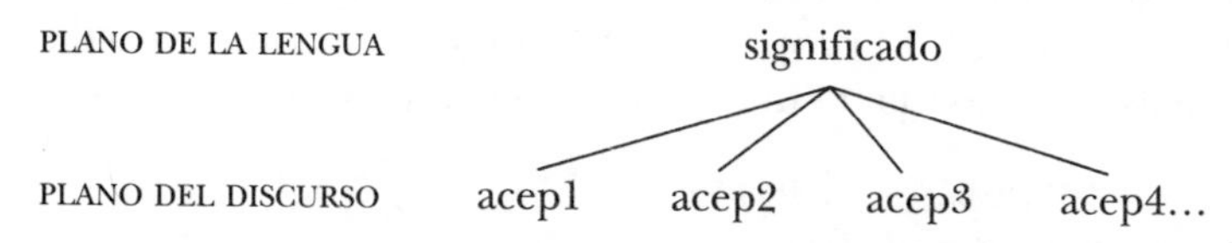

De esta misma opinión se muestra partidario R. Trujillo cuando afirma que «con las técnicas actuales, *lo que no resulta posible* es un diccionario semántico, es decir, un diccionario del aspecto semántico de la lengua, de la *langue*, sino un diccionario de la norma, un diccionario referencial que dé cabal explicación de las diversas convenciones simbólicas y usos», a lo que añade que «nadie ha elaborado aún diccionarios de la *langue*, por mucho que quieran apuntalar sus fundamentaciones teóricas los lexicógrafos»[17]. No hay que olvidar, sin embargo, que Trujillo postula una **langue** que no coincide para nada con el **sistema** coseriano, el cual para el lingüista canario no sería más que norma, aunque en un plano relativamente más abstracto[18]. La **langue** correspondería, según este lingüista, a un nivel todavía más abstracto, donde habría que situar el significado, el cual tendría así un carácter inefable y, por lo tanto, imposible de ser expresado en una definición. Sin entrar en discusiones que nos llevarían lejos de la cuestión que aquí intentamos desarrollar, diremos que no compartimos con Trujillo esa visión apriorística de la lengua –y por lo tanto del significado–, como algo anterior y

[16] Cfr. E. Coseriu, «Estudio funcional del vocabulario», en *Gramática, semántica, universales*, Gredos, Madrid, 1978, págs. 211-212.

[17] Cfr. R. Trujillo, *Principios de semántica textual*, Arco/Libros, Madrid, 1996, pág. 40.

[18] *Ibid.*, págs. 95-97.

ajeno o desconectado no solo de la realidad, sino del propio pensamiento: de acuerdo que la palabra *perro* no es un perro como tampoco el concepto correspondiente 'perro', pero su única razón de ser es precisamente conectar con –¿significar?– esas otras realidades.

2.1.1.1.1. Pero volviendo a la doctrina coseriana respecto a las acepciones –y partiendo de su concepción de **sistema** lingüístico–, nos parece insostenible la postura del maestro rumano, pues, si bien es cierto que muchos de los contenidos semánticos registrados como acepciones por los diccionarios pueden calificarse de puras variantes contextuales de un mismo y único significado, ello no ocurre siempre[19]. El propio Coseriu nos ofrece como caso de mera variación contextual el del verbo *escribir* en contextos como

1. *Esta pluma escribe bien*
2. *Juan escribe bien*[20].

Pero, evidentemente, no podríamos decir lo mismo, por ejemplo, de los contenidos de la palabra *pluma* que aparece en los enunciados 1 y

3. *Es ligero como una pluma,*

[19] En realidad la idea de que las acepciones de un vocablo se hallan vinculadas o subordinadas a un significado básico, primitivo o fundamental del que aquéllas no serán más que variantes o particularizaciones es relativamente antigua, pues, como nota G. Gorcy («Différenciation des significations dans le dictionnaire monolingue: problèmes e méthodes», en F. J. Hausmann et al., *Encyclopédie internationale de lexicographie,* II, W. Cruyter, 1989-1990, pág. 906), se encuentra ya en la *Encyclopèdie* de Diderot (s.v. *Sens*). Por otro lado la obsesión por parte de los eruditos de todos los tiempos de querer ver en el sentido etimológico el verdadero y genuino sentido de las palabras pensamos que no obedece más que a esta visión en el fondo monosémica de la aparente variabilidad semántica de las palabras.

[20] A nosotros este caso nos parece, sin embargo, dudoso, ya que en el primer ejemplo *escribir* significa 'marcar' y en el segundo 'manifestar por medio de letras'. Creemos que un ejemplo más adecuado sería el representado por estos otros enunciados:

Pedro escribe a Ana
Pedro escribe muy bien,

en los que *escribir* presentaría las variantes de un mismo significado 'cartearse con alguien' y 'manifestar algo por medio de la escritura', respectivamente.

ya que en el primer caso la palabra *pluma*, que responde a la acepción 'instrumento para escribir', se opone, como ya dijimos, a *lápiz, bolígrafo, rotulador*, mientras que en el segundo deberá oponerse a otras palabras que indiquen distintas partes del cuerpo de un ave, etc. Lo que, a nuestro juicio, ocurre con relativa frecuencia en los diccionarios es que no se hace una clara distinción entre las acepciones que representan invariantes o verdaderos significados y las que se limitan a indicar puras variantes contextuales. Pues bien, creemos que para las primeras convendría reservar el nombre de *acepciones* y llamar, por otro lado, *subacepciones* a las segundas. Discrepamos, por tanto, de la definición que H. Hernández[21] propone para *acepción*, que entiende, siguiendo la línea de Trujillo y del propio Coseriu, como «cada uno de los sentidos realizados de un significado, aceptado y reconocido por el uso, que en el diccionario aparece verbalizado por medio de la definición lexicográfica», definición que, lógicamente, nos llevaría a la negación de la polisemia al menos en el nivel de la **langue** o **sistema**, que es por cierto el único donde cabe situarla. Para nosotros, repetimos, **acepción** es lo mismo que significado cuando nos referimos a las unidades léxicas polisémicas, esto es, a palabras y lexías en general y, por tanto, la definición de Hernández correspondería en todo caso al concepto de 'subacepción'[22].

2.1.1.1.2. Pero quisiéramos todavía añadir a propósito de la afirmación coseriana que el hecho de que para el establecimiento de las acepciones de una palabra el lexicógrafo se base en la aparición de ésta en diversos contextos concretos no le impide en modo alguno llegar al plano más abstracto de la lengua o sistema. Aceptar lo contrario equivaldría, en nuestra opinión, a negar, por ejemplo, la posibilidad de establecer el sistema fonológico de una lengua a partir de la realización fónica de la misma. Por el contrario, como es bien sabido, para cualquier estudio del lenguaje no hay otro camino que partir siempre, inductivamente, de lo que nos es más inmediato, esto es, del habla o realización concreta y, por medio de una serie de abstracciones, ir descubriendo el sistema que sub-

---

[21] Cfr. art. cit., pág. 133.

[22] En esta concepción coincido con J. Martínez de Sousa (*Diccionario de Lexicografía* , s. v. *Acepción*), según quien acepción es el «significado con que se toma una unidad léxica».

yace a tales realizaciones. Los métodos que a este propósito habrán de seguirse son los de la conmutación y de la combinación, que no hay que confundir con el de la distribución puramente mecánica o mostrativa, que es sin duda a lo que se refiere E. Coseriu cuando niega la posibilidad de poder establecer el significado a partir de los meros datos contextuales[23]. El método de la distribución, como el de la conmutación, solo sirve para identificar o segmentar unidades, pero no nos dice nada acerca de sus respectivos valores o características internas. Para esto sirve el método de la combinación, el cual parte de la idea, sin duda cierta, de que el contenido semántico particular de un signo determina los contextos –incluso semánticos– en que ese signo puede aparecer, es decir, su compatibilidad o incompatibilidad con ellos, lo cual quiere decir que, aun sin ser cierta la afirmación bloomfieldiana de que el significado de un signo depende exclusivamente del contexto, no cabe duda de que éste sirve para descubrir los componentes de ese significado, indiscutiblemente previo a ese contexto[24]. Digamos que éste viene a ser como la marca indicadora del sentido concreto en que se toma una determinada palabra.

2.1.1.2. Realmente, en la práctica lexicográfica tradicional, como muy bien observa R. Trujillo[25], el procedimiento seguido para la separación de acepciones y subacepciones no viene a ser otro que el de la combinación, complementado si acaso de alguna manera con el de la conmutación. Tal operación, en efecto, no consiste sino en ir comparando unos textos con otros y agrupándolos según los contenidos que vayan siendo detectados, contenidos que, evidentemente, se deducen del contexto semántico así como de la posibilidad de que el vocablo sometido a estudio pueda ser reemplazado por otro o por una paráfrasis de significado equivalente, los cuales van a constituir, por cierto, la base de la definición lexico-

---

[23] Cfr. E. Coseriu, *Op. cit.*, pág. 213.

[24] El método de la combinación ha sido propuesto y ampliamente descrito por R. Trujillo en sus *Elementos de semántica lingüística*, Cátedra, Madrid, 1976, págs. 129-141. Queremos decir con esto que, desde el punto de vista de quien realiza el discurso, esto es, onomasiológicamente, el contexto viene determinado paradigmáticamente, por el propio significado de las palabras; pero, para el oyente o descodificador de un mensaje, esto es, semasiológicamente, el contexto actúa como una verdadera marca que ayuda a establecer el significado determinador de ese contexto.

[25] Cfr. R. Trujillo, *Op. cit.*, pág. 140, nota 6.

gráfica correspondiente: notemos a este respecto que separar y definir acepciones son en realidad dos caras de una misma operación lexicográfica, a veces, como veremos, mutuamente condicionadas. Ahora bien, lo que realmente ocurre en la práctica es que semejante operación se efectúa, como ya queda observado, de un modo intuitivo y, por lo tanto, sujeto a múltiples imprecisiones, subjetividades y ausencia, en una palabra, de rigor científico. Pensamos de todos modos que no conviene exagerar ese margen de subjetividad, dando así la imagen, desde luego falsa, de que la separación de acepciones es algo sujeto al puro capricho o mera apreciación personal del lexicógrafo. Por el contrario, una objetividad básica es indudable y viene avalada por los propios contextos en que esas apreciaciones se fundamentan.

2.1.2. Ahora bien, esto nos lleva a ocuparnos del concepto de contexto, de sus diferentes tipos y en qué medida han de ser tenidos en cuenta por el lexicógrafo, cuestiones, por cierto, que han sido desatendidas no solo por la lexicografía teórica sino por la lingüística tradicional e incluso estructuralista, y solo en los últimos años han sido objeto de atención por parte de la pragmática y de la gramática del texto. Para los fines aquí perseguidos, podemos decir que entendemos por **contexto** o **entorno** las circunstancias que rodean a la utilización de un vocablo y determinan su sentido concreto. Existen, según Coseriu[26], cuatro tipos fundamentales de entornos: **situación**, **región**, **contexto** propiamente dicho y **universo del discurso**. El primero corresponde a las circunstancias espacio-temporales en que se realiza el discurso y mediante las cuales adquieren pleno sentido palabras como *yo, aquí, ese* y demás deícticos. El segundo, que se subdivide en **zona**, **ambiente** y **ámbito**, viene representado por el espacio dentro de cuyos límites funciona el vocablo: **zona** sería la extensión geográfica de éste, **ambiente** su extensión social, y **ámbito** los lugares donde existe o se conoce la realidad designada por dicho vocablo. El **contexto** propiamente dicho, por su parte, puede ser **idiomático**, que es la lengua o sistema a que pertenece la palabra y donde ésta adquiere su verdadero y auténtico significado, **verbal**, que es el texto o cadena en que aparece empleado el vocablo, y **extraverbal**, representado por el conjunto de conocimientos que

[26] Cfr. E. Coseriu, «Determinación y entorno», en *Teoría del lenguaje y lingüística general*, Gredos, Madrid, 1967, pág. 308 y ss.

se presuponen en el discurso[27]. Y, por último, el **universo del discurso** es el mundo, o aspecto del mundo, a que hace referencia el signo; por ejemplo el mundo material o inmaterial, el arte, la ciencia, etc.

2.1.2.1. Pues bien, excepto la **situación**, que por variar en cada acto concreto de habla no determina contenidos de uso o norma –precisamente los que interesa, por regla general, registrar en un diccionario–, el lexicógrafo deberá fijarse en cada uno de los otros entornos. Y así, determinará en primer lugar el **universo** o aspecto de la realidad a que alude el texto, al mismo tiempo que la región geográfica (**zona**) o social (**ambiente**) a que dicho texto corresponde, y, si tales circunstancias van asociadas a contenidos o acepciones especiales, deberá indicarlo expresamente en el artículo lexicográfico. A otra cosa no responden, efectivamente, marcaciones como *Fig.* (lenguaje figurado), *Mús.* (Música), *Mil.* (Milicia), *Amér.* (América), *Fam.* (lenguaje familiar), etc., que en cualquier diccionario encontramos a cada paso encabezando ciertas acepciones. A pesar de su carácter más accidental, también el **ámbito** posee interés lexicográfico, cuando el objeto designado existe tan solo en una parte de la extensión geográfica de la lengua; así, en el *DRAE* encontramos

> **Aguacate.** Arbol de América.
> **Pazo.** En Galicia, casa solariega.

2.1.2.2. El entorno, con todo, más importante a la hora de realizar la separación de acepciones es el **contexto** propiamente dicho, especialmente el **verbal**, que es al que aludíamos al hablar del método de la combinación. A propósito de este tipo de contexto hay que decir con el propio Coseriu[28] que no solo puede estar constituido por lo que se dice antes del vocablo en cuestión, sino también por lo que se dice después –e incluso a veces por lo que no se dice–, y puede ser, además, **inmediato**, esto es, constituido por el trozo de discurso en que se inserta el vocablo, y **mediato**, representado por fragmentos más amplios, a veces por la totalidad de la obra o dis-

[27] En otras terminologías se distingue entre **contexto lingüístico** y **no lingüístico** o **pragmático**, en el que además del **presuposicional** (**extraverbal** en la terminología de Coseriu) se incluye el **situacional**.

[28] Cfr. E. Coseriu, *Op. cit.*, pág. 314.

curso. El redactor de un diccionario dispone siempre de contextos inmediatos constituidos por los textos recogidos en el corpus, pero no es infrecuente que tenga que acudir al contexto mediato, para determinar el sentido concreto de la palabra. Hay que observar además que, como es el caso de los otros entornos, a veces se hace necesario precisar en las propias acepciones el contexto sintáctico o semántico correspondiente al vocablo.

2.2. *Criterios de separación*

2.2. Vamos a tratar de concretar ahora hasta donde sea posible los criterios que han de emplearse en la separación de acepciones, sin duda una de las operaciones, como hemos dicho, más importantes –y al mismo tiempo más complejas– del quehacer lexicográfico. Para la realización de esta operación, como ya hemos sugerido anteriormente, el lexicógrafo ha de basarse fundamentalmente en los textos que, para cada vocablo, se hallan recogidos en el corpus y sólo secundariamente ha de tener en cuenta los datos proporcionados por otras obras lexicográficas, esto es, por las fuentes que hemos denominado metalingüísticas, las cuales servirán, en todo caso, tan solo como punto de partida o base de la investigación lexicográfica. La lectura de los correspondientes textos permitirá al redactor ir detectando los diferentes valores del vocablo estudiado, lo que llevará a establecer una serie más o menos amplia de grupos –compuestos a veces por subgrupos– de todo el material disponible en el corpus: al final, los textos correspondientes a cada grupo se caracterizarán por presentar el vocablo en las distribuciones y contextos semántico-sintácticos que permiten la sustitución de ese vocablo por otro u otros semántica y funcionalmente equivalentes. Este resultado, al que, normalmente, no se llega con una sola lectura, sino después de haber cubierto una serie de etapas, está constituido, como es obvio, por las distintas acepciones y subacepciones.

2.2.1. **Distinción de homónimos**. Como es obvio, el primer paso –que en realidad será previo a la tarea propiamente dicha de separar acepciones– consistirá en determinar si la multiplicidad de textos de que se dispone corresponde a un vocablo único o, por el contrario, a varios. Es decir, se trata de decidir entre la homonimia o polisemia, de acuerdo con los criterios anteriormente expuestos respecto a este punto. Como es obvio, en caso de palabras homónimas, habrá que separar tantos grupos de textos como vocablos vayan a ser estudiados en artículos independientes.

2.2.2. **Separación según el valor categorial.** El paso siguiente a la determinación de los casos de homonimia y que representa propiamente la primera fase en la separación de acepciones o significados de las palabras polisémicas, consiste en el establecimiento de los distintos valores o contenidos categoriales de la palabra, si los tiene. La operación no consistirá en otra cosa que en agrupar los textos disponibles de acuerdo con las correspondientes categorías. Para citar un par de casos del *DRAE*, obsérvense, por ejemplo, los artículos correspondientes a *blanco, alto* y *ahora*: en el primer caso aparecen en primer lugar registradas las acepciones correspondientes a la palabra como adjetivo, seguidas de aquellas en que se interpreta como sustantivo. Por su parte *alto* se registra primero como adjetivo y a continuación como sustantivo y luego como adverbio, y, finalmente, *ahora* aparece en primer lugar como adverbio y luego como conjunción adversativa. Debe notarse, sin embargo, que los diccionarios, incluido el de la Academia, no siempre proceden en este punto del mismo modo: tratándose de artículos referentes a verbos, se actúa de una manera diferente, al no registrarse jamás en el mismo artículo una forma de infinitivo como sustantivo y como verbo. Se entiende entonces que ha habido una derivación y, por lo tanto, se considera que ha surgido una nueva palabra, que, consiguientemente, se interpretará como homónima del verbo. Así se explica que, por ejemplo, el sustantivo *cantar* aparezca en artículo distinto que el verbo correspondiente, y lo mismo hay que decir de *haber, deber, decir* o *ser*, entre otros. Esta forma distinta de proceder en el caso de los verbos se justifica por el hecho de que el infinitivo que sirve de lema no es considerado como tal infinitivo cuando encabeza un artículo de un verbo –representa en abstracto todas las formas de éste–, mientras que, como cabecera de un artículo de un sustantivo, es tomado como verdadero infinitivo, esto es, como un sustantivo verbal, representante además de una flexión diferente, con singular y plural.

2.2.3. **Criterio del diasistema.** El siguiente paso consistirá en la aplicación del criterio que podemos llamar del diasistema, dado que se basa en la determinación de la variedad o registro lingüístico de los distintos usos de la palabra en cuestión. A veces, efectivamente, tales usos van asociados a contenidos asimismo diferentes, como ocurre, por ejemplo, con el verbo *denotar*, que en el *DRAE* presenta estas dos acepciones:

> **Denotar** [...] Indicar, anunciar, significar. 2. *Ling.* Significar una palabra o expresión una realidad en la que coincide toda la comunidad lingüística. Se opone a **connotar**.

Como es bien sabido, los diccionarios distinguen a este respecto acepciones pertenecientes a la lengua común, frente a otras que aparecen utilizadas únicamente en textos correspondientes a dialectos, tecnoletos, sociolectos e incluso a diversos estilos o registros. En estos últimos casos, las acepciones en cuestión suelen ir precedidas por ciertas indicaciones o marcas (así, *Amér., And., Mús., Poét., Fam.*, etc.), que sirven para determinar o delimitar el ámbito o zona, registro o nivel correspondiente. La determinación, por lo demás, de la variedad lingüística viene normalmente dada por lo que Coseriu llama «contexto mediato», esto es, por la propia fuente del texto: se entiende, efectivamente, que los contenidos especiales –por ejemplo, los terminológicos– corresponderán a textos que versan sobre temas científicos o técnicos, o, en general, sobre cualquier materia generadora de una terminología o vocabulario especializado; de ahí la importancia de indicar, a ser posible, ya en la realización del propio corpus las características de los textos en este aspecto. Insistimos en que se habla de acepciones –y subacepciones– especiales cuando la palabra en su uso dentro de una variedad o nivel lingüístico presenta a la vez un sentido diferente del que normalmente se le atribuye o, por supuesto, cuando dicha palabra es exclusiva de esa variedad, lo que no quiere decir, naturalmente, que un vocablo, por el simple hecho de aparecer utilizado en un texto especial, deba ser clasificado aparte, como perteneciente a esa variedad especial de la lengua, puesto que, como es obvio, en él aparecerán tanto palabras pertenecientes al vocabulario general como al especializado.

2.2.4. **Usos rectos y figurados**. Otro criterio general de separación de acepciones es el basado en el carácter recto o figurado de los contenidos o significados detectados. No vamos a entrar aquí, como es obvio, en la problemática planteada por el lenguaje figurado y más concretamente por la metáfora, su modalidad más frecuente[29], como tampoco nos vamos a ocupar ahora de la conveniencia o no de marcar, tal como se viene haciendo tradicionalmente, en los diccionarios el carácter figurado de las acepciones o subacepciones. De momento nos limitaremos a señalar que, para los propósitos lexicográficos y más concretamente para la separación de acepciones, es indispensable partir de la distinción, por una parte, entre **metáforas lexicalizadas** y **ocasionales**, entre **uso metafórico** y **contexto metafórico**, por otra, y, finalmente, entre **metáforas vivas** y **metáforas muertas** o **desaparecidas**, puesto que tan solo las pertenecientes al primer grupo de cada una de estas divisiones darán lugar a acepciones (o subacepciones) independientes. Permítase a este respecto recordar lo que acerca de estas distinciones hemos dicho ya en otro lugar[30]:

a) En primer lugar, a propósito de la primera distinción, conviene no olvidar que, efectivamente, no siempre un uso metafórico de un vocablo corresponde necesariamente a una acepción independiente. Depende, como es natural, de si la metáfora en cuestión ha tomado carta de naturaleza en el sistema léxico o si, por el contrario, es meramente ocasional, producto de la creación individual en el momento de producirse el texto correspondiente. Ahora bien, el problema radica en determinar en cada caso concreto si un uso metafórico pertenece a uno u otro tipo. El criterio de distinción nos lo ofrece J. Casares en su *Introducción a la lexicografía moderna*, al decir:

> «Cuando la recta comprensión de un vocablo, empleado con valor metafórico, exige que el oyente se refiera al significado recto para volver desde éste al traslaticio, debe inferirse que se trata de un empleo ocasional del vocablo y no de una nueva acepción»[31].

La observación, sin embargo, no es en verdad exacta, puesto que parece darse a entender que, para considerar como acepción figurada un significado metafórico, éste no habrá de sentirse como

[29] En realidad las acepciones que en los diccionarios aparecen bajo la calificación de *fig.* responden casi exclusivamente a usos metafóricos. Muy raramente corresponden a metonimias o sinécdoques, las cuales o no se indican o se señalan como tales, esto es, no bajo el la marca *fig.*

[30] Cfr. J. A. Porto Dapena, *Elementos*, pág. 272 y ss.

[31] Cfr. J. Casares, *Introducción*, pág. 65.

traslaticio, cosa que constituye, evidentemente, una flagrante contradicción: solamente las llamadas metáforas muertas cumplirían semejante condicionamiento. Siguiendo a Le Guern, en el proceso de lexicalización de las metáforas se dan tres estadios diferentes[32]: primero, la creación individual, luego la generalización y, por último, la desaparición de la imagen, estadio este último en que, lógicamente, se produce la metáfora muerta. Esto supuesto, las metáforas lexicalizadas corresponderán exclusivamente al segundo estadio, situación que viene dada por una generalización de su uso, lo que quiere decir que solo cuando el empleo metafórico se encuentra altamente representado en el corpus, se puede sospechar de la existencia de una acepción independiente. Solo en este último caso, efectivamente, cabe pensar que la modificación semántica producida por la metáfora se ha convertido en un hecho de lengua –será entonces cuando hablaremos de una nueva acepción– o al menos en un hecho de norma, circunstancia en que el uso constituirá una simple subacepción. Así pues, solo a las metáforas ocasionales es aplicable la idea de R. Trujillo[33] según la cual la metáfora no supone ningún cambio de significado, sino exclusivamente de referencia o designación; la metáfora ocasional es, efectivamente, un hecho de habla y, por lo tanto, no puede ser tenida en cuenta en un estudio lexicográfico.

b) Para ver la distinción entre **uso metafórico** y **contexto metafórico** considérese el verbo *encender* en estos textos:

> «No puede un ánimo abatido encender pensamientos generosos en el príncipe.» Saavedra Fajardo, *Idea de un príncipe* (*Biblioteca de Autores Españoles,* Ribadeneira, t. 25, pág. 101).

> «¡Oh dulcísimo amador de los limpios de corazón, enciende y abrasa todas mis entrañas con aquel suavísimo y preciosísimo fuego de tu amor!» Luis de Granada, *Memorial de la vida cristiana* (*Biblioteca de Autores Españoles,* Ribadeneira, t. 11, pág. 1891).

Pues bien, partiendo del significado recto de *encender* 'hacer que una cosa arda o produzca luz', es evidente que tanto en uno como en otro texto dicho verbo se halla empleado en sentido metafórico; pero mientras en el primero la metáfora corresponde ínte-

---

[32] Cfr. M. Le Guern, *La metáfora y la metonimia,* Cátedra, Madrid, 1976, pág. 93.
[33] Cfr. R. Trujillo, *Principios,* pág. 30 y ss.

gramente a *encender*, el cual se hace equivalente de 'suscitar, inspirar, producir', en el segundo es el vocablo *fuego* el que posee sentido metafórico y, por lo tanto, el verbo, considerado en sí mismo, responde plenamente al contenido recto antes señalado. Así pues, en el primer caso nos encontramos ante un uso metafórico, que da lugar a una nueva acepción, mientras que en el segundo se trata de un contexto metafórico, el cual no representa, por tanto, acepción especial alguna. Conviene, sin embargo, tener cuidado en el caso de los verbos, cuyo valor metafórico puede con frecuencia impregnar de un cierto contenido traslaticio a las palabras que le rodean[34], oscureciendo así esta distinción, como cuando decimos aquello de

Dinero llama dinero,

donde de alguna manera parece que estamos atribuyendo al dinero la capacidad humana de hablar; no se trata, sin embargo, de un contexto metafórico, puesto que *dinero,* a pesar de esa connotación, no se refiere a ninguna otra realidad que a la que le corresponde en su sentido recto: es, por tanto, exclusivamente *llamar* el vocablo al que corresponde el carácter metafórico. Otras veces ocurre que la comparación implícita que, pese a la opinión contraria de algunos, toda metáfora supone, no se establece en realidad entre dos acciones o procesos verbales, sino entre los actantes implicados en esos procesos; así, siguiendo con el caso de *encender,* cuando se dice que

Alguien encendió en él la pasión de los celos,

donde a *encender* corresponde la acepción metafórica de 'suscitar o producir', la metáfora no se establece en virtud de una semejanza entre los significados de aquel y estos verbos, sino más bien entre *fuego* y *pasión*; el proceso será el siguiente:

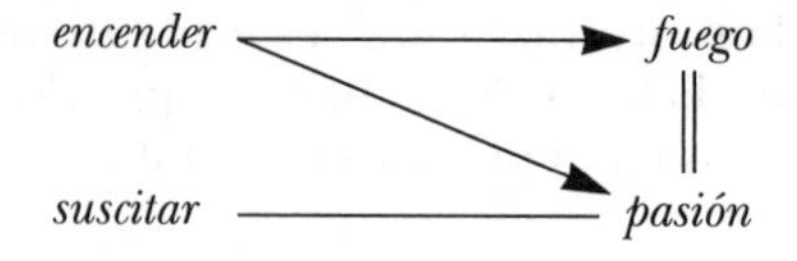

[34] Cfr. M. Le Guern, *Op. cit.*, págs. 20-21.

c) Finalmente, no vale la pena insistir en la bien conocida distinción entre **metáforas vivas** y **muertas**. Subrayaremos que éstas, al no ser percibidas sincrónicamente como tales metáforas, no influirán para nada en la separación de acepciones, frente a aquéllas que serán, lógicamente, las que se tengan en cuenta. No de otro modo proceden los diccionarios cuando califican, por ejemplo, de figurados los usos de *encoger* con el significado de 'acobardar', o de *envasar* con el de 'beber', puesto que se trata claramente de metáforas vivas, frente a palabras surgidas por efectos de una metáfora, que, como *murciélago* o *músculo*, obviamente, aparecen en los diccionarios sin ninguna indicación al respecto.

En resumidas cuentas, como muy bien ha observado E. del Teso Martín[35], solo cabe hablar de acepciones (o subacepciones) figuradas cuando en primer lugar éstas coexisten con el correspondiente uso recto –pues solo en relación con éste se puede establecer el deslizamiento semántico–, el hablante es, por otro lado, consciente de esa relación y, finalmente, se trata de un empleo generalizado o normalizado.

2.2.5. **Criterio de los componentes léxico-semánticos**. El criterio fundamental en la determinación de acepciones es, lógicamente, el basado en el significado léxico, cuyas variaciones en una misma palabra son, en definitiva, las responsables del carácter polisémico de ésta. Aunque a decir verdad la variación semántica se encuentra presente ya desde el principio en la base de la adopción de los criterios anteriores, con independencia de éstos constituye el criterio de más difícil aplicación y en el que precisamente la intuición –y consiguiente subjetividad– del lexicógrafo suelen jugar un papel excesivamente preponderante y decisivo. Por lo general el procedimiento corriente no consiste en otra cosa que en ir detectando esas diferencias de significado mediante la simple lectura de los diversos textos disponibles en el momento de redactar el artículo lexicográfico, y sin disponer normalmente de otro instrumento que de la propia agudeza mental para captar variaciones y matices, que luego se intentará justificar mediante diferentes paráfrasis o definiciones. Y si, finalmente, los resultados obtenidos se someten a alguna prueba formal, ésta no pasará de la pura conmutación

[35] Cfr. E. del Teso Martín, *Gramática general, comunicación y partes del discurso*, Gredos, Madrid, 1990, págs. 273-276.

del vocablo estudiado por sus respectivas definiciones en los textos seleccionados al respecto, los cuales a su vez, sobre todo en el caso de los verbos, servirán para fijar los correspondientes contextos.

2.2.5.1. Conviene recordar y tener presente, no obstante, que no a toda variación semántica en el uso de una palabra corresponderá necesariamente una acepción independiente, como tampoco será correcto pensar que a cada acepción haya de corresponderle un único tipo de contexto. Tan solo, efectivamente, se ha de hablar de acepciones diferentes, cuando la variación de significado implique la pertenencia de la palabra en cuestión a paradigmas léxicos diversos –o también suponga una referencia a esferas muy distintas de la realidad–, mientras que si esto no se cumple, tales variaciones no pasarán de ser meras variantes contextuales o subacepciones. Así, por ejemplo, el verbo *dar* presentará acepciones claramente distintas en contextos como

El niño dio el pastel a su hermano
La tierra da frutos[36],

porque en el primer caso pertenece al mismo paradigma o campo léxico que *entregar*, en tanto que en el segundo corresponde al de *producir*. Notemos, sin embargo, que no ocurre lo mismo, por ejemplo, en

Te doy el coche por dos millones

respecto a la primera acepción, puesto que aquí, aunque significa lo mismo que *vender*, este sentido especial viene dado exclusivamente por el puro contexto (al existir un complemento indicador del precio, que, si se elimina, el verbo pasa a significar otra cosa) y, además y sobre todo, porque *vender* pertenece también al campo semántico de *entregar*[37]. Se trata, pues, de una variante semántica y, por lo tanto, lexicográficamente, habría que hablar de una subacepción de *dar* dentro de la acepción 'entregar'.

---

[36] Ejemplos tomados de R. Trujillo (*Op. cit.*, pág. 131).

[37] *Vender* se opondrá a *regalar*, cuyas diferencias estribarán en los rasgos 'por trueque' / 'gratis'. *Dar*, en cambio, es indiferente a esta distinción, por lo que viene a representar más bien el archilexema de aquéllos; se trata, pues, de un hiperónimo, que en el contexto propuesto implica una neutralización al adquirir contextualmente el rasgo 'por trueque'.

2.2.5.2. Un principio fundamental en la separación de acepciones y subacepciones cabe, por cierto, deducir de todo esto, y es que, contra la obsesión generalizada en la investigación lexicográfica de creer que un artículo de un vocablo polisémico será tanto más completo cuanto mayor sea el número de significados registrados, hay que postular que, si bien esto es correcto tratándose de subacepciones, puesto que con ello se contribuirá, lógicamente, a hacer más exhaustiva la descripción, no lo es en relación con las acepciones o significados propiamente dichos, circunstancia en que, por tratarse de hechos de lengua o sistema, habrá más bien que buscar la simplicidad, esto es, el mínimo número posible, de modo que si una palabra puede describirse lexicográficamente en una acepción no deberá hacerse en dos, y si puede hacerse en dos no deben proponerse tres, y así sucesivamente.

2.2.5.3. En cuanto a los procedimientos formales para determinar los casos de acepciones y subacepciones o simples variaciones de matiz, hay que observar que la utilización de la conmutación –y distribución– sin ser en absoluto incorrecta, resulta insuficiente e incluso diríamos que peligrosa. Insuficiente porque para lo único que sirve es para comprobar si la definición o definiciones formuladas a propósito de cada uno de los significados detectados cumplen con el principio de equivalencia, esto es, si son verdaderamente sinónimas del definido y, por lo tanto, conmutan con él. Subrayemos por cierto que la conmutación es un simple test de idoneidad de la definición, pero no un criterio propiamente dicho de separación de acepciones. Por otro lado, la conmutación puede resultar peligrosa –esto es, llevarnos a conclusiones inexactas–, si no se utiliza adecuadamente: pensemos, por ejemplo, en el caso de que los elementos del contorno definicional desempeñen distinta función en el **definiens** que cuando funcionan con el **definiendum**; así, es evidente que si intentamos sustituir la palabra *abrir* en el contexto

Abría la manifestación el Secretario General de CC.OO.

por la correspondiente definición que aparece como acep. 17 en el *DRAE*:

Abrir. *tr.* [...] Tratándose de gente que camina formando hilera o columna, ir a la cabeza o delante, dicha conmutación sería imposible, al menos en el estricto nivel de la palabra, y no por ello la definición deja de ser válida. Por otro lado, no debemos perder de vista que, si la formulación de definiciones no se sujeta a unas reglas precisas y específicas, que ahora no vamos a tocar, puede producirse el espejismo de que las definiciones de lo que no son más que meras subacepciones o variantes de un mismo significado se interpreten fácilmente como representantes de verdaderas acepciones o significados diferentes. Imaginemos, en efecto, que para los contextos, ya citados,

El niño dio el pastel a su hermano
Te doy el coche por dos millones

postuláramos, respectivamente, las definiciones:

a. **Dar.** Poner una cosa en manos de otro.
b. **Dar.** Traspasar a otro por dinero la propiedad de una cosa,

al menos aparentemente no parecería que ambos significados son en realidad variantes del mismo.

2.2.5.4. Volviendo a los procedimientos formales para la determinación de acepciones y subacepciones, recordemos que I. E. Mel'čuk *et alii*[38] han descrito un método formal bastante eficaz, aunque quizás insuficiente, para la aplicación correcta –y, por tanto, en muy buena medida exenta de subjetividad– del criterio léxico-semántico. La determinación de las acepciones se basaría, según estos autores, en la distinción de las nociones de 'ambigüedad' y 'vaguedad', de las que solo la primera vendría dada por los casos de polisemia o de variación semántica, frente a la segunda, que correspondería únicamente a variaciones de referencia. Una expresión será ambigua si se le pueden atribuir significados diferentes, mientras que es tan solo vaga cuando, con idéntico significado, puede aplicarse alternativamente a referentes distintos. Por ejemplo, mientras en español *pintar* es ambiguo en el contexto

Ramón pintó la pared,

puesto que puede interpretarse como:

---

[38] Cfr. *Op. cit.*, pág . 60 y ss.

a. 'Ramón ha cubierto de pintura la pared'
b. 'Ramón ha realizado una pintura mural',

que a su vez corresponderían a las aceps. 2 y 1, respectivamente, del *DRAE*, la palabra *tío*, como nombre de parentesco, es vaga, puesto que se puede aplicar tanto a los hermanos del padre como de la madre. Esto supuesto, separar acepciones no consistirá en otra cosa que en distinguir los casos de ambigüedad de los de vaguedad, para lo cual Mel'čuk establece los siguientes criterios concretos siguientes, que luego podremos complementar con otros:

a) **Criterio de interpretación múltiple**. Se refiere al hecho de que si una palabra, en una misma frase o contexto, es susceptible de varias interpretaciones semánticas, o lo que es lo mismo, presenta ambigüedad, entonces debe procederse a la separación de acepciones, a no ser en el caso de que se cumpla el criterio *c* de coocurrencia compatible, a que nos referiremos luego. Como ejemplo puede servirnos el del verbo *pintar*, que acabamos de ver.

b) **Criterio de diferencia semántica local / global**. Constituye a nuestro juicio el menos preciso de todos estos criterios, y se refiere al caso de una palabra que, empleada en contextos distintos, presenta un significado muy similar. Cuando para la determinación de uno de los significados hay que acudir al otro, tomado como prototípico, la diferencia semántica es local y, por lo tanto, no se tratará de acepciones distintas, sino de meros matices significativos –de subacepciones diríamos nosotros–, y en caso contrario, nos encontraríamos ante una diferencia global y, por consiguiente, dos acepciones diferentes. Un ejemplo de lo primero, en español, lo podemos tener en el verbo *derribar* comparando los contextos

El viento derribó algunos árboles,
El caballo derribó al jinete,

para los que podrían postularse, respectivamente, los significados de 'hacer caer al suelo una cosa que está de pie' y 'hacer caer al suelo lo que está en alto', que, por ejemplo, el *DUE* de M. Moliner registra como acepciones independientes. Se trata, sin embargo, de meras variantes contextuales correspondientes al significado común 'hacer caer al suelo', puesto que entre ellas se da una pura diferencia «local», secundaria o de orden pragmático, que atañe únicamente a la posición del objeto representado por el implemento, pero no al proceso o acción indicados por dicho verbo. Habrá que hablar, por el contrario, de acepciones distintas para este mismo verbo si comparamos los enunciados anteriores con este otro:

> *El ejército vencedor derribó la ciudad,*

ya que en este caso, aunque podría pensarse que persiste la idea de 'hacer caer al suelo', en realidad se trata más bien de 'destruir o devastar', resultando así una diferencia «global», primaria o paradigmática.

c) **Criterio de coocurrencia compatible.** Más objetivo y sin duda eficaz a la hora de separar acepciones es este tercer criterio basado en la compatibilidad dentro de un mismo contexto de los significados detectados en una misma palabra. Se entiende, efectivamente, que si, en una misma frase o expresión, dicha palabra puede aparecer utilizada simultáneamente en dos o más sentidos –siempre, naturalmente, que no se trate de un juego de palabras–, tales significados no constituirán acepciones diferentes, sino casos de pura vaguedad; es decir, no habrá propiamente un cambio de significado sino de referencia. Evidentemente, cuando no haya compatibilidad habrá que hablar de acepciones diferentes. Según esto, pues, la distinción –por otro lado bastante lógica– que hace M. Moliner en su *DUE* a propósito del verbo *cantar*, a saber :

> **Cantar**. 1. (tr. o absol.). Emitir con la boca abriéndola y cerrándola (no silbando) sonidos musicales, formando o sin formar palabras: 'Se pasa el día cantando. Canta muy bien la jota'. 2. Producir sonidos armoniosos los pájaros. 3. Producir su voz o sonido propio algunos insectos; como la cigarra o el grillo

no corresponde propiamente a una diversidad de significados, sino de referencias, ya que son posibles expresiones como

> *Este niño canta como un ruiseñor,*

que no es ningún juego de palabras, o estas otras :

> *Cantaban los pájaros y los grillos, y allá a los lejos, un pastor acompañado de una flauta.*

Esta compatibilidad, pues, nos habla a favor de una única acepción. Justamente lo contrario es lo que ocurre en este otro contexto, correspondiente asimismo al verbo *cantar*, respecto a los anteriores :

El delincuente cantó la verdad al juez,

esto es, con el sentido figurado de 'manifestar, confesar', dada la incompatibilidad de éste con el anterior :

**El delincuente cantó la verdad y una jota aragonesa.*

Nos hallamos, consiguientemente, ante una nueva acepción.

d) **Criterio de coocurrencia diferencial.** El cuarto criterio formal propuesto por Mel'čuk es el de coocurrencia diferencial, que consiste en que dos o más significados de una misma palabra habrán de interpretarse como acepciones distintas si cada uno de ellos se asocia a conjuntos (morfológicos, sintácticos o léxicos) diferentes con ellos coocurrentes. Así, por ejemplo, el verbo *aceptar*, que presenta sentidos diferentes, por ejemplo, en los contextos

Luis aceptó el regalo
Luis aceptó el paseo,

correspondientes, respectivamente, a las acepciones 1 y 2 del *DRAE* :

> **Aceptar.** 1. tr. Recibir alguien voluntariamente lo que se le da, ofrece o encarga. 2. Aprobar, dar por bueno.

Se trata de una separación correcta porque, mientras este verbo en la acepción 1 admite, por ejemplo, un complemento con *de* (*acepta regalos de la gente*), que no es posible en 2, ésta admite construcción con infinitivo (*aceptó dar un paseo*), inaceptable en 1.

e) **Criterio de derivación diferencial.** Finalmente, según el criterio de derivación diferencial, dos significados de una palabra constituirán acepciones distintas en el caso de que cada uno de ellas dé lugar a una derivación diferente. Así, según eso, el verbo *crecer* presentará en español, entre otras, estas dos acepciones, recogidas tan solo hasta cierto punto en el *DRAE*:

1. Hacerse más grande, intenso o numeroso.
2. Aumentar el caudal de un río o corriente de agua.

Efectivamente, ambas acepciones cumplen el criterio de derivación diferencial, puesto que la primera es el origen del sustantivo *crecimiento* en tanto que la segunda lo es de *crecida*. No hace falta por supuesto aclarar que una palabra desde una misma acepción puede ser origen de más de un derivado, lo que quiere decir que no necesariamente cada uno de éstos haya de corresponderse con una acepción diferente del primitivo; es el caso, por ejemplo, de *pago* y *pagamiento* o *pagamento*, indicadores todos de la 'acción o efecto de pagar'.

2.2.5.5. Sin ser inadecuados todos estos criterios formales particulares, creemos que en todo caso deben complementarse con los que aquí vamos a llamar **de sinonimia**, **de oposición** y **de designación**. Habida cuenta de que dos contenidos semánticos asociados a una misma forma constituyen invariantes o acepciones distintas cuando pertenecen a paradigmas o campos léxicos también diferentes, de lo que se trata es de encontrar criterios que puedan ayudarnos en esa dirección, esto es, que nos sirvan para dilucidar si tales contenidos corresponden o no a otros tantos paradigmas. En este sentido podemos sentar estos tres criterios:

a) **Criterio de sinonimia**. Desde luego a primera vista parece lógico suponer, como hace S. Gutiérrez[39], que dos contenidos asociados a una misma expresión constituirán signos distintos si contraen relaciones de sinonimia con signos que a su vez no son sinónimos entre sí, como es, por ejemplo, el caso de *mandar* 'ordenar' y *mandar* 'enviar', puesto que *ordenar* no es a su vez sinónimo de *enviar*. Hemos de advertir, sin embargo, que esto último no basta: más atrás ya nos hemos referido al caso de *dar*, que en unas ocasiones puede ser sinónimo de *regalar* y en otras de *vender*, palabras que no son sinónimas entre sí, y a pesar de ello no podemos hablar de esos dos sentidos de *dar* como acepciones diferentes. Es, efectivamente, indispensable que esos sinónimos pertenezcan además a campos semánticos diferentes, por lo que más bien el criterio de sinonimia habría que enunciarlo de esta otra manera: dos contenidos de una palabra corresponderán a significados o acepciones diferentes cuando dicha palabra presente, en cada uno de esos contenidos, sinonimia con vocablos que, además de no ser sinónimos entre sí,

[39] Cfr. S. Gutiérrez, *Introducción a la semántica funcional*, Síntesis, Madrid, 1989, págs. 53-54.

pertenezcan a campos semánticos distintos. Y esto es precisamente lo que ocurre en el caso de *mandar*, dado que como sinónimo de *ordenar* corresponde al mismo campo que otros verbos de voluntad como *obligar, hacer, instar*, etc., mientras que como sinónimo de *enviar* es un verbo de movimiento opuesto a otros tales como *llevar, traer, conducir*, etc. Excusamos advertir que, de no producirse esta diversidad paradigmática (así, en el caso de *dar* 'regalar' / *dar* 'vender'), los contenidos en cuestión serán puras variantes o subacepciones de un mismo y único significado.

b) **Criterio de oposición**. Según el criterio de oposición, dos contenidos representarán acepciones distintas cuando el vocablo en cuestión se oponga en cada uno de ellos a palabras que, entre sí, no forman oposición, esto es, pertenecientes a paradigmas diferentes. Así, por ejemplo, para el adjetivo *ligero* el *DRAE* propone, entre otras, estas dos acepciones:

> **Ligero**. Que pesa poco. || 2. Ágil, veloz, pronto.

Distinción sin duda adecuada, porque en el primer caso *ligero* se opone a *pesado*, mientras que en el segundo, a *lento*, adjetivos que a su vez pertenecen a campos o paradigmas completamente distintos. Un caso especial de oposición viene dado, como en el ejemplo anterior, por la antonimia u oposición polar.

c) **Criterio de designación**. Finalmente, a veces puede hacerse necesario aplicar el criterio de designación, según el cual una palabra poseerá tantas acepciones cuantas sean su posibilidades de **designación de lengua**, entendida esta denominación en el sentido que le atribuye Coseriu[40]; es decir, cuando una palabra se asocia a clases de designata claramente distintos y, por lo tanto, sin ninguna conexión física ni mental, o se aplica a universos de discurso muy diferentes. Así, por ejemplo, no hay duda de que a una palabra como *falda* se le asignarán acepciones distintas según que se hable de una mujer o de una montaña, o que *gato* posee un significado diferente cuando con ese vocablo nos referimos a animales domésticos o a los utensilios que llevamos en el coche, etc. La utilización exclusiva de este criterio puede resultar peligrosa, pero a veces es indispensable, sobre todo tratándose de palabras no per-

[40] Cfr. E. Coseriu, *Principios de semántica estructural*, Gredos, Madrid, 1977, pág. 132.

tenecientes al léxico lingüísticamente estructurado, esto es, que no forman parte de paradigmas propiamente dichos.

2.2.6. **Criterio de valencias o argumentos actanciales**[41]. Y ya para finalizar con la cuestión de la separación de acepciones, un último criterio general que nos queda por considerar es el que podemos llamar **criterio de valencias** o **de argumentos actanciales**, que con aplicación sobre todo a los verbos –también a los adjetivos y sustantivos deverbales– se basa en las características de éstos en cuanto a sus posibilidades de combinación o construcción semántico-sintáctica. A este propósito hay que tener en cuenta que un verbo –o palabra predicativa en general– puede ser considerado en tres niveles diferentes: el correspondiente a las funciones semánticas, que determinan lo que vamos a llamar la **estructura actancial** propiamente dicha; el de las funciones sintácticas o **configuración sintáctica**, y, finalmente, el de las solidaridades o **coherencia léxica**. Realmente la definición lexicográfica de un verbo, como sostiene I. A. Mel'čuk[42], no corresponde a él en exclusiva, sino a toda una construcción constituida por ese verbo y sus actantes. Dicho de otra manera, cuando en un diccionario aparece definido, por ejemplo, el verbo *dar*, en realidad lo que se define no es esta palabra a secas –cosa por otro lado imposible– sino pensando en contextos como los de 1:

1.a. *Nicolás le dio cinco mil pesetas a su hijo*
1.b. *Lo dieron por muerto*
1.c. *Sebastián no dio con la palabra exacta,*

que dan lugar, respectivamente, a las aceps. 1, 8 y la registrada bajo la locución *dar con* del *DRAE*. Lo que quiere decir que separar acepciones, según eso, tendrá que consistir en ir detectando los diversos contextos o estructuras predicativas de que, en el nivel de las funciones semánticas primero y de las sintácticas o de solidaridades léxicas después, puede formar parte el verbo representante de la entrada del diccionario.

2.2.6.1. **Criterio de la estructura actancial**. Volviendo a los ejemplos de 1, notemos que, independientemente de que se produz-

[41] Cfr. J. A. Porto Dapena, «La estructura actancial como criterio separador de acepciones en el artículo lexicográfico», ponencia presentada en el Congreso Internacional de Lingüística de Lugo (Sept. 2000) (en prensa).
[42] Cfr. I. A. Mel'čuk y otros, *Op. cit.*, págs. 78-79.

can –como de hecho así ocurre en este caso– diferencias semánticas en el nivel propiamente significativo o en el referencial, los contextos anteriores corresponden al mismo tiempo a distintas estructuras actanciales o argumentales: en *a* tenemos un verbo trivalente, esto es, con tres actantes o argumentos, que en el nivel de las funciones semánticas vienen representados por un **agente**, un **paciente** y un **beneficiario**; es decir, tenemos la estructura

1.a'.**V (agente, paciente, beneficiario)**.

Por su parte *b* se caracterizaría como verbo de dos lugares y por llevar un predicado secundario referido al experimentador; esto es,

1.b'.**V (agente, experimentador, predicativo)**.

Y, finalmente, en *c* nos encontramos con un verbo con dos argumentos, representados por un **experimentador** y una **meta** o **término**; así,

1.c'.**V (experimentador, meta)**.

Obviamente, estas estructuras actanciales, determinadas por las funciones o relaciones semánticas que los actantes o argumentos contraen con el núcleo predicativo representado por el verbo, tienen luego, en el nivel de las funciones sintácticas, unas realizaciones concretas, de modo que, por ejemplo, en *a* y *b* el agente funciona como sujeto, el experimentador es implemento u objeto directo en *b*, pero sujeto en *c*, donde a su vez la función meta se realiza sintácticamente mediante un suplemento con la preposición *con*, etc. A veces sucede que una misma estructura actancial es susceptible de diversas configuraciones sintácticas, como ocurre en el ya clásico ejemplo de *abrir*, con la estructura

2. **V (agente, paciente, instrumento)**,

que presenta las siguientes posibilidades sintácticas[43]:

[43] No vamos a entrar –pues ello no afecta para nada a los fines aquí perseguidos– en las condiciones o circunstancias que deteminan la elección de cada una de estas configuraciones o variantes sintácticas, aunque en este caso concreto parece evidente que, por ejemplo, la elección del **agente** como **sujeto** es obligatoria cuando tiene carácter específico y, por lo tanto, tiene que estar presente en el enunciado correspondiente. Véase, no obstante, lo dicho más adelante en nota 45.

2.a. **Agente → sujeto**
Paciente → implemento
Instrumento → complemento preposicional

que podemos ejemplificar mediante el enunciado

2.a'. *Soledad abrió la puerta con la llave.*

2. b. **Agente → ∅**
Paciente → implemento
Instrumento → sujeto

presente, por ejemplo, en:

2.b'. *Esta llave no abre la puerta.*

Y, finalmente,

2.c. **Agente →∅**
Paciente → sujeto
(Instrumento → complemento preposicional)[44]

como en

2.c'. *La puerta no abre con esta llave.*

2.2.6.2. **Criterio de configuración sintáctica**. Todas estas consideraciones nos llevan a la conclusión de que un criterio sin duda fundamental que debe ser tenido en cuenta a la hora de establecer las acepciones de un verbo será, ante todo, el basado en la **estructura actancial o argumental** de dicho verbo, de modo que éste poseerá tantas acepciones cuantas estructuras actanciales puedan ser detectadas en sus diversos usos. Pero, al propio tiempo, dentro de una misma estructura actancial, las distintas configuraciones sintácticas a que ésta puede dar lugar deberán asimismo utilizarse –al menos en principio– como criterio de separación de acepciones. Se trata en este último caso del **criterio de configuración sintáctica**. Entendemos que varias construcciones sintácticas en torno a un núcleo verbal responden a la misma estructura actancial cuando, partiendo de un enunciado concreto, los elementos léxicos represen-

[44] El paréntesis indica que este actante puede aparecer o no. Es opcional.

tantes de los argumentos pueden intercambiar las funciones sintácticas, o, dicho de otra manera, cuando un mismo evento o situación se puede indicar mediante un verbo en construcciones sintácticas diferentes. Es lo que ocurre, por ejemplo, con *empapar*, que a partir de la estructura actancial

3. **V (agente, paciente, instrumento)**

presenta estas posibilidades sintácticas:

3.a. *La señora empapó el agua con una esponja*
3.b. *La señora empapó una esponja en el agua*

en que las funciones de implemento y de complemento preposicional pueden ser desempeñados alternativamente por el paciente y el instrumento. Por otro lado, también aquellas estructuras que pueden considerarse derivadas de otra por eliminación o ausencia de alguno de sus componentes, deben interpretarse, a nuestro juicio, como variantes de aquélla y no como estructuras argumentales distintas[45]. Así pues, continuando con el mismo ejemplo de *empapar*, responderían sin duda a la misma estructura actancial las expresiones

3.c. *Una esponja empapó el agua*
3.d. *El agua empapó una esponja*

en que ha desaparecido el agente y los que intercambian las funciones de sujeto e implemento son el paciente y el instrumento[46].

[45] Esto último es lo que parece dar a entender J. C. Moreno Cabrera (*Curso universitario de lingüística general. Tomo I : Teoría de la gramática y sintaxis general*, Síntesis, Madrid, 1991, pág. 340 y ss.), cuando para casos como este nos habla de «modificación de la valencia verbal». En realidad pensamos que no se produce propiamente el paso de una estructura valencial o argumental a otra, aun cuando a veces desaparezca alguno de dichos argumentos. Lo que se da, repetimos, es un cambio en las funciones sintácticas, cambio no necesariamente determinado, como supone Ch. J. Fillmore («Hacia una teoría moderna de los casos», en H. Contreras (comp.), *Los fundamentos de la gramática transformacional*, Siglo XXI Editores, México, 1973, pág. 49), por la presencia o ausencia de determinados actantes o valencias en el contexto.

[46] Observemos de paso que la distinción en el uso de *empapar* en estos dos últimos ejemplos viene dada por los rasgos **adlativo / ablativo** o **elativo** de que hablan algunos semantistas y que se da, por ejemplo, también en el verbo *oler*, según se desprende de las posibilidades:

Ahora bien, refiriéndonos al nivel sintáctico, cabe preguntarnos si, como hemos sugerido más arriba, también dentro de una misma estructura argumental habrán de considerarse acepciones distintas todas y cada una de las configuraciones sintácticas posibles. Y a este respecto hay que decir que, si bien con frecuencia hay que hablar efectivamente de verdaderas acepciones, en muchos casos tales configuraciones sintácticas no pasan de ser meras variantes o subacepciones, que también por cierto conviene separar. Para determinar en este caso si se trata de acepciones o subacepciones bastará, obviamente, con aplicar el siguiente principio general:

> Si en las correspondientes definiciones el verbo del **definiens** es –o puede ser– el mismo, se tratará de simples subacepciones, y solo en caso contrario habrá que hablar de acepciones distintas.

2.2.6.3. **Criterio de coherencia léxica o de las solidaridades**. A decir verdad se trata de un criterio a caballo entre la perspectiva sintagmática y la paradigmática, ya que, como observa Coseriu[47], las solidaridades son fenómenos sintagmáticos condicionados paradigmáticamente, puesto que se trata de características combinatorias que, a la vez, funcionan en el eje paradigmático como rasgos distintivos. Ello se ve claro, por ejemplo, en los verbos *talar, segar, trasquilar*, cuyos rasgos diferenciadores estriban precisamente en el hecho de que en su funcionamiento sintagmático sus respectivos implementos serán *árboles, hierba* y *pelo de los animales.* Naturalmente no es este el lugar ni el momento de exponer una teoría acerca de las solidaridades, cuestión ya suficientemente desarrollada por el maestro rumano así como, posteriormente, por G. Salvador y por la discípula de éste, P. Pernas[48], pero sí nos interesa poner de manifiesto cómo dicha teoría puede ser aprovechada precisamente para la

---

El perro huele la comida
Al perro le huele la comida,

y que a veces sirve como marca de oposición (relación de inversión) entre verbos distintos tales como *comprar / vender, dar / recibir, preguntar / responder*, etc. (Cfr. B. García Hernández, *Semántica estructural y lexemática del verbo*, Avesta, Reus [Tarragona], 1980, pág. 63 y ss.)

[47] Cfr. E. Coseriu, *Principios de semántica estructural*, pág. 151.

[48] Cfr. G. Salvador, «Las solidaridades lexemáticas», *Revista de Filología de la Universidad de La Laguna*, 8-9 (1989-90), págs. 339-365; P. Pernas, *Las solidaridades léxicas del español (selecciones e implicaciones)*, Edit. de la Universidad Complutense, Madrid, 1992.

separación de acepciones en el estudio lexicográfico del verbo, pues resulta evidente que –al menos en el caso de las solidaridades multilaterales, tipo al que pertenece el ejemplo anterior– las solidaridades determinan significados diferentes. De lo que se trata, pues, en nuestro caso es de detectar lo que Coseriu llama «solidaridades de contenido»[49] o, como prefiere llamarlas G. Salvador, «solidaridades semánticas», que se producen, cuando una misma palabra puede, alternativamente, presentar significados diversos basados en rasgos distintivos consistentes en diferentes solidaridades. Recuérdese a este respecto el ejemplo, aducido por el propio maestro, del adjetivo *caro*, que referido a personas significa 'querido', y, en cambio, a cosas equivale a 'costoso', o pensemos, proponemos nosotros, en el caso del verbo *contar*, que, aplicado a objetos numerables significa 'numerar o computar', mientras que con aplicación a sucesos o acontecimientos tiene el significado de 'referir'.

2.2.6.3.1. Ante todo el **criterio de las solidaridades** habrá de aplicarse después de los dos anteriores, esto es, dentro de una misma configuración sintáctica correspondiente a su vez a una misma estructura actancial. Puede ocurrir, efectivamente, que aquélla nos lleve, según las palabras o elementos léxicos que materialicen las funciones sintácticas correspondientes, a una diversificación de significados, que es, como acabamos de ver, lo que ocurre en el caso de *contar*, cuyo significado depende en cierto modo de las características semánticas del implemento. Recordemos a este respecto la frecuencia con que esta circunstancia es aprovechada en ciertos juegos de palabras, como puede ser el caso, a propósito del propio verbo *contar*, en el diálogo:

- *Cuéntame algo.*
- *Uno, dos, tres, cuatro...*

Notemos –dicho sea de paso– que la ambigüedad puede constituir una buena pista para suponer que un vocablo posee diversificación semántica de acuerdo con su capacidad de combinación con otras palabras.

2.2.6.3.2. De todos modos el procedimiento más sencillo es el de la conmutación, aplicada a la definición del vocablo de la mane-

[49] Cfr. E. Coseriu, *Op. cit.*, págs. 155-156.

ra siguiente: si el cambio de una característica semántica (en el nivel de clasemas, archilexemas o lexemas) en uno de los actantes, presentes en el **definiens**, lleva aparejado inevitablemente el cambio del verbo que actúa como núcleo de ese **definiens** por otro perteneciente a un paradigma o campo semántico diferente, entonces nos encontraremos ante acepciones distintas del **definiendum** debidas a solidaridades. Sea, por ejemplo, el verbo *construir*, que entre sus posibilidades sintácticas ofrece la siguiente:

17. **Sujeto (← agente) - V - implemento (← paciente)**,

que encontramos, por ejemplo, en los contextos

17.a. *Javier construyó una casa*[50]
17.b. *Javier construyó una oración gramatical*,

pertenecientes, sin embargo, a acepciones distintas, porque el cambio del rasgo 'edificación' por el de 'unidad lingüística' en el implemento supone para *construir* definiciones distintas, cuyo núcleo del **definiens** en el primer caso será *edificar* o algo así, y en el segundo *ordenar* o *enlazar*, ambos pertenecientes a campos semánticos distintos. Evidentemente, de no producirse necesariamente cambio alguno en el núcleo verbal del **definiens**, la modificación semántica de un actante no constituye ningún tipo de solidaridad y, por lo tanto, lo único que puede describir es una mera variante contextual de naturaleza puramente pragmática.

2.3. *Ordenación de acepciones*[51]

2.3. Una vez determinadas las acepciones y subacepciones de una palabra, el problema que se plantea en la redacción lexicográfica

[50] Prescindo del carácter ambiguo de *construir* en este texto, ya que el sujeto puede representar no solo el agente, sino también el instigador, caso este último que, obviamente, corresponde a una nueva acepción marcada por el significado factitivo.

[51] Para esta cuestión pueden consultarse J. Casares, *Op. cit.*, pág. 67; L. Zgusta, *Manual of Lexicography*, págs. 275-282; J. y Cl. Dubois, *Introduction a la lexicographie*, pág. 60; J. A. Porto Dapena, *Elementos*, pág. 276; R. Werner, «La definición lexicográfica», en G. Haensch *et al.*, *Lexicografía*, pág. 314 y ss. Véase también G. Haensch en esta misma obra, pág. 469 y ss.; H. Hernández, «Sobre el concepto de 'acepción', ya citado en nota 15, pág. 138 y ss.

es el de la ordenación que habrá de dárseles dentro del artículo lexicográfico, ordenación que, en parte, puede venir exigida por la propia naturaleza del diccionario o también por el público al que va destinado. Cabe a este propósito distinguir cuatro criterios básicos de ordenación, que son a saber: **cronológico** o **histórico**, **etimológico** o **genético**, **lógico** o **estructural** y el **de frecuencia**, a los que pueden añadirse otros de tipo secundario –puesto que nunca se utilizan solos, sino asociados entre sí o con los anteriores–, como son los que podríamos llamar **criterio categorial** y el **diasistemático**, que juntos constituyen el que J. Casares llama **empírico** o **práctico**. De acuerdo con el orden elegido, las acepciones por norma general se presentan consecutivamente numeradas y separadas o no por una o dos plecas (||); por otro lado, si al mismo tiempo se registran subacepciones, éstas aparecen introducidas por letras minúsculas o signos especiales (topos, cuadratines o rombos). En realidad no existe a este propósito un sistema gráfico generalmente establecido, sino que cada diccionario presenta en este aspecto características particulares.

2.3.1. De acuerdo con el criterio **cronológico** las distintas acepciones se ordenan según el momento de su aparición en la lengua, esto es, desde la más antigua hasta la más moderna, momento que, por cierto, no siempre corresponde al tiempo real –aunque éste sea el ideal perseguido por el lexicógrafo–, pues la datación depende totalmente de la información disponible en el corpus, la cual, por desgracia, no siempre coincide con la realidad. Este tipo de ordenación, por lo demás, es, lógicamente, obligatoria en todo diccionario histórico; no así en un diccionario de tipo sincrónico o descriptivo, donde sería difícil encontrarle una justificación.

2.3.2. Por su parte la ordenación **etimológica** o **genética** consiste en iniciar la ordenación por la acepción coincidente o más próxima al significado etimológico y, a partir de ella, tratar de reconstruir el proceso semántico que ha ido dando lugar a las demás acepciones, las cuales no representarán otra cosa que los distintos pasos o eslabones de esa evolución. Aunque teóricamente parece que este tipo de ordenación debería coincidir con la cronológica o histórica, en realidad no tiene por qué ser así, entre otras cosas porque una acepción puede vivir durante tiempo en la lengua hablanda y, sin embargo, aparecer después de otras más recientes en la escrita, que es el único punto de referencia que, históricamente, se toma para la datación. Por otra parte, puede ocurrir que una palabra sea polisémica ya en su origen, esto es, etimológicamente, lo que implica que en una ordenación genética haya que resgistrar ciertas acepciones antes que otras relativamente anteriores, debido a que, de acuerdo con este criterio, habrá que establecer toda la cadena de acepciones que partan de un mismo sentido inicial y, por lo tanto, hasta que se agota esa línea evolutiva no se pasará a la iniciada por otro sentido etimológido y así sucesivamente. Digamos, finalmente, que es este un tipo de ordenación bastante frecuente, incluso en diccionarios descriptivos –por ejemplo el *DUE* de M. Moliner–, en los cuales a decir verdad tampoco se justifica demasiado, por responder, como el anterior, a una visión diacrónica del vocabulario.

2.3.3. Por lo que se refiere a la **ordenación lógica**, consiste en disponer las acepciones de acuerdo con las relaciones lógicas de adición, inclusión, intersección, etc. contraídas entre ellas. Se parte para ello de una acepción básica, colocada en primer lugar, y, a partir de ella, por diversas modificaciones que implican las relaciones anteriores, se va estableciendo la sucesión de los demás significados, sean acepciones o subacepciones. Así, se puede comenzar por el significado más general y señalar a continuación los demás como diversas particularizaciones mediante la adición de otras características semánticas, o al contrario, partir de una acepción concreta y colocar en segundo lugar otra u otras que se consideran extensiones de la primera. Generalmente, cuando el lexicógrafo sigue este procedimiento, suele acompañar las definiciones de indicaciones como «particularmente» o «en particular», «por extensión», «en sentido figurado», «por analogía», etc., que no necesariamente se refieren a fenómenos reales de evolución, sino, como hemos dicho, a relaciones de adición, supresión, etc. Probablemente este criterio de ordenación es especialmente útil para el caso de las subacepciones correspondientes a una misma acepción y, desde luego, mucho menos para ordenar las acepciones propiamente dichas entre sí, al encontrarse más alejadas semánticamente, a veces sin conexión aparente.

2.3.4. La **ordenación según la frecuencia**, por su parte, consiste en disponer las acepciones según su frecuencia, esto es, desde la más hasta la menos usada. Este procedimiento, como se ha señalado reiteradamente, es el más apropiado para un diccionario sincrónico; pero su aplicación no siempre resulta posible, dadas las dificultades y problemas que plantea la realización de estadísticas, que, por otro lado, se tienen que basar en un determinado corpus, el cual no siempre tiene que ser plenamente representativo del uso real de la lengua. Por eso en la práctica, cuando se aplica este criterio se hace más bien partiendo de apreciaciones puramente subjetivas o impresionistas por parte del lexicógrafo, quien acude a la introspección o al tan socorrido recurso de la conciencia lingüística, algo siempre escurridizo y poco fiable en definitiva.

2.3.5. Finalmente, los **criterios categorial** y **diasistemático** consisten, respectivamente, en una ordenación por categorías, cuando las acepciones presentan diversidad en este aspecto, y por las variedades o sistemas funcionales particulares a que pertenecen dentro de la lengua histórica en cuestión. Una palabra puede, en efecto, presentar acepciones como sustantivo o como adjetivo, o como adjetivo o adverbio, etc. Por otro lado, también puede tener acepciones de las cuales unas son utilizadas por la generalidad de los hablantes –y entonces se colocan en primer lugar–, o tan solo en determinados dialectos o sociolectos, y entonces se registran al final del artículo. Precisamente el *DRAE*, al que siguen muchísimos otros, utiliza estos dos tipos de ordenación, es decir, el **criterio empírico**, colocando en primer lugar las acepciones de uso corriente; después las anticuadas, las figuradas, las provinciales e hispanoamericanas, y, en último lugar, las técnicas y de germanía. Y en cuanto al orden categorial, coloca en primer lugar las correspondientes a adjetivo y luego las de sustantivo y adverbio. Y si se trata de un sustantivo, las acepciones correspondientes al uso de aquél exclusivamente en plural se colocan en último lugar.

7
EL DISCURSO LEXICOGRÁFICO

0.1. Decir que un diccionario es un texto escrito *sui generis* es algo tan obvio que casi no merece la pena destacar. Según Jean y Claude Dubois[1] constituiría una obra literaria perteneciente al género didáctico, y F. Abad Nebot[2] nos llega a hablar nada menos que de un género o subgénero especial precisamente porque un diccionario responde a unas características propias que lo hacen diferente de cualquier otra obra escrita. Aunque a M. Alvar Ezquerra[3] le parece exagerado hablar en este caso de texto literario, lo que sí es cierto es que el diccionario está formado por un texto especial, de carácter finito o cerrado, consistente en un mensaje producido en una sola dirección, del autor al usuario (sin la posibilidad contraria) y cuya única «anormalidad» –entendida ésta como lo que está fuera del registro lingüístico habitual– es su carácter metalingüístico. El diccionario, efectivamente, es un estudio del lenguaje por medio del lenguaje, en lo que coincide con cualquier otra obra sobre tema lingüístico; pero aún así posee, según ya hemos observado anteriormente, la conocida peculiaridad de utilizar dos tipos o niveles de metalenguaje, a los que nos vamos a referir a continuación: el perteneciente a lo que nosotros vamos a llamar **enunciado definicional**, denominado por algunos **primera metalengua** o **metalengua de contenido**, junto al propio del **enunciado lexicográfico**, por otros llamado **segunda metalengua** o también **metalengua de signo**.

0.2. Pero, aun siendo el carácter metalingüístico el más importante –y por tanto destacable–, con él no se agotan ni mucho menos las peculiaridades del discurso lexicográfico. Aparte aspectos estruc-

---

[1] Cfr. J. y C. Dubois, *Inroduction à la lexicographie: le dictionnaire*, págs. 8 y 49.

[2] Cfr. F. Abad Nebot, *Cuestiones de lexicología y lexicografía*, UNED, Madrid, 2000, pág. 354 y ss.

[3] Cfr. M. Alvar Ezquerra, «El diccionario, texto cerrado», en *Lexicografía Descriptiva*, pág. 73 y ss.

turales, a los que en realidad ya nos hemos venido refiriendo a lo largo de las páginas que preceden y nos seguiremos refiriendo en los próximos capítulos, es importante destacar como algo típico de los diccionarios la presencia en ellos de ciertas indicaciones que, para reducir al máximo el gasto de espacio –dada su relativa frecuencia–, se suelen representar por todo un sistema de abreviaturas o signos especiales, los cuales por cierto constituyen a su vez una especie de metalenguaje particular que también conviene estudiar. Nos estamos refiriendo a las **marcas**, elementos informativos que, con carácter complementario, suelen aparecer inmediatamente antes de las definiciones. A ellas también vamos a dedicar aquí alguna atención.

1. METALENGUAJE Y LEXICOGRAFÍA[4]

1. Desde que Jakobson[5] puso de relieve la existencia de una función del lenguaje que denominó **función metalingüística**, consistente en la posibilidad de toda lengua natural de servir como instrumento para describirse a sí misma, característica que por cierto no corresponde a ningún otro sistema de comunicación (las señales de tráfico, por ejemplo, no se pueden estudiar mediante esas mismas señales), se habla con relativa frecuencia de **metalenguaje**, **metalengua**, **uso metalingüístico**, **metadiscurso** y hasta de **metahabla**, y en el terreno de la lexicografía se ha llegado a postular, repetimos, la existencia de nada menos que dos tipos de metalenguaje diferentes. La función metalingüística, no obstante, en comparación con otras como la expresiva y sobre todo la representativa, ha sido muy poco estudiada, y existe, a nuestro modo de ver, un confusionismo bastante grande que convendría aclarar de una vez por todas. Realmente los autores que se han ocupado del tema, excepción hecha de J. Rey-Debove, que le dedica toda una monografía[6], lo hacen bastante sucintamente y casi siempre de una forma

---

[4] Véase J. A. Porto Dapena, «Metalenguaje y lexicografía», *Revista de Lexicografía*, VI (1999-200), págs. 127-151.

[5] Cfr. R. Jakobson, *Essais de linguistique générale*, Minuit, Paris, 1963, págs. 217-218.

[6] Cfr. J. Rey-Debove, *Le metalangage.Étude linguistique du discours sur le langage*, Le Robert, Paris, 1978 ; hay una segunda edición de Aramand Colin/Masson, Paris, 1997. De esta misma autora debemos citar aquí el artículo «La métalangue lexicographique: formes et fonctions en lexicographie monolingüe», en O. Reichmann, H. E. Wiegand y L. Zgusta (eds.), *Wörterbucher. Ein internationaleds Handbuch zur Lexikographie*, De Gruyter, Berlin, 1989, t. I, págs. 305-311.

más bien tangencial, aunque no por ello dejen, por supuesto, de hacer interesantes aportaciones a la cuestión[7].

1.1. *Cuestiones generales: el uso metalingüístico*

1.1. Antes de referirnos en concreto al metalenguaje propio del discurso lexicográfico, creemos imprescindible tratar de aclarar un poco las ideas en torno al metalenguaje en sus aspectos más generales, para centrarnos luego en lo que vamos a llamar **uso metalingüístico** por su especial interés en lexicografía.

1.1.1. Lo primero que hay que hacer, siguiendo a E. Coseriu[8], es distinguir entre **metalenguaje de lengua** y **metalenguaje de discurso**, ambos opuestos a **lenguaje primario**, que tiene por objeto representar la realidad no lingüística, frente al **metalenguaje**, que representa a su vez el lenguaje, esto es, la propia realidad lingüística. Más concretamente, corresponde al **metalenguaje de lengua** el conjunto estructurado de elementos de que una lengua dispone precisamente para la descripción lingüística[9]. Así, por ejemplo,

[7] Me refiero, sobre todo, a E. Coseriu (*Principios de semántica estructural*, págs. 107-109 ; *Lecciones de lingüística general*, Gredos, Madrid, 1981, págs. 21-22 y 293-296), J. Lyons (*Semántica*, Teide, Barcelona, 1980, págs. 12-15) y S. Gutiérrez (*Principios de sintaxis funcional*, Arco/Libros, Madrid, 1997, pág. 381 y ss.). Debemos citar también a J. L. Rivarola, «Aspectos del metalenguaje», en *Signos y significados. Ensayos de semántica lingüística*, Pontificia Universidad Católica de Perú, Lima,1991, págs. 33-50, y a C. Castillo Peña, «Función metalingüística, metalenguaje y autonimia», *Lexis*, XXII, 2 (1998), págs. 243-266.

[8] Cfr. E. Coseriu, *Principios*, pág. 107-109.

[9] No hay que identificar el **lenguaje primario** con la lengua o **sistema lingüístico**, ya que en ese caso el **metalenguaje de lengua** vendría a ser una parte del **lenguaje primario**, lo que constituiría un evidente contrasentido. Lo mismo que en el metalenguaje, hay un **lenguaje primario de lengua** junto a un **lenguaje primario de discurso**, de modo que tenemos lo siguiente :

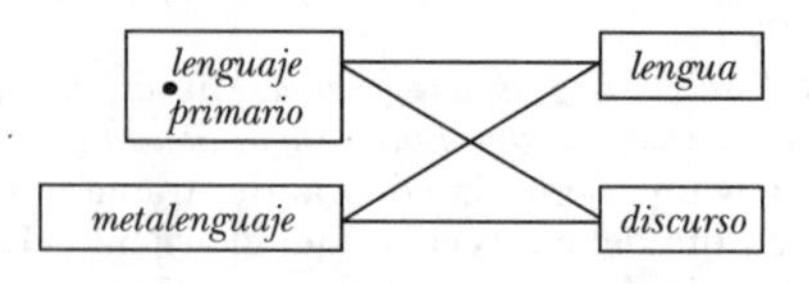

Así pues, **metalenguaje** y **lenguaje primario**, por una parte, y **lengua** y **discurso**, por otra, constituyen dos niveles lingüísticos diferentes, que se entrecruzan.

las mismas palabras *lenguaje* y *lengua* del español, que constituyen una oposición inexistente en otros idiomas, como el inglés. También pertenecerán al metalenguaje de lengua en español otros elementos léxicos, como *palabra, sustantivo, nombre, adverbio, hablar, decir,* etc. Teóricamente, un metalenguaje de lengua, al que llamaremos **metalengua**, estará constituido ante todo por un léxico especial, el referente a realidades lingüísticas, así como, según propone el propio Coseriu[10], por una gramática también particular; si bien creemos con S. Gutiérrez que en español la metalengua está constituida únicamente por una parte del léxico, esto es, por un **metaléxico**[11]. Ahora bien, como también sugiere Coseriu, en este metaléxico o léxico metalingüístico hay que distinguir a su vez entre lo que podríamos llamar **léxico metalingüístico tradicional** frente al **léxico metalingüístico terminológico**, esto es, el empleado por la lingüística. La distinción, aunque teóricamente clara, no resulta muy fácil en la práctica: habría que señalar criterios de distinción más específicos.

1.1.1.1. Volviendo a la primera distinción, correspondería al **metalenguaje de discurso** ante todo el especial uso que las palabras –o cualquier otro elemento del lenguaje primario o de la propia metalengua– tienen de representarse a sí mismas, como es el caso de, por ejemplo,

'Casa' tiene cuatro letras
'Juan' es un nombre horrible
'Palabra' se escribe con b

donde *casa, Juan* y el vocablo metalingüístico *palabra* aparecen como

[10] Cfr. E. Coseriu, *Lecciones*, pág. 295.

[11] Cfr. S. Gutiérrez, *Op. cit.*, pág. 388. Realmente el ejemplo del uso especial del artículo en español, citado por el lingüista rumano, creemos que no difiere del correspondiente a los nombres propios : realmente las palabras de la lengua utilizadas metalingüísticamente tienen, en este sentido, un comportamiento similar al de los nombres propios. Así, en

Para es una preposición

para no lleva artículo por la misma razón que éste no aparece, por ejemplo, en

Nicolás es médico.

vocablos citados, no en su uso normal, esto es, en el relativo a expresiones del lenguaje primario del tipo

Mi casa tiene cuatro ventanas
Juan es horrible.

Corresponden estos dos usos a lo que los lógicos han llamado, respectivamente, **mención** y **uso**, o también, ya en la Edad Media, **suppositio materialis y suppositio formalis.** Otros, de un modo paralelo, prefieren hablar, respectivamente, de **metalengua** y **lengua objeto**.

1.1.1.2. Es evidente que cualquier elemento lingüístico, sea o no léxico, pertenezca al lenguaje hablado o escrito, puede utilizarse como representante de sí mismo, esto es, metalingüísticamente; por ejemplo, en

El prefijo in- indica negación
La letra b se llama be
El signo ? de interrogación

etc. Aunque se trata, evidentemente, de elementos metalingüísticos al igual que *palabra, lenguaje, lengua*, etc., poseen sin embargo un *status* muy diferente: en primer lugar y ante todo, mientras estos últimos constituyen paradigmas, esto es, están estructurados y, por lo tanto, pertenecen al sistema lingüístico (forman parte, como hemos visto, de una metalengua o metalenguaje de lengua), en este último caso se trata de elementos –no necesariamente palabras o unidades léxicas y ni siquiera a veces pertenecientes a la propia lengua– que no constituyen, contra el parecer de Rey-Debove, quien los introduce en el metaléxico, ninguna estructura paradigmática; responden a un uso, perteneciente, por tanto, al puro discurso. Y ese *status* diferente se muestra además en que las palabras pertenecientes a la metalengua o metalenguaje de lengua son, a su vez, susceptibles de ese mismo uso metalingüístico en el discurso, según hemos podido observar en uno de los ejemplos anteriores o en otros similares como éstos:

Los términos 'sujeto' y 'predicado' han sido tomados de la lógica
'Sustantivo' pertenece al género masculino.

Nos encontramos, por consiguiente, ante dos niveles metalingüísticos completamente distintos: el de la lengua y el del discurso.

Porque, aunque parezca paradójico, lo que llamamos **metalengua** no es más que una parcela de la propia lengua entendida como sistema, básicamente un léxico especial cuya única razón de ser es el propio lenguaje, al que se refiere como una parcela más de la realidad.

1.1.1.3. Pero refiriéndonos al **metalenguaje de discurso** o, como prefieren llamarle otros, **metadiscurso**[12], conviene añadir, por otro lado, que éste no se reduce, según podría deducirse de las observaciones de Coseriu, al mero «uso metalingüístico» de cualquier elemento perteneciente al lenguaje primario (o incluso al metalenguaje de lengua), sino que es necesario incluir en él lo que proponemos llamar **enunciado reflexivo** o **metalingüístico**, constituido por aquel discurso o fragmento de discurso cuyo objeto o razón de ser no es otro que describir desde algún punto de vista una lengua o algún elemento de la misma. Así, serán enunciados metalingüísticos, por ejemplo,

El español es una lengua románica
El verbo concuerda con el sujeto en número y persona.

Cabe señalar, por otro lado, que un enunciado de este tipo puede estar constituido por elementos pertenecientes al metalenguaje de lengua (*lengua, verbo, sujeto...*), junto a otros pertenecientes al lenguaje primario (*es, el, con, románico*) o, incluso, en uso metalingüístico, como sería el caso de *caballero* y *caballo* en

Caballero deriva de caballo.

1.1.1.4. Así pues, todas las distinciones que hemos establecido hasta aquí pueden resumirse en el siguiente cuadro:

---

[12] Así, por ejemplo, J. Dubois y otros, *Diccionario de Lingüística*, Alianza Editorial, Madrid, 1979, s.v. A nosotros, sin embargo, nos parece más apropiado considerar como **metadiscurso** a todo discurso que se ocupa o se refiere al propio discurso, y en el que, paralelamente, existirá un «uso metadiscursivo» junto a un «enunciado metadiscursivo»; así, en

«Lo bueno si breve dos veces bueno» es una frase de Gracián

constituirá un enunciado metadisursivo, puesto que se refiere al discurso delimitado por comillas, el cual está aquí tomado en uso metadiscursivo (es un discurso citado).

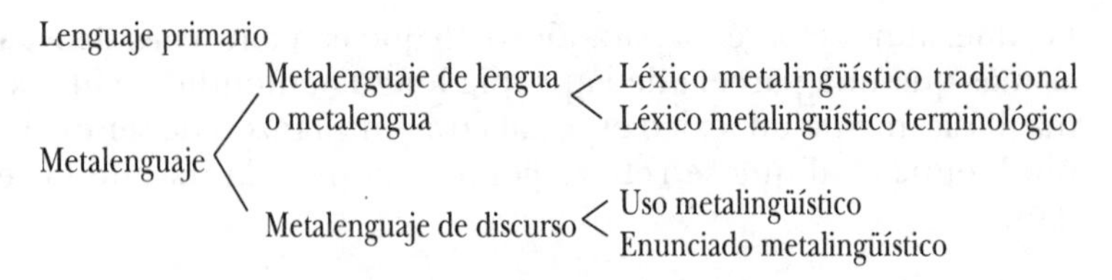

Hay que tener en cuenta, por lo demás, que la utilización tanto del léxico metalingüístico o metaléxico como del perteneciente al lenguaje primario en uso metalingüístico es independiente del carácter a su vez metalingüístico del enunciado o enunciados en que aparecen, como lo demuestran expresiones de este tipo:

Alfonsito odia los verbos irregulares
Se despidió con un brusco adiós,

donde, por una parte, la palabra metalingüística *verbo* y, por otra, el vocablo mencionado –o en uso metalingüístico– *adiós* se insertan en realidad en sendos enunciados no reflexivos y, por lo tanto, carentes de valor metalingüístico.

1.1.2. Centrando ahora nuestra atención en el metalenguaje de discurso y más concretamente en el **uso metalingüístico**, es frecuente interpretarlo como la utilización de una palabra o elemento lingüístico que o bien actuaría como nombre de sí mismo o, también, como mera palabra o pura forma desposeída de todo significado, interpretaciones que, a nuestro modo de ver, resultan inadecuadas.

1.1.2.1. Veamos las razones de esta inadecuación:

a) En primer lugar si, por ejemplo, una palabra como *para* se tomase como nombre de la preposición correspondiente, ocurriría que en nuestra lengua existirían dos signos homónimos *para*: uno correspondiente al uso de la preposición en el lenguaje primario (por ejemplo, en

Lo hice para ti)

y otro al uso metalingüístico (así, en

Para acompaña a algunos complementos del verbo).

Es decir, junto a la preposición *para* existiría un sustantivo homónimo precisamente con la función de nombrar esa misma preposición. Pero notemos que por esta regla de tres todo vocablo formaría parte no solo de la lengua sino de la metalengua, al poseer siempre una contrapartida metalingüística, circunstancia que, lógicamente, duplicaría el léxico de la lengua. Y no solo esto, pues incluso las palabras de otros idiomas y otros muchos elementos que ni siquiera son palabras, al ser asimismo susceptibles de uso metalingüístico o de mención, formarían también parte del metaléxico, el cual vendría a ser así algo ilimitado y, por ello, absolutamente incontrolable[13].

b) Cabe, no obstante, preguntarnos si en el uso metalingüístico no se tratará más bien del simple significante, o lo que es lo mismo, de la palabra desposeída de su significado. Y nuestra conclusión es que esto tampoco es aceptable, pues, si bien para algunos, por ejemplo, la palabra *casa* en un enunciado como

Casa está compuesto por dos sílabas

estaría tomada exclusivamente en su significante, ello no es así ni mucho menos. Si bien nos fijamos, lo que aquí se refiere al significante es la pura predicación, pero no el sujeto de esa predicación, que es el mismo que aparece en este otro enunciado:

Casa es parasinónimo de edificio

cuya predicación se refiere, en cambio, al significado. Así pues, todo esto quiere decir que, en su uso metalingüístico, cualquier palabra o elemento significativo está tomado en todas sus dimensiones, esto es, como tal signo o palabra y, por lo tanto, la predicación, que forma parte del enunciado metalingüístico, puede referirse, por ello, a cualquiera de esas dimensiones o aspectos.

---

[13] Tal es, por cierto, la idea defendida por Rey-Debove (*op. cit.*, pág. 29), quien llega a postular la pertenencia de esos presuntos homónimos –«autónimos» les llama la autora francesa– al metaléxico, del que formarían parte al lado de vocablos como *palabra, decir, nombre* o *adjetivo*, que serían en todo caso palabras metalingüísticas *stricto sensu*. Y en esta misma línea se ha llegado a hablar alguna vez de una metábasis o transposición a la función de sustantivos, que caracterizaría a todas las palabras (cfr. S. Gutiérrez Ordóñez, *Op. cit.*, pág. 392). Nada más lejos, sin embargo, de la realidad, pues no hay duda de que en cualquiera de los dos casos nos encontramos ante la misma palabra, aunque –eso sí– en usos diferentes.

c) Pero a todo esto hay que añadir todavía más: este signo o palabra –o cualquier otro elemento en uso metalingüístico– está utilizado como representante de sí mismo, cosa que no quiere decir, contra lo que suele aceptarse (sobre todo por parte de quienes se han ocupado del asunto desde presupuestos lógicos), que sean nombres o signos de sí mismos. Nótese que, si ello fuera cierto, nos veríamos obligados a entrar en una especie de recursivididad que implicaría la existencia de una serie infinita de niveles metalingüísticos, toda vez que, por otro lado, el nombre de una palabra podría a su vez utilizarse como mención de sí mismo, con lo que tendríamos un uso metalingüístico de otro metalingüístico y así sucesivamente; de ese modo podría generarse una cadena infinita de enunciados:

> *Para es una preposición* > *Para es el nombre de la preposición para; El nombre para de la preposición para es invariable*> *Para es el nombre del nombre para correspondiente a la preposición para...*

etc. El representarse una palabra o elemento lingüístico a sí mismo en un contexto cualquiera no significa ni mucho menos que sea signo de sí mismo, sino que tal objeto, por el mero hecho de tener naturaleza lingüística (con expresión fónica o gráfica), no necesita transformación semiótica alguna: se tomará como tal objeto y punto. Si bien nos fijamos, sólo una realidad no lingüística necesita de un elemento lingüístico o signo que lo represente para poder formar parte de un texto; pero un ente o realidad perteneciente al lenguaje –e incluso no lingüístico, pero de naturaleza fónica o gráfica– no necesita de otro para funcionar como elemento de ese texto: es autosuficiente y puede, por tanto, emplearse directamente. Así se explica, por ejemplo, que en un enunciado como el siguiente, que además de lingüístico es también gráfico, tenga sentido escribir esto:

> *Be es el nombre de b,*

donde, obviamente, *b* está tomada como objeto o entidad en sí mismo; no como representante de la letra correspondiente, sino como la propia letra. Insistimos en que aquí la representación directa es posible porque se trata de una realidad gráfica en un texto asimismo gráfico, y distinta claramente de su correspondiente nombre.

1.1.2.2. En conclusión, las palabras –como cualquier otro elemento de naturaleza fónica o gráfica– pueden usarse metalingüísticamente, esto es, como tales objetos, con independencia de las posibles funciones para las que han sido creadas. Al fin y al cabo las palabras, constituyentes de palabra, fonemas o segmentos de la cadena hablada en general son también objetos de la realidad y, como tales, también pueden ser mentados en el discurso, pero con la peculiaridad de que, para esto, no se necesita echar mano de elementos vicarios o signos que los representen –como ocurre con las otras realidades–, sino que ellos son autosuficientes, se representan directamente a sí mismos.

1.1.3. Para distinguir el uso metalingüístico del lingüístico en una palabra se ha acudido con frecuencia al convencionalismo gráfico de escribirla en el primer caso entre comillas o comillas sencillas, de modo que de esa forma, por ejemplo, el significado de

Me disgusta 'Juan'

se interprete de manera distinta a

Me disgusta Juan[14].

Un procedimiento, sin embargo, quizás más adecuado consistirá en escribir dicha palabra en una letra diferente (por ejemplo, en cursiva, como viene siendo habitual en la literatura lingüística en la mención de palabras) y dejar las comillas sencillas para la indicación de los puros significados.

1.1.3.1. Pero precisamente esta última observación nos lleva a la necesidad de ampliar el concepto de «uso metalingüístico», que, a nuestro modo de ver, no se reduce a la exclusiva mención del signo o **suppositio materialis**, como generalmente se viene aceptando. Sea, por ejemplo, el enunciado

La palabra perro *–escrita* <perro> *y pronunciada* [pero̅]*– significa 'perro'*

donde observamos que, pese a que el segmento gráfico «perro» se repite varias veces, en ninguno de los casos tiene el mismo valor, sin

[14] Cfr. J. Lyons, *Semántica*, pág. 9.

que, por otro lado, coincida en ninguno de ellos con el que posee en el lenguaje primario, como sería, por ejemplo, el caso en este otro contexto :

El perro es el mejor amigo del hombre.

Esto significa que en el texto en cuestión nos encontramos en realidad ante usos metalingüísticos diversos. Y así es efectivamente: mientras en su primera aparición *perro* responde claramente a la mención directa de que acabamos de ocuparnos, esto es, coinciden signo y referente, en la segunda y tercera representa únicamente al significante (gráfico y fónico, respectivamente) y, finalmente, en la cuarta alude tan solo al significado de dicha palabra. Gráficamente,

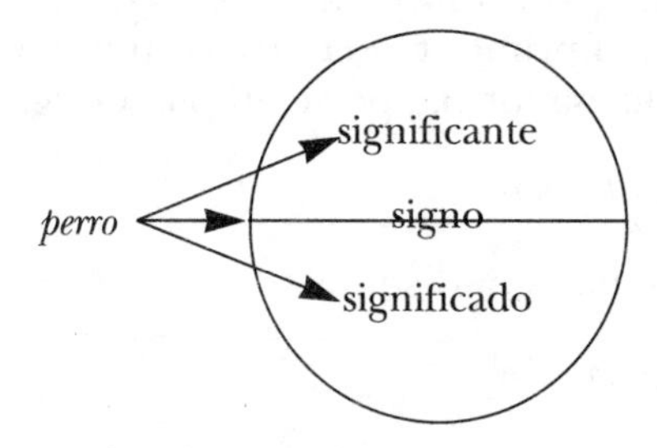

Para demostrar que se trata de usos diferentes, notemos que, en el supuesto de que las palabras del español estuviesen numeradas y a *perro* le correspondiese el número 458, éste tan solo podría sustituirla en la primera aparición[15], por lo que podría decirse

La palabra 458 tiene el significante <perro> *y el significado 'perro'*

Por su parte 'perro' como representante del significado podría sustituirse aquí por 'can' o por una expresión del tipo 'mamífero doméstico de la familia de los cánidos', esto es, por una definición lexicográfica. Y asimismo, en la representación del significante gráfico, podrían usarse distintos tipos o tamaños de letras o incluso sistemas gráficos diversos, etc.

1.1.3.2. En resumidas cuentas, en todos estos casos el elemento lingüístico «perro» es interpretado y categorizado como signo

[15] *Ibid.*, pág. 13.

(palabra) perteneciente a nuestro idioma, como conjunto de letras o sonidos que en el nivel del significante constituyen ese signo y, finalmente, como mero significado, el asimismo correspondiente a ese signo. Decimos que nos hallamos ante usos metalingüísticos porque en todos los casos el segmento en cuestión se enfoca como realidad lingüística, bien es verdad que en la tercera y cuarta mención del ejemplo inicial, por tratarse de realidades no gráficas, hay que acudir, respectivamente, a una transcripción que coincide con la representación gráfica del signo, esto es, se acude a procedimientos de representación indirecta. Pues bien, esto nos lleva a postular la existencia de dos tipos de uso metalingüístico, unos de representación directa (el uso metalingüístico que podemos llamar «de signo» y de «significante»), junto a usos metalingüísticos de representación indirecta, esto es, mediante a su vez un signo coincidente con el inicial (el uso metalingüístico de significado). Lógicamente, el uso metalingüístico de significante gráfico sería directo en textos escritos, y el de significante fónico lo sería en los orales.

1.2. *El metalenguaje lexicográfico*

1.2. Precisamente la distinción entre **uso metalingüístico de signo** y **uso metalingüístico de significado** parece recordarnos la distinción, ya antes aludida, propuesta hace años por J. Rey-Debove, y que ha sido en general aceptada en la lexicografía teórica posterior, a propósito de las definiciones lexicográficas[16], entre **primera metalengua** o, como prefiere llamarla M. Seco, **primer enunciado** o **metalengua de contenido**, y **segunda metalengua** o, según este último, **segundo enunciado** o **metalengua de signo**[17]. La distinción, sin embargo, no coincide exactamente con la nuestra, ya que, mientras nosotros con la expresión «uso metalingüístico de signo» nos referimos a la mención directa de la palabra (por ejemplo el correspondiente a las entradas del diccionario), los autores anteriores –y más concretamente M. Seco– llaman «metalengua de signo» a las indicaciones que, dentro o fuera de la definición,

[16] Cfr. J. Rey-Debove, «La définition lexicographique : bases d'une typologie formelle», *Travaux de Linguistique et de Littérature,* v/1 (1967), pág. 143.

[17] Cfr. M. Seco, «Problemas formales de la definición», en *Estudios de lexicografía española,* Paraninfo, Madrid, 1987, pág. 15 y ss.

atañen a aspectos que no tienen que ver con el significado; así, por ejemplo, en el caso de

> **Lleno, na** [...]. Dicho de personas, *un poco gordo*

que encontramos en el *DRAE*, el ***definiens*** estaría constituido, siguiendo a Rey-Debove y a M. Seco, por dos partes: una que pertenecería a la metalengua de signo o segunda metalengua y representada por lo que aparece en letra redonda, y otra, en cursiva, correspondiente a la metalengua de contenido. Así pues, tan solo nuestro «uso metalingüístico de significado» parece coincidir con la **primera metalengua**, **primer enunciado** o **metalengua de contenido** de los antedichos autores; pero esta apreciación tampoco es del todo exacta, porque –recordémoslo– nuestro «uso metalingüístico de significado» corresponde más bien a la palabra misma utilizada para representar su propio significado: en el ejemplo anterior sería, por tanto, 'lleno'; pero no este significado expresado mediante un sinónimo o definición, ya que en este caso no existiría el mismo tipo de reflexividad lingüística[18]. Como veremos más adelante, la distinción de Rey-Debove no apunta en realidad a distintas metalenguas, ni siquiera a diferentes usos metalingüísticos, sino a la utilización de la función metalingüística en diversos niveles o instancias del enunciado lexicográfico.

1.2.1. Desde luego, no cabe duda de que, en comparación con otros tipos de estudios sobre el lenguaje, es en los diccionarios donde la función metalingüística adquiere una particular complejidad e importancia. Para empezar, es evidente que un diccionario, por cuanto que constituye un estudio del léxico, representa, como cualquier otra obra sobre objeto lingüístico, una consideración del lenguaje por medio del lenguaje y, por lo tanto, responde claramente a la función metalingüística. Se trata de un estudio «reflexivo» en la medida en que el objeto de estudio se identifica con el instrumento empleado para dicho estudio, identificación que por cierto puede llevarse a efecto en tres estadios o niveles diferentes: en el concreto de la palabra, en el particular de la lengua o en el general del lenguaje. Pues bien, pertenecerán al primero las entradas, constituidas por palabras que se refieren a sí mismas,

[18] Solo secundariamente podría pensarse en un «uso metalinlingüístico», pero del sinónimo o definición, no del definido o entrada lexicográfica. Sobre esto volveremos luego (vide § 1.2.5).

esto es, en uso metalingüístico; en el segundo, por su parte, como ocurre en el diccionario monolingüe, objeto de estudio e instrumento se identifican por corresponder a la misma lengua, mientras que en el tercero –así en el diccionario bilingüe– se trata de sistemas lingüísticos diferentes, por lo que la reflexividad se produce en un nivel más general, en el del lenguaje.

1.2.1.1. Con frecuencia, por cierto, tiende a llamarse **metalengua** o **metalenguaje** exclusivamente al sistema que desempeña el papel de instrumento, lo cual es inexacto en dos sentidos:

a) Porque, después de lo que llevamos dicho, resulta absolutamente inapropiado hablar aquí de «metalengua», a no ser que dicho sistema instrumental viniera representado por un lenguaje artificial, inventado *ex profeso* para la descripción lexicográfica, lo que constituiría en todo caso un procedimiento posible, pero inhabitual en lexicografía, cuyas descripciones o explicaciones, por razones prácticas obvias, se vienen haciendo por medio de una lengua natural. En todo caso, lo que ofrece carácter metalingüístico no es, según ya quedó suficientemente aclarado, el sistema empleado como instrumento, sino el discurso creado a partir de él.

b) Pero hay que tener en cuenta, por otro lado, que no solo la lengua utilizada como instrumento da lugar a un discurso metalingüístico. Repetimos que también la que sirve de objeto de estudio pertenece al mismo tipo de discurso en la medida en que, como acabamos de observar, las entradas del diccionario están tomadas en él como representantes de sí mimas, esto es, como palabras o unidades léxicas en general.

1.2.1.2. En resumidas cuentas, todo esto nos lleva a afirmar que, al menos en principio, cada artículo lexicográfico –y en definitiva la totalidad del diccionario– no viene a ser más que un texto o discurso de carácter metalingüístico: lo que en él se contiene no es otra cosa que un conjunto de informaciones sobre diversos aspectos de las unidades lingüísticas que componen una lengua. La lengua objeto de estudio, representada en la macroestructura por todas las entradas, se halla mencionada, por lo que corresponde claramente a un «uso metalingüístico», y, por otro lado, las diversas informaciones, presentes en la microestructura y expresadas mediante la lengua instrumental, constituyen por su parte verdaderos enunciados metalingüísticos.

1.2.2. Alguna vez se ha dicho que un artículo lexicográfico no viene a ser otra cosa que una oración cuyo sujeto es la entrada, y el predicado o predicados, cada una de las informaciones registradas en dicho artículo[19], lo que equivaldría a decir que lo que aquí llamamos «enunciado metalingüístico» tendría una función sintáctica de predicado, frente a las unidades léxicas estudiadas, que precisamente por corresponder a «usos metalingüísticos» –están tomadas como ellas mismas–, funcionarían como sujetos de esa predicación. La afirmación podría aceptarse, aunque ello depende, lógicamente, de lo que se entienda por 'oración': se trataría de todas formas de una oración *sui generis*, dado que, por una parte, el sujeto se hallaría totalmente desligado del predicado, al constituir ambos unidades tonales independientes (separación gráficamente representada por un punto), y, por otro, no siempre el predicado constaría de un verbo concordado con dicho sujeto, verbo que, si bien sería fácilmente restituible en unos casos, no lo sería en cambio en otros; así, mientras en

> **Frío, a** [...]. Aplícase a los cuerpos cuya temperatura es muy inferior a la ordinaria del ambiente

la forma verbal *aplícase* está sin duda referida a la palabra *frío*, sintácticamente sujeto, no existe ningún verbo equivalente en

> **Excarcelable.** adj. Que puede ser excarcelado

donde nos encontramos con dos predicaciones: la primera representada por la marca de categorización «adj[etivo]», y la segunda por la definición; pero notemos que, si bien en el primer caso se podría pensar en un verbo elíptico de tipo atributivo (**excarcelable** [es] adjetivo), no sería posible postular tal elipsis en el segundo caso, pues una oración de relativo, como es ésta, no puede de hecho actuar como predicado nominal: sería inaceptable

> ***Excarcelable** es que puede ser excarcelado.

1.2.2.1. Más que de oración, a propósito del artículo lexicográfico, creemos que sería preferible hablar de un texto o enunciado

---

[19] Cfr. J. et Cl. Dubois, *Introduction à la lexiocgraphie : le dictionnaire*, Larousse, París, 1971, pág. 39; I. Ahumada, *Aspectos de lexicografía teórica*, Univ. de Granada, Granada, 1989, pág. 46.

metalingüístico especial constituido por dos elementos: un **componente temático**, representado por la entrada, junto a una serie de **componentes remáticos**, constituidos por cada una de las diversas informaciones contenidas en el artículo, informaciones que, evidentemente, no hay que identificar exclusivamente con las definiciones, sino con cualquier tipo de indicación acerca de la naturaleza, características, usos y funcionamiento de la entrada. No hay que olvidar, efectivamente, que un diccionario está estructurado de manera que el usuario a partir de la nomenclatura o conjunto de entradas, concebidas como información conocida, pueda informarse acerca de diversos aspectos que, presumiblemente, le puedan ser desconocidos y, por lo tanto, se entienden como información nueva. Un artículo lexicográfico en verdad no es más que un conjunto de respuestas a una serie de preguntas que el usuario del diccionario puede plantearse acerca de una misma unidad léxica, la que aparece como entrada[20]. Así pues, ésta no es otra cosa que el tema del artículo lexicográfico, cuyo cuerpo está a su vez integrado por toda una serie de enunciados lexicográficos, cada uno de los cuales representa un componente remático o informativo.

1.2.3. Así pues, son estos enunciados lexicográficos, sintácticamente explícitos, los que representan más propiamente el componente informativo del diccionario, y poseen además en principio carácter metalingüístico. Y decimos «en principio», porque, en la práctica lexicográfica tradicional y habitual, no todos los datos que de hecho aparecen en los artículos de un diccionario se refieren siempre a la entrada entendida como unidad lingüística. Así, en el siguiente ejemplo tomado del *DRAE*

> **Escarapela** [...] f. Divisa compuesta de cintas por lo general de varios colores, fruncidas o formando lazadas alrededor de un punto. *Como distintivo, se coloca en el sombrero, morrión, etc. Se usa también como adorno*

es evidente que lo que se coloca en el sombrero o se usa como adorno no es la palabra *escarapela*, sino el objeto designado por

[20] Debe notarse, sin embargo, que la propia entrada, como ya señalamos anteriormente, posee asimismo un cierto carácer remático, ya que su presencia en el diccionario informa al menos de su existencia en la lengua objeto de estudio y, por otro lado, puede ofrecer información sobre alguna de sus características formales, como su ortografía por ejemplo.

ella, y, por lo tanto, las explicaciones que aquí hemos puesto en cursiva no son en absoluto metalingüísticas, pues se hallan referidas al objeto representado por la palabra. Ahora bien, esto quiere decir que de los enunciados contenidos en un artículo lexicográfico no todos tienen carácter metalingüístico; unos lo tendrán y otros no, de manera que, si les llamamos **enunciados lexicográficos**, habrá que distinguir dos subtipos diferentes: **enunciados lexicográficos metalingüísticos**, los que se hallan referidos a la entrada entendida como unidad léxica, junto a los meramente **lingüísticos**, aquellos que, por el contrario, aluden al referente o realidad indicada por la palabra-entrada. Por consiguiente, en el ejemplo anterior lo indicado en cursiva corresponde, como puede verse, a dos enunciados meramente lingüísticos, y sólo lo que aparece en redonda corresponderá a un enunciado propiamente metalingüístico, aun cuando la definición en él expresada puede aludir tanto a la palabra-entrada como al objeto que actúa como referente de ella.

1.2.3.1. Y precisamente esta última observación nos sirve para enlazar con el planteamiento de una cuestión que, a propósito del carácter metalingüístico del discurso lexicográfico, parece fundamental: ¿Hasta qué punto las definiciones contenidas en los diccionarios son realmente definiciones de las palabras o más bien de las realidades representadas por ellas? Desde luego si nos fijamos en lo que ocurre en la práctica lexicográfica tradicional, fácilmente podremos constatar que en la formulación de definiciones se prescinde sistemáticamente de la distinción –tan fundamental hoy en la semántica moderna– entre **significado** y **designación**, no siendo por otro lado infrecuente la –sin duda más grave– confusión entre **signo** y **cosa**, tal como ocurre normalmente en el uso corriente de la lengua. Retomando el ejemplo anterior de *escarapela*, pueden fácilmente observarse todas esas confusiones: por una parte notemos que la entrada viene dada en tanto palabra, puesto que se halla clasificada como femenina, pero la definición propiamente dicha parece más bien referida a la realidad representada por la entrada, cosa que resulta del todo evidente al leer las explicaciones complementarias a que acabamos de referirnos. Ahora bien, siendo esto así, parece lógico pensar que tan solo se dará verdadera función metalingüística en las definiciones referidas a las palabras-entrada, en tanto que carecerán de esa función la definiciones enciclopédicas o referidas a las cosas, observación que por cierto parece contradecirse con lo que decíamos al final del párrafo anterior.

1.2.3.2. La contradicción es, sin embargo, tan solo aparente, ya que una cosa es el **enunciado definicional** y otra el **enunciado lexicográfico,** del que en realidad aquélla forma parte. Lo que queríamos decir antes es que un enunciado lexicográfico de carácter metalingüístico puede contener una definición que a su vez puede ser o no metalingüística. Y es precisamente a estos dos tipos de enunciado a los que sin duda apuntan J. Rey-Debove y M. Seco con la distinción, antes aludida, entre **primer enunciado** o **metalengua de contenido** por una parte, y **segundo enunciado** o **metalengua de signo** por otra; pero con la diferencia de que para nosotros no se trata de dos metalenguajes distintos, sino, simplemente, de dos instancias discursivas en que puede llevarse a cabo la función metalingüística. Un enunciado lexicográfico es metalingüístico por el mero hecho de estar referido a una palabra-entrada, de la que indica alguna característica; pero como cualquier enunciado de ese tipo puede a su vez estar constituido por elementos que, asimismo, pueden ser o no metalingüísticos desde algún punto de vista. Supongamos, por ejemplo, el enunciado, tomado del *Diccionario de autoridades,*

> **Apagar.** Metaphoricamente significa destruir y acabar con alguna cosa

cuyo carácter metalingüístico es evidente por tratarse de una predicación de la palabra *apagar*; pero notemos que, a su vez, los componentes *metafóricamente* y *significar* pertenecen al léxico metalingüístico del español (forman parte del metalenguaje de lengua), y, por otro lado, la definición, representada por el enunciado *destruir y acabar con alguna cosa,* por referirse al significado de *apagar,* posee asimismo función metalingüística. He aquí, pues, un enunciado definicional metalingüístico dentro de un enunciado lexicográfico, más amplio, con función a su vez metalingüística.

1.2.4. Esto supuesto, un enunciado lexicográfico que contenga una definición consiste en una estructura sintáctica representada por una oración cuyo verbo –junto a veces con algunos elementos que le rodean– sirve de enlace entre, por una parte, la entrada (sobreentendida cuando actúa como sujeto, o representada por un anafórico si desempeña otra función sintáctica) y, por otro lado, la definición o referente de la entrada. Así, partiendo del ejemplo anterior, tendremos el siguiente esquema:

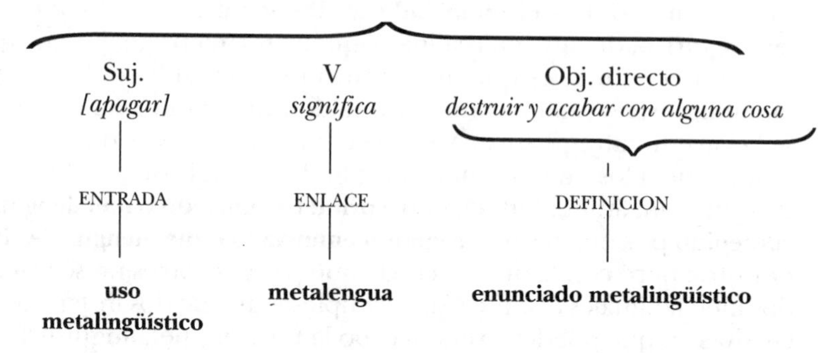

1.2.4.1. Un tipo a este respecto muy frecuente de enunciado lexicográfico en los diccionarios es por cierto el que comienza por expresiones como *dícese de, aplícase a,* que representan precisamente el enlace entre la palabra-entrada y el enunciado definicional, que en este caso actúa como complemento preposicional y carece, por otro lado, de función metalingüística por aludir al referente de la entrada y no a su significado. Considérense, entre los muchísimos ejemplos que podrían citarse, los siguientes:

> **Documental** [...]. *Dícese de* las películas cinematográficas o programas de televisión que representan, con propósito meramente informativo, hechos, escenas, experimentos, etc.

> **Dominante** [...]. *Aplícase a* la persona que quiere avasallar a otras, y a la que no sufre que se le opongan o la contradigan.

1.2.4.2. Por lo que se refiere al enlace, hay que observar que no siempre viene representado exclusivamente por un verbo, sino por toda una frase constituida por ese verbo y un conjunto de palabras incidentes con el mismo, entre las cuales puede estar incluso el sujeto de la oración, cuando éste no coincide con la entrada. Así, por ejemplo, en el siguiente enunciado tomado del *DRAE*

> **Doblón**[...]. *El vulgo llamó* así, *desde los Reyes Católicos,* al excelente mayor, que tenía el peso de dos castellanos o doblas.

la función de enlace corresponde al texto que transcribimos en cursiva, y la entrada está representada anafóricamente por *así*. Por otro lado, aunque frecuentemente dicho verbo corresponde al léxico metalingüístico, esto es, al metalenguaje de lengua –como ocurre en los ejemplos anteriores–, ello no siempre es así, sobre todo cuando el enunciado lexicográfico se expresa sintácticamente mediante una oración atributiva, en cuyo caso no aparece el verbo; la pertenencia al léxico metalingüístico corresponderá entonces al núcleo del predicado. Así, en este otro enunciado, tomado asimismo del *DRAE*,

> **Liceo** [...]. *Nombre de* ciertas sociedades literarias o de recreo.

el enunciado lexicográfico consiste en un predicado nominal referido al sujeto representado por la entrada, en el cual a su vez está integrado el enunciado definicional (en letra redonda) y el enlace (en cursiva), cuyo componente *nombre* pertenece a la metalengua.

1.2.4.3. No infrecuentemente un enunciado lexicográfico incluye otro enunciado lexicográfico, en el que a su vez se inserta la definición. Es lo que ocurre, por ejemplo, en

> **Anti-** [...] *pref. que significa* «opuesto» o «con propiedades contrarias»

consistente, en primer lugar, en una oración atributiva (**anti-** *es un prefijo....*), pero a su vez *significa «opuesto»*... constituye en realidad otro enunciado, referido sintácticamente mediante adjetivación relativa a *prefijo*, pero que en realidad podría aplicarse directamente a la entrada: **anti-** *significa «opuesto»*... Hay, por lo tanto, aquí un doble enlace, representado básicamente por las palabras de la metalengua *prefijo* y *significar*.

1.2.4.4. A lo dicho conviene añadir que, por regla general, el enlace puede tomarse además como marca del carácter metalingüístico o no metalingüístico del enunciado definicional. Lógicamente, si el enlace está constituido por el verbo *significar* u otro equivalente, es claro que la definición se refiere al contenido o significado de la entrada y, por lo tanto, tendrá carácter metalingüístico; pero no ocurrirá lo mismo cuando dicho verbo es *decir*, *aplicar*, *llamar* u otra expresión semejante, en cuyo caso la definición que aparece seguidamente aludirá, obviamente, al referente u objeto indicado por la entrada. Por esa razón el problema surge cuando, como es práctica habitual en la lexicografía moderna, el enunciado lexicográfico carece de enlace, como ocurre, por ejemplo, en estos enunciados:

> **Precio** [...] Valor pecuniario en que se estima una cosa
> **Estrato** [...] Nube que se presenta en forma de faja en el horizonte
> **Madre** [...] Hembra que ha parido

ya que, al coincidir el enunciado lexicográfico con el definicional, no sabremos a ciencia cierta si se trata de definiciones metalingüísticas, referidas al significado, o de definiciones de las cosas o referentes de la entrada. Todo dependerá de si el enlace sobreentendido viene dado por el verbo *significar* o, por el contrario, *llamar, denominar, decirse de*, etc.

1.2.5. Centrándonos ahora en el enunciado definicional referido al significado, cabe todavía hacer una última precisión acerca de su carácter metalingüístico. Como hemos observado, éste surge del hecho de tener como referente el significado de la palabra-entrada, esto es, el poner de manifiesto un aspecto plenamente lingüístico de aquélla. Pero notemos que, al mismo tiempo, dicho enunciado está representado a su vez por un signo cuyo significado lingüístico coincide con el de la entrada –es sinónimo de ella–, lo que quiere decir que se halla asimismo referido a su propio significado. Ahora bien, esto quiere decir que el enunciado definicional es doblemente metalingüístico, pues en primer lugar, como acabamos de observar, describe un aspecto lingüístico de la entrada, constituyendo así, como decimos, un verdadero enunciado metalingüístico, pero al mismo tiempo se halla de alguna manera referido a sí mismo, constituyendo, por tanto, lo que hemos denominado «uso metalingüístico de significado». Gráficamente, podemos representar esto de la siguiente manera:

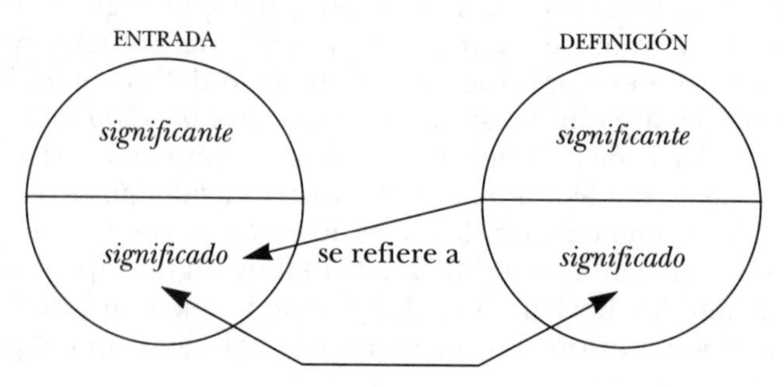

1.2.5.1. Para buscar un ejemplo sencillo, supongamos una definición de las llamadas sinonímicas, esto es, representada por una única palabra, como la siguiente, que tomamos también del *DRAE*:

Colorín[...]. Jilguero.

Parece evidente que no solo *colorín*, la entrada, está usada reflexivamente, esto es, como representante de sí misma, sino también la definición, *jilguero*, que al referirse en primera instancia al significado de la entrada, constituyendo así el único componente de un enunciado definicional, se está en realidad refiriendo también a sí mismo, ya que se trata de su propio significado. Ello hace posible que los términos puedan invertirse pasando a **definiendum** el **definiens** y a **definiens** el **definiendum** y se pueda hablar de equivalencia o sinonimia entre ellos:

Jilguero. Colorín.

En conclusión, pues, una definición de significado –o conceptual, como la llamaremos luego– puede considerarse, repetimos, doblemente metalingüística, al corresponder, por una parte, a un enunciado metalingüístico y, por otra, aunque secundariamente, a un uso metalingüístico de significado.

2. La marcación

2. Dentro del discurso lexicográfico, como elementos que constituyen enunciados especiales –y un metalenguaje también especial– debemos tener en cuenta las **marcas**, las cuales forman parte de un conjunto de indicaciones de tipo secundario, aunque no por ello de menor importancia, que acompañan a las definiciones en el artículo lexicográfico. Los usuarios del diccionario suelen prestarles en general poca atención, cuando no les resultan incómodas, porque al venir normalmente expresadas mediante abreviaturas u otros medios convencionales desconocen su verdadero significado y alcance. Es más: los propios lexicógrafos, autores del diccionario, las utilizan a veces sin demasiado rigor, lo que lleva a no pocas incoherencias e imprecisiones, desde luego muy poco deseables en una obra lexicográfica. Al menos esta es la impresión que se saca de los trabajos relativos a esta cuestión realizados hasta

el momento sobre la lexicografía española, referidos fundamentalmente a los diccionarios de la Academia, en especial al *DRAE*[21]. Naturalmente, aquí no nos vamos a ocupar de la utilización que de esas marcas hace un determinado diccionario o grupo de diccionarios, sino que pretendemos movernos en un terreno más bien general, esto es, más teórico e ideal si se quiere.

2.1. *Concepto de 'marca', su expresión y tipos*

2.1. Ha sido A. Fajardo[22] quien ha definido expresamente y con precisión los conceptos de 'marca' y 'marcación'. La **marcación**, según él, es «el recurso o procedimiento que se utiliza para señalar la particularidad de uso, de carácter no regular, que distingue a unos determinados elementos léxicos». Este recurso se lleva a cabo mediante las **marcas**, que «son –dice– las informaciones concretas sobre los muy diversos tipos de particularidades que restringen o condicionan el uso de las unidades léxicas», aunque nosotros preferimos partir de un concepto más amplio que incluya no solo rasgos restrictivos, sino de cualquier otro tipo, como por ejemplo la pertenencia a una determinada categoría y subcategoría gramatical o semántica. Su representación, por otro lado, consiste en una serie de expresiones, utilizadas a lo largo de toda la obra, constituidas casi siempre por frases estereotipadas, abreviaturas, signos especiales o ciertos recursos gráficos (por ejemplo, un tipo o tamaño de letra

[21] Nos referimos sobre todo a los trabajos de A. Salvador Rosa, «Las localizaciones geográficas en el *Diccionario de autoridades*», *Lingüística Española Actual*, 7 (1985), págs. 103-139; A. Fajardo, «La marcación técnica en la lexicografía española», *Revista de Filología* (Univ. de La Laguna), 13 (1994), págs. 131-143; Id., «Palabras anticuadas y palabras nuevas en el diccionario: problemas de marcación diacrónica en la lexicografía española», *Revista de Filología* (Univ. de La Laguna), 15 (1996), págs. 63-69; Id., «Las marcas lexicográficas: concepto y aplicación práctica en la lexicografía española», *Revista de Lexicografía*, III (1996-1997), págs. 31-57; C. Garriga, «La marca *vulgar* en el *DRAE*: de *Autoridades* a 1992», *Sintagma*, 6 (1994), págs. 5-13; Id., «Las marcas de uso: *despectivo* en el *DRAE*», *Revista de Lexicografía*, I (1994-1995), págs. 113-148; Id., «La marca de *irónico* en el *DRAE*: de *Autoridades* a 1992», en E. Forgas (coord.), *Léxico y diccionarios*, Universitat Rovira i Virgili, Tarragona, 1996, págs. 105-131; Id., «Diccionarios didácticos y marcas lexicográficas», en VV. AA., *Así son los diccionarios*, Universitat de Lleida, 1999, págs. 43-75; J. Gutiérrez Cuadrado, «Las marcas en los diccionarios para extranjeros», en P. Díez de Revenga y J. M. Jiménez Cano (eds.), *Estudios de Sociolingüística. Sincronía y diacronía*, DM, Murcia, 1996, págs. 95-106.

[22] Cfr. A. Fajardo, «Las marcas lexicográficas», ya citado, págs. 30-31.

especial), cuya misión es «marcar» o destacar una palabra o acepción frente a otras que, por no presentar ninguna característica especial o, por el contrario, la que se considera normal o general, aparecen en el diccionario como elementos «no marcados».

2.1.1. Esto supuesto, serán marcas indicaciones como «tr.» (transitivo), «amb.» (ambiguo), «fig.» (figurado), «vulg.» (vulgar), «fam.» (familiar), «poét.» (poético), «desus.» (desusado), «And.» (Andalucía), «neol.» (neologismo), etc., así como expresiones que generalmente forman parte del enunciado definicional tales como «entre cazadores», «en lenguaje administrativo», «por metonimia», «por extensión», «con referencia a lo inmaterial», «irónicamente» y tantas otras. Digamos, por tanto, que las **marcas** representan un tipo de indicaciones complementarias que atañen o bien a la palabra-entrada en su totalidad frente a otras entradas, o bien a una determinada acepción frente a otras acepciones dentro del mismo artículo lexicográfico. Se trata en definitiva, como queda dicho, de elementos indicadores de alguna característica relativa a la naturaleza, uso o valor de la palabra-entrada en su totalidad o en alguno de sus significados o usos en particular.

2.1.2. Todo esto nos lleva a distinguir diversos tipos de marcas, según el aspecto o perspectiva a que se refieran. Y así se habla, por ejemplo, de **marcas diacrónicas**, **diatópicas**, **técnicas**, **diafásicas**, **connotativas**, etc. Pero una clasificación, a nuestro modo de ver, más abarcadora sería la basada a la vez en criterios gramaticales, semánticos, diasistemáticos, de frecuencia y connotativos o pragmáticos, los cuales darían, lógicamente, lugar a otros tantos tipos de marcas. Hablaremos, pues, de **marcas gramaticales**, referentes a aspectos morfológicos y sintácticos, como *m.* (masculino), *tr.* (transitivo); **marcas de transición semántica**, referentes a las características del significado, tales como *fig.* (figurado), *por antonomasia, por extensión, particularmente*; **marcas diasistemáticas**, las más numerosas por hacer referencia tanto al aspecto temporal como local, social y de registro o estilo –así, *ant.* (anticuado), *Arag.* (Aragón), *vulg.* (vulgar), *poét.* (poético), etc.– y subdivididas, por lo tanto, en **diacrónicas**, **diatópicas**, **diastráticas** y **diafásicas**, y, por otro lado, **marcas connotativas**, **de valoración** o **actitud** como *irón.* (irónico), *peyorativamente, positivamente*, etc. A veces todos estos tipos de marcas vienen incluso diferenciados entre sí de alguna manera en el propio diccionario, que, según la clase, utiliza distintos tipos de letra; así, se tiende a utilizar la cursiva para las marcas gramaticales y la redonda o versalita para las demás, si bien es cierto que se encuentran a veces algunas incoherencias; así ocurre en los diccionarios de la Academia, en los que las marcas de categorización se indican en cursiva, excepto algunos casos como «n.» (nombre) y «v.» o «vb.» (verbo), que aparecen en redonda.

2.2. *Las marcas gramaticales*

2.2. Las marcas gramaticales corresponderán, por ejemplo, a la indicación de la categoría o subcategoría o, también, como se hace en algunos diccionarios, constituirán marcas gramaticales las empleadas para señalar el elemento que en las definiciones representa el objeto directo cuando el verbo definido pertenece a la clase de los transitivos: piénsese en el signo (↘) del *DUE* o en el uso de diferentes tipos de paréntesis en la definiciones del *Diccionario Salamanca*; asimismo podrían incluirse en esta clase de indicaciones expresiones abreviadas del tipo «ú. t. c. prnl.» junto con abreviaturas referentes a funciones gramaticales como «suj.», «cd» (complemento directo), «ci» (complemento indirecto), «dat.» (dativo), etc.

2.2.1. Respecto a la indicación de la categoría o subacategoría, alguna vez se ha puesto en duda su necesidad en el artículo lexicográfico toda vez que implica de alguna manera una cierta redundancia en relación con la definición, cuyo **definiens** habrá de presentar las mismas características categoriales que el definido; es decir, será un sustantivo o sintagma nominal si la palabra que se define es un sustantivo, o un verbo o sintagma verbal si esta última es un verbo, y así sucesivamente. Tal es por cierto la razón de que M. Moliner haya prescindido en su *DUE* de la indicación de la categoría, precisamente porque ésta sería en principio perfectamente deducible de las definiciones[23]; semejante proceder, sin embargo, creaba de hecho algunos problemas al usuario, lo que llevó a los responsables de la nueva versión de este diccionario a incluir de un modo expreso las marcas categoriales correspondientes. Hay que

[23] Cfr. M. Moliner, *Diccionario*, pág. XXIII.

tener en cuenta, efectivamente, que, aunque es un *desideratum* irrenunciable que el **definiens** coincida categorialmente con el definido, esta coincidencia puede no ser absolutamente transparente sobre todo en lo concerniente a los aspectos más concretos de la subcategorización: por ejemplo, de la definición de un verbo intransitivo no siempre es claramente deducible esta característica, y ni siquiera a veces tampoco lo es el carácter transitivo.

2.2.1.1. Las marcas gramaticales referentes a la categorización no se reducen, claro está, a la indicación de la mera categoría, sino que expresan también la subcategorización. Es decir, no basta con indicar que una palabra es verbo o sustantivo; es necesario señalar la subcategoría, esto es, su carácter *transitivo, intransitivo, pronominal* si es un verbo, o *masculino, femenino, ambiguo* si es un sustantivo. Y precisamente porque la subcategoría implica la categoría, como norma general, concretamente en los diccionarios que siguen el modelo del de la Real Academia, se utiliza exclusivamente la marca correspondiente a la primera, ahorrándose así por consiguiente la indicación de la categoría, de modo que, por ejemplo, para un verbo es suficiente con la marca *tr[ansitivo]* o *intr[ansitivo]*, o para un sustantivo con la clasificación como *m[asculino]* o *f[emenino]*. Hay diccionarios, sin embargo, como por ejemplo el *Clave*, que utilizan las dos marcas, de categorización y subcategorización, al mismo tiempo.

2.2.1.2. La indicación de la categoría y subcategoría en los diccionarios tiene, obviamente, ante todo por objeto la determinación del comportamiento gramatical, tanto en el aspecto paradigmático –por ejemplo, la flexión– como sintagmático –así,en el caso de los verbos, para determinar si han de llevar objeto directo–; pero, evidentemente, se echan de menos indicaciones que a este respecto podrían ser sin duda últiles. Por ejemplo, en el caso de los sustantivos faltan categorizaciones como *animado / no animado, humano / no humano, contable / no contable* (excepcionalmente esta última se registra, sin embargo, en el *Diccionario Salamanca*), y en el de los verbos sería también importante la marcación de sus correspondientes rasgos semántico-sintácticos relativos sobre todo al «modo de acción», tales como *perfectivo / imperfectivo, durativo / puntual, incoativo / cursivo / terminativo,* etc., toda vez que estas características –no siempre fácilmente deducibles de las definiciones– pueden condicionar, como es obvio, el comportamiento gramatical del verbo. Sería, en fin, conveniente revisar a fondo todo el sistema de marcas relativas a la categorización y subcategorización que se viene adoptando tradicionalmente, completándolo a ser posible con nuevas indicaciones como las que acabamos de mencionar.

2.2.2. Pero con ser sin duda las más importantes, las marcas relativas a categorías y subcategorías no son, evidentemente, las únicas de carácter gramatical que pueden aparecer en una obra lexicográfica. Algunos diccionarios utilizan también un sistema de convenciones para informar acerca de aspectos tan importantes como, por ejemplo, el contorno definicional, esto es, el contexto semántico-sintáctico en que ha de aparecer el definido, junto a veces con las funciones que ciertos elementos del contorno han de desempeñar en su construcción con el definido. Nos referimos, claro está, al caso ya citado de la flechita indicadora del complemento directo utilizada en el *DUE* de M. Moliner, al empleo de corchetes adoptado en el *DEA*, o al sistema de paréntesis usado por el *Diccionario Salamanca*, semejante a otro que proponíamos nosotros en 1997[24] y que expondremos más adelante en el Cap. 9 (§ 2.3.2.3.1).

2.3. *Marcas de transición semántica*

2.3. Por **marcas de transición semántica** entendemos las indicadoras de la modificación o desplazamiento semántico que un significado de la palabra-entrada puede suponer en relación con otro dentro del artículo lexicográfico correspondiente. Aunque esa modificación puede obedecer, como es sabido, a múltiples fenómenos semánticos (metáfora, metonimia, generalización, etimología popular, etc.), raras veces los diccionarios especifican el fenómeno, reduciéndose casi exclusivamente a una sola marca, la de «fig.», que se coloca normalmente delante de la definición correspondiente, frente a la acepción o acepciones no marcadas, que se supone representan significados rectos y, por lo tanto, genética-

---

[24] Cfr. J. A. Porto Dapena, «Algunas observaciones sobre el contorno de la definición lexicográfica», en M. Almeida y J. Dorta, *Contribuciones al etudio de la lingüística hispánica. Homenaje al prof. R. Trujillo*, II, Montesino, Sta. Cruz de Tenerife, 1997, pág. 222.

mente anteriores. La calificación de *figurado* abarca en realidad los significados consistentes en tropos, sobre todo en metáforas, que representan tal vez el tipo de desplazamiento semántico más frecuente; por eso los diccionarios suelen utilizar a su lado otras indicaciones a modo de marcas como «por extensión», «en particular» o «particularmente», «por antonomasia» o «por excelencia», que aparecen en este caso formando parte del enunciado definicional, y sirven, como puede verse, para expresar otros tipos de desplazamiento semántico.

2.3.1. La utilización de la marca «fig.», como muy bien hace notar R. González Pérez[25], plantea evidentes problemas: de tipo teórico unos, dadas las dificultades de distinguir objetiva y científicamente, según ha hecho notar R. Trujillo[26], entre lo figurado o traslaticio y lo recto, junto a otros de tipo práctico, que son, naturalmente, los que aquí nos interesa poner de relieve.

2.3.1.1. Para empezar, la marcación de transición semántica no se justifica en un diccionario de uso, ya que su utilización implica una visión evolutiva, esto es, diacrónica que, evidentemente, choca con el carácter sincrónico de ese tipo de obra lexicográfica. Así pues, la reiterada presencia de la marca «fig.» en la inmensa mayoría de los diccionarios sobre el español actual, con el *DRAE* a la cabeza, no obedece, a nuestro juicio, más que a la práctica tradicional –revitalizada con el historicismo lingüístico del siglo XIX– de querer ver la sincronía como resultado de una evolución previa. Hoy, sin embargo, diccionarios importantes sobre el español de nuestros días, como el *DUE* de M. Moliner en su segunda edición junto con el, todavía más reciente, *DEA* de M. Seco, renuncian con muy buen criterio a la utilización de semejante marcación.

2.3.1.2. Pero en esta decisión sin duda habrán influido asimismo otras razones de tipo práctico, que con frecuencia llevan a los diccionarios que utilizan esta marcación a caer en algunas incoherencias como, por ejemplo, a no marcar como tales significados claramente figurados o, por el contrario, a utilizar la marcación en

---

[25] Cfr. R. González Pérez, «La marca figurado en los diccionarios de uso», *Revista de Lexicografía*, VII (2000-2001), págs. 77-89.

[26] Cfr. R. Trujillo, *Principios de semántica textual*, Arco/Libros, Madrid, 1996, pág. 72 y ss.

casos en que el hablante no percibe –sea por olvido o pérdida del significado recto correspondiente– ese contenido traslaticio. Es lo que ocurre, por ejemplo, en estos casos tomados del *DRAE*:

> **Enarbolar** [...] 3. Enfadarse, enfurecerse.
> **Enano** [...] adj. fig. Diminuto en su especie.

Donde la marcación debería ser justamente la contraria, como de hecho así ocurre en otros diccionarios; por ejemplo, en el *Diccionario de uso* de SGEL.

2.3.1.3. Como es lógico, una acepción nunca podrá tacharse de figurada si a su lado, en el mismo artículo lexicográfico, no aparece la correspondiente acepción no figurada, la cual, obviamente, siguiendo una ordenación genética, deberá aparecer inmediatamente antes. Esto es perfectamente posible en un diccionario histórico, donde además esa evolución semántica puede demostrarse históricamente; pero no siempre lo es en un diccionario sincrónico, ya que puede ocurrir que la acepción recta haya desaparecido del uso de la lengua o, incluso, que no sepamos en realidad cuál de las dos es la originaria. El criterio seguido por el *DRAE* y en general por todos los diccionarios de tipo sincrónico que utilizan esta marcación consiste en utilizarla solo en la microestructura, esto es, dentro del mismo artículo lexicográfico cuando en éste contrastan usos rectos y figurados. Por eso en el caso frecuente de una palabra derivada de otra en una acepción figurada tal palabra no será considerada paralelamente como figurada en su correspondiente artículo, como es el caso de

> **Embotellamiento** [...] 2. Congregación de vehículos,

acepción paralela a la de

> **Embotellar** [...] fig. Entorpecerse el tráfico por un exceso de vehículos

del que, evidementemente, deriva. Asimismo, por otro lado, dejará de considerarse figurada una acepción si la palabra correspondiente no conserva el significado del que dicha acepción sería modificación: en la lengua hay, efectivamente, multitud de metáforas muertas, que hoy, evidentemente, no se sienten como tales –pensemos en *músculo* (< lat. MUSCULUM 'ratoncito'), *comadreja* 'animal' (< *comadre*), *urticaria* (<lat. URTICA 'ortiga') y tantas otras– y, por lo tanto, no tendría sentido registrarlas como figuradas en un diccionario del uso actual. Esto supuesto, la marcación como figurado ha de verse siempre como algo relativo en la medida en que toda acepción traslaticia implica la existencia de otra tomada como recta, de modo que si ésta desaparece o deja de estar presente en la conciencia del hablante, desaparecerá asimismo el carácter figurado de aquélla.

2.3.2. Pero esto mismo es aplicable a otros casos de desplazamiento semántico, como, por ejemplo, los debidos a generalización y especialización, que, como hemos dicho, en los diccionarios no suelen indicarse mediante una marca propiamente dicha, sino en el propio enunciado definicional con expresiones como «por ext(ensión)» y «particularmente», «en particular» o «por antonom(asia)»; así, por ejemplo,

> **Despanzurrar** [...] Romper a alguien la panza. || 2. Por ext., reventar una cosa que está rellena, esparciendo el relleno por fuera.

> **Buda** [...] Título genérico que se da en el pensamiento budista a la persona que ha alcanzado la sabiduría y el conocimiento perfecto. || 2. Por antonom., el fundador del budismo.

donde, como puede verse, el significado extendido aparece junto al restringido, genéticamente anterior, y viceversa, cuando éste es el resultado del desplazamiento.

2.4. *Las marcas diasistemáticas*

2.4. Pasando ahora a las **marcas diasistemáticas**, digamos ante todo que presentan un alto grado de complejidad dado que –recordemos– se refieren a las distintas variedades de la lengua en todos sus aspectos y dimensiones. Entre ellas cabe citar las, a nuestro juicio, mal denominadas **marcas diacrónicas**, que sería preferible llamar simplemente **temporales**, puesto que su misión no es tanto asignar la palabra a una variedad diacrónica como indicar su grado de uso en el momento actual en relación o no con su antigüedad; por otra parte las **diatópicas**, las más numerosas, junto con las **diastráticas** –entre las que por cierto podemos incluir las **técnicas** y **de especia-**

lidad en general–, y, finalmente, las **diafásicas**, no siempre fáciles de distinguir entre sí y frente a las diastráticas, circunstancia por cierto observable en los diccionarios al uso, donde con frecuencia no es fácil ver la diferencia entre términos como *coloquial, familiar, informal* y *vulgar* por un lado, o *elevado, formal, culto* por otro.

2.4.1. A confusionismo arrastran también las **marcas diacrónicas** o **temporales**, dado que implican una mezcla de criterios o perspectivas temporales distintas, pues por una parte aluden a la edad o antigüedad de un vocablo (así, «ant.» = anticuado, y «neolog.» = neologismo) y, por otra, a su grado de frecuencia o vigencia en relación con el momento actual (por ejemplo, «p. usado» = poco usado, e «inus.» = inusitado). Por otro lado notemos que ambas perspecticas resultan a veces inseparables, como ocurre, por ejemplo, en el caso del arcaísmo, que, según el propio *DRAE*, es un «elemento lingüístico cuya forma o significado, o ambos a la vez, resultan anticuados en relación con un momento determinado», siendo por su parte *anticuado*, de acuerdo con el mismo diccionario, lo «que está en desuso desde hace tiempo»; es decir, que todo arcaísmo o palabra anticuada supone un uso poco o nada frecuente, aun cuando, como muy bien observa A. Fajardo, el bajo grado de uso puede afectar también a tecnicismos y palabras de reciente creación.

2.4.1.1. En principio, en una gran parte de diccionarios, entre los que destaca el *DRAE*, podríamos señalar un sistema de **marcas temporales** que se distribuirían así:

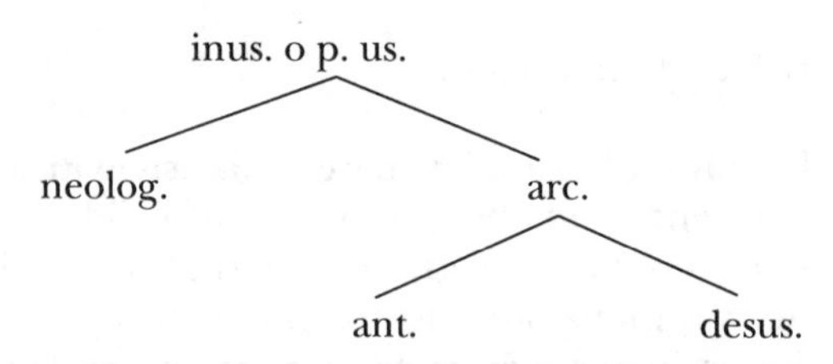

donde «inus.» = inusitado, con el mismo significado que «p. us.» = poco usado y «raro», empleado en otras ocasiones; «neolog.» = neologismo, «arc.» = arcaísmo, «ant.» = anticuado o antiguo (utilizado para las palabras o acepciones de palabra cuyo uso se pierde antes del siglo XV), y «desus.» = desusado, empleado para vocablos caídos en desuso a partir del siglo XV. Conviene notar, sin embargo, que de hecho no siempre los diccionarios utilizan esta marcación con la precisión aquí descrita: la propia Academia no es a veces absolutamente coherente en la utilización concreta de estas marcas[27], atribuyéndole además un contenido más específico a la marca «p.us.», referida a palabras caídas en desuso a partir del siglo XVII.

2.4.1.2. Desde luego no siempre se adopta este sistema al cien por cien, sustituyéndose a veces estas marcas por otras diferentes, como puede ser, por ejemplo, el distinto tipo o tamaño de letra; así, el *DUE* de M. Moliner –en su primera edición– utiliza un tipo de letra más pequeño en el caso de artículos correspondientes a palabras anticuadas y, siendo tan solo una acepción la caída en desuso, ésta aparece en letra cursiva. A todo esto añadamos que en los diccionarios aparece a veces otra marca, representada por la abreviatura «hist.», que hace también alusión a la antigüedad, pero en este caso no del vocablo propiamente dicho, sino de su referente; así, por ejemplo, leemos en el *DEA*:

> **Arcabuz** *m* (*hist*) Arma de fuego propia de los ss. XVI y XVII, semejante al fusil y que se dispara con mecha.

Los mismos efectos de notación se consiguen en este caso sin una marca específica, mediante el uso del pretérito en el verbo de la definición o por otros medios como la calificación de «antiguo» o una expresión temporal («en la antigüedad», «entre los romanos», «en la Edad Media»).

2.4.2. En cuanto a la localización geográfica, existen, sobre todo en la lexicografía española por corresponder a una lengua con una gran difusión, multitud de marcas. Es sin duda a este respecto el *Diccionario* de la Real Academia (*DRAE*) el que ofrece una mayor riqueza de indicaciones locales, que pueden representarse, de acuerdo con lo expuesto en el CD-ROM de esta obra, en el siguiente esquema (la marca utilizada aparece entre comillas cuando es una abreviatura; en caso contrario se entiende que se usa el nombre completo):

---

[27] Cfr. L. Barrio Estébez y S. Torner Castells, «La información diacrónica en el *Diccionario de la lengua española* de la Real Academia (vigésima primera edición)», *Revista de Lexicografía*, I (1994-1995), pág. 29-54.

España («Esp.»)
- Andalucía («And.»)
  - -generales (baja, oriental, algunas partes)
  - -Almería («Alm.»)
  - -Cádiz («Cád.», Jerez)
  - -Córdoba («Córd.»)
  - -Granada («Gran.», Sierra Morena)
  - -Huelva
  - -Jaén
  - -Málaga («Mál.»)
  - -Sevilla («Sev.»)
- Asturias («Ast.»)
- Aragón («Ar.», Alto Aragón, Pirineo Aragonés, algunas partes)
  - -Huesca
  - -Teruel («Ter.»)
  - -Zaragoza («Zar.»)
- Baleares
  - -Mallorca
- Canarias («Can.»)
  - -Gran Canaria
- Cantabria
  - -Santander
- Castillas
  - -generales («Cast.», Castilla la Vieja, algunas partes)
  - -Albacete («Albac.»)
  - -Ávila («Áv.»)
  - -Burgos («Burg.», N. de Burg.»)
  - -Ciudad Real («C. Real», Almadén)
  - -Cuenca («Cuen.»)
  - -Guadalajara («Guad.»)
  - -León
  - -Madrid
  - -Palencia («Pal.»)
  - -Salamanca («Sal.»)
  - -Segovia («Seg.»)
  - -Soria («Sor.»)
  - -Toledo (»Tol.»)
  - -Valladolid («Vall.»)
  - -Zamora («Zam.»)
  - -Comarcas (Alcarria, Mancha, Tierra de Campos)
- Cataluña («Cat.», Pirineo catalán)
  - -Barcelona («Barc.»)
  - -Gerona
- Extremadura («Extr.»)

-Badajoz («Bad.»)
-Cáceres («Các.»)
- Galicia («Gal.»)
-Pontevedra
- Levante («Lev.»)
-Alicante («Alic.»)
-Castellón
-Murcia («Murc.»)
-Valencia («Val.»)
- Navarra («Nav.»)
- País Vasco («P. Vasco»)
-Álava («Ál.»)
-Guipúzcoa («Guip.»)
-Vizcaya («Viz.», Bilbao)
- Rioja
-Logroño («Logr.)
- Otros (Norte, Noroeste, «Occ. Pen.», «Or. Pen.», provincias montañesas, Sudeste, algunas partes)
-Andorra

América («Amér.»)
- generales (algunas partes, muchos países)
- Méjico («Méj.»)
- América Central
-Costa Rica («C. Rica»)
-Guatemala («Guat.»)
-El Salvador («El Salv.»)
-Honduras («Hond.»)
-Nicaragua («Nicar.»)
-Panamá («Pan.»)
-Caribe (Antillas =»Ant.»), Cuba, «P.Rico», «Sto.Dom.»)
- América del Sur («Amér. del Sur» o «América Meridional»)
-Andes
-Central y meridional
-Chaco
-Tropical
- Argentina («Argent.», Este, Noroeste, Nordeste, Noroeste, Oeste, Cuyo, Misiones, «R. Plata»)
-Bolivia («Bol.», Este, Oriente, Sur)
-Colombia («Col.»)
-Chile
-Ecuador («Ecuad.», Guayaquil = «Guay.»)
-Paraguay («Par.»)
-Perú

-Uruguay («Urug.», «R. Plata»)
-Venezuela («Venez.», Andes venezolanos)

África
- Guinea Ecuatorial («Guin. Ecuat.»)
- Marruecos

Asia
- Filipinas («Filip.»)

Con ser tan amplia esta lista de indicaciones, ofrece, sin embargo, algunas deficiencias ante todo por la ausencia de algunas zonas tanto peninsulares (por ejemplo, faltan tres provincias gallegas) como de América, que aparece muy diversificada en unos países, pero no en otros (por ejemplo, Méjico y Colombia). Otro problema es el representado por la oportunidad en la utilización misma de estas marcas o indicaciones, cuestión, evidentemente, en la que aquí no vamos a entrar.

2.4.3. En cuanto a las **marcas diastráticas** y **diafásicas**, esto es, referentes a sociolectos y estilos o registros de la lengua, lo primero que hay que decir es que ha existido siempre un enorme confusionismo en torno a estos dos aspectos lingüísticos, cosa que claramente se manifiesta en la lexicografía tradicional, donde conviven marcas como «pop.» (popular), «vulg.» (vulgar), «fam.» (familiar) junto a «poét.» (poético), «lit.» (literario), «formal», «solemne», «elevado», etc. En realidad habría que distinguir claramente lo diastrático, representado por los distintos niveles de lengua (*estándar* y *subestándar,* o también *culto* y *vulgar* o *popular,* por ejemplo), frente a lo que no son más que registros o variantes diafásicas, representadas por las variedades lingüísticas determinadas por la situación del discurso, a las que corresponderían denominciones como *familiar* o *coloquial* junto a *formal* e *informal, solemne,* etc. Y quizás sería necesario añadir nuevos aspectos y distinciones que todavía hoy nadie se ha preocupado de establecer... Los diccionarios, por lo demás, no suelen definir con claridad lo que ha de entenderse por cada uno de estos términos, cuyas correspondientes marcas no siempre se emplean con el rigor y precisión que cabría esperar: la subjetividad del lexicógrafo suele jugar en este caso un papel particularmente importante.

2.4.3.1. Entre las marcas diastráticas quizás conviene exceptuar de este confusionismo las denominadas **marcas de especialidad** por referirse a lenguas especiales referentes a las diversas ciencias o técnicas –de ahí también su nombre de **marcas técnicas**– y que quizás sería más adecuado llamar **marcas terminológicas**, puesto que su misión no es otra que la indicación de la pertenencia de una palabra a una determinada terminología o nomencaltura en general. Corresponden a este tipo de marcas abreviaturas como «Álg.» (*Álgebra*), «Fís.» (*Física*), «Cinem.» (*Cinematografía*), «Cosmogr.» (*Cosmografía*), «Zool.» (*Zoología*), «Obst.» (*Obstetricia*), etc. El número es, obviamente, muy amplio, dándose incluso a veces una jerarquización, desde la más general o abstracta, como pueden ser, por ejemplo, «tecn.» (*tecnicismo*), «cient.» (*científico*), hasta la indicación de una ciencia o disciplina concreta, sin que, por otro lado, los diccionarios que utilizan ambos tipos de marcación muestren un criterio claro a la hora de elegir una u otra posibilidad[28].

2.4.3.2. En la utilización de este tipo de marcación, por otro lado, hay que estar en guardia para no confundir lo estrictamente lingüístico con lo terminológico, confusión que de hecho a veces se produce en los diccionarios, cuando, por ejemplo, un mismo vocablo pertenece al léxico corriente y a una terminología. Una cosa, efectivamente, es el valor que una palabra puede tener en la lengua y otra el que le corresponde como componente de un conjunto terminológico. Así, por ejemplo, *robo* y *hurto*, aunque no son estrictamente sinónimos –*hurto* es un robo de poca importancia y, por lo tanto, es más bien hipónimo de *robo*– funcionan normalmente como tales en español, esto es, se neutralizan; como términos jurídicos, en cambio, presentan, como es bien sabido, una relación equipolente y, por supuesto, no admiten neutralización alguna: entre otras diferencias, *robo* implica violencia, y *hurto* no. Como los diccionarios están hechos normalmente por lingüistas, la confusión a este respecto es frecuente en términos que comparte la lingüística con el lenguaje corriente, y así es fácil, por ejemplo, definir *letra* exclusivamente como signo de la escritura, esto es, terminológicamente, cuando la realidad es que en el uso corriente esta palabra significa asimismo soni-

---

[28] Cfr. A. Fajardo, art. cit., pág. 44.

do lingüístico. Pero el problema de la marcación técnica no estriba solo en la diferenciación de acepciones correspondientes a una misma palabra, sino también en la delimitación del vocabulario estrictamente terminológico frente al no terminológico entre palabras referentes a un mismo campo o aspecto de la realidad. Es en este punto donde los diccionarios ofrecen quizá mayores discrepancias; así, ¿por qué *mamífero* no lleva la marca «Zool.» en el *DEA* y sí, en cambio en el *DRAE*, donde, sin embargo, no la llevan *animal* ni *mono* o *vaca*? ¿Por qué *flauta* es para el *Diccionario* de Alcalá un término musical y, sin embargo, en otros diccionarios aparece sin la correspondiente marcación? Realmente la delimitación no es fácil y los criterios de separación no siempre resultan claros en los diccionarios.

2.4.4. Y ya para finalizar, vamos a referirnos a las **marcas connotativas**, correspondientes a aquellas indicaciones que aluden, entre otras cosas, a una valoración o actitud por parte del hablante cuando utiliza la palabra en cuestión. Es precisamente esta actitud la que lleva a hablar, por ejemplo, de palabras despectivas, irónicas, humorísticas, tabúes, eufemísticas, insultantes, malsonantes, etc. Aunque los diccionarios abundan en informaciones acerca de este aspecto, que por cierto no siempre se registran en forma de marcas, sino mediante explicaciones suplementarias o indicaciones dentro de la propia definición, tales informaciones resultan a pesar de todo escasas y, desde luego, se dista todavía mucho de la existencia de un sistema coherente y exhaustivo sobre el particular. En realidad las marcas utilizadas se reducen casi exclusivamente a las de «desp.» o «despect.» (despectivo), «peyor.» (peyorativo), «fest.» (festivo), «irón.» (irónico) y «vulg.» (vulgar), la última de las cuales resulta ambigua, dado que, como ya hemos visto, se utiliza también para indicar un nivel diastrático.

2.4.4.1. La indicación de *vulgar* es definida en las páginas preliminares del *DEA* como «palabra malsonante o de mal gusto que no debe emitirse ante personas de cierto respeto»[29]; se entiende, pues, como marca connotativa. También el *DRAE* la utiliza con este mismo valor al colocarla en palabras como *acojonar, maricón, mierda, polla, putada,* etc., aunque a veces prefiere indicar esta característi-

[29] Véase pág. XXVII.

ca mediante una explicación suplementaria[30]; sin embargo se refiere al correspondiente nivel diastrático cuando utiliza esa misma marca para *agora, aguacil, esparramar, fantesioso, melecina* y tantos otros vocablos. Esto supuesto, en lugar de «vulg.», sería preferible utilizar una marca diferente para indicar el carácter malsonante, y aun en este caso sería tal vez conveniente hacer toda una serie de matizaciones, puesto que entre las expresiones malsonantes habría que distinguir, por ejemplo, las que serían ofensivas para el oyente –y por tanto clasificables como insultos– o para Dios y las cosas sagradas (blasfemias), las palabras utilizadas como tacos o consideradas como obscenas, etc. Las posibilidades son enormes y, desde luego, poco explotadas en los diccionarios, aun en los específicos sobre este tipo de vocabulario.

2.4.4.2. De las marcas connotativas, «desp.» o «despect.» representa, según los recuentos hechos por C. Garriga[31] en el *DRAE*, la más utilizada en este diccionario y quizás, por ende, cabe pensar que en toda la lexicografía española. Su utilización se adopta sobre todo en palabras derivadas del tipo *bicharraco, americanada, latinajo, villorrio,* etc., por lo que podría decirse que tiene una motivación morfológica. A continuación se encuentra la marca «irón.», también estudiada por Garriga[32], quien obseva que se trata de una indicación que corresponde más bien a expresiones que a palabras en sí, cosa lógica teniendo en cuenta que un vocablo no adquiere sentido irónico si no se sitúa dentro de un contexto más amplio. Es conveniente señalar, por otro lado, que los diccionarios, al marcar como irónicas ciertas palabras o expresiones –sobre todo si admiten la interpretación contraria o «recta»– no suelen concretar en qué consiste la ironía, confiando su identificación a la pura intuición del usuario.

---

[30] Así en

> **Coño** [...] Parte externa del aparato genital de la hembra. Es voz malsonante.

[31] Cfr. C. Garriga, «Las marcas de uso: *despectivo* en el *DRAE*», ya citado, pág. 118.

[32] Cfr. C. Garriga, «La marca *irónico* en el *DRAE*: de *Autoridades* a 1992», también ya citado en nota 21.

8
LA DEFINICIÓN LEXICOGRÁFICA

0.1. De todas las actividades del lexicógrafo la más difícil y a la vez más comprometida es sin duda la definición, la cual pese a ser el punto que siempre ha despertado mayor interés entre los estudiosos de la lexicografía teórica o metalexicografía[1], sigue constituyendo el principal escollo dentro de la redacción lexicográfica y,

---

[1] Entre los múltiples trabajos dedicados al tema, pueden citarse I. Ahumada Lara, *Aspectos de lexicografía teórica*, Univ. de Granada, 1989, pág. 134 y ss.; I. Bosque, «Sobre la teoría de la definición lexicográfica», *REL*, 9 (1979), págs. 219-220; G. Gorcy, *Typologie des définitions*, Trésor de la Langue Française, Nancy, 1972; P. Hanks, «To what extent does a dictionary definition define?», en R.R.K. Hartmann (ed.), *Dictionaries and their users. Papers from the 1978 B.A.A.L. Seminar on Lexicography* (ITL, 45-46), 1979, págs. 32-38; I. Iordan, «Principes de définition dans les dictionnaires unilingues», en *Mélanges linguistiques publiés à l'occasion du VIIIe Congrés International des Linguistes à Oslo, du 5 à 9 août 1957*, Bucarest, 1957, págs. 223-234; T. Knudsen, y A. Sommerfelt, «Principles of Unilingual Dictionary Definitions», en *Proceedings*, 1957, págs. 92-115; S. Marcus, «Définitions logiques et définitions lexicographiques», *Langages*, 19 (1970), págs. 87-91; R. Martin, «Syntaxe de la définition lexicographique. Etude quantitative des definissants dans le Dictionnaire fondamentale de la langue française», en *Statistique et linguistique* (coloquio de la Univ. de Metz, 1973), París, 1974, págs. 61-71; Id., «Essai d'une typologie des définitions verbales dans le dictionnaire de langue», *TraLiLi*, XV (1977), págs. 361-378; H. Mederos, «A propósito de la definición lexicográfica», en *Aspectos de Lexicografía contemporánea*, Biblograf, Barcelona, 1994, págs. 95-106; J. A. Porto Dapena, *Elementos de lexicografía. El* Diccionario de construcción y régimen *de R. J. Cuervo*, Instituto Caro y Cuervo, Bogotá, 1980, pág. 298 y ss.; B. Pottier, «La définition sémantique dans les dictionnaires», *TraLiLi*, III (1965), págs. 33-39; A. Rey, «À propos de la définition lexicographique», *Cahiers de Lexicologie*, 6 (1965), págs. 67-80; J. Rey-Debove, «La définition lexicographique: recherches sur l'equation sémique», *Cahiers de Lexicologie*, 8 (1966), págs. 71-94; Id., «La définition lexicographique: base d'une typologie formelle», *TraLiLi*, 5 (1967), págs. 141-159; Id., «La définition comme interpretant», exposé au Cercle de Sémiotique de Paris, 10 janvier 1970; H. Rickert, *Teoría de la definición*, Méjico, 1888; R. Robinson, *Definition*, Oxford, 1950; A. Rosetti, «Sur la définition du mot», *Acta Linguistica*, 4 (1974), pág. 51; M. Seco, «Problemas formales de la definición lexicográfica», en *Estudios ofrecidos a E. Alarcos Llorach*, II, Univ. de Oviedo, Oviedo, 1978, págs. 217-239 (también en *Estudios de lexicografía española*, págs. 15-34); Id., «La definición lexicográfica

al mismo tiempo, el punto sobre el que se han venido centrando en buena medida las críticas dirigidas al diccionario monolingüe tradicional. La verdad es que, en general, debemos reconocer que las definiciones de los diccionarios suelen tomarse poco en serio tanto por parte de los usuarios, que con demasiada frecuencia tienen que enfrentarse a imprecisiones, circularidades y pistas perdidas, como de los propios lexicógrafos, que, para no comprometerse demasiado, se defienden señalando el carácter meramente aproximativo –vale decir inexacto– de sus definiciones, característica que justifican a la vez amparándose en las metas exclusivamente prácticas que busca el diccionario, como si lo práctico estuviera reñido con el rigor científico.

0.2. Los mismos autores de diccionarios no creen muchas veces en la posibilidad de llegar a un sistema de definiciones científicamente controlables y sin caer en circularidades, que ellos consideran inevitables[2]. Piensan, por cierto, que todo diccionario monolingüe, precisamente por valerse de definiciones formuladas en la misma lengua de los definidos, no viene a ser en realidad otra cosa que un gran círculo vicioso, una pescadilla que, al final, no tiene más remedio que morderse la cola. Nosotros, sin embargo, no somos tan pesimistas, pues independientemente de que podría inventarse un lenguaje formalizado para realizar las definiciones del diccionario, lo cual, aunque poco útil en la práctica, contribuiría a solucionar plenamente los problemas planteados, defendemos el carácter no necesariamente circular de las definiciones metalingüísticas de un diccionario precisamente porque éstas se hallan, como ya hemos apuntado en el capítulo anterior, formuladas en dos niveles metalingüísticos diferentes, circunstancia que permite romper esa cir-

subjetiva: el Diccionario de Domínguez», en *Serta Philologica F. Lázaro Carreter*, I, Cátedra, Madrid, 1983, págs. 587-596 (también en *Estudios de lexicografía española*, págs. 165-177); H. Seiler, «On defining the word», en *Proceedings of the Ninth International Congress of Linguistics Cambidge, Mass., August 27-31, 1962,* Mouton, La Haya, 1962; U. Weinreich, «Lexicographic definition in descriptive semantics», en *Problems on Lexicography*, 1962, págs. 25-44; en trad. francesa, «La définition lexicographique dans la sémantique descriptive», *Langages*, 19 (1973), págs. 69-86; R. Werner, «La definición lexicográfica», en Haensch, *La lexicografía*, 1982, págs. 257-328; Id., «Semasiologische und enzyclopädische Definition im Wörterbuch», en *Theoretische*, 1984, págs. 382-407.

[2] Cfr. R. Martin, «Essai d'une typologie des définitions verbales» , ya citado, pág. 30.

cularidad que, efectivamente, sería inevitable si se utilizara un solo nivel metalingüístico, el del contenido.

1. Aspectos generales

1. Para empezar, conviene observar que toda definición lexicográfica ha de presentar unas características especiales derivadas tanto de su estructura formal como de los principios o condicionamientos por los que se rige. Con esto queremos decir que no siempre las definiciones concretas que aparecen en los diccionarios son adecuadas y correctas, precisamente porque de un modo u otro pueden no cumplir de hecho esas condiciones de corrección. Pero, por otro lado, también hemos de tener en cuenta que no siempre deben considerarse como no válidas definiciones tachadas a veces de incorrectas al no cumplir ciertos requisitos sin duda demasiado exigentes. En realidad lo que ante todo se necesitaría es ponernos de acuerdo en dos cosas: primero y especialmente qué hemos de entender por *definición lexicográfica*, o lo que es lo mismo, hasta qué punto las explicaciones o equivalencias contenidas en los artículos de un diccionario representan verdaderas definiciones de las respectivas entradas, y, en segundo lugar, cuáles han de ser los verdaderos principios o condicionamientos básicos e indispensables exigibles para que cada una de esas explicaciones o equivalencias sea una definición correcta.

1.1. *Concepto y estructura de la definición*

1.1. Respecto al primer punto, es evidente que, por ejemplo, en los diccionarios bilingües las equivalencias no vienen dadas normalmente por definiciones, a menos que la entrada carezca de traducción léxica, esto es, que no exista un término equivalente en la lengua de llegada. Por eso, como ya hemos sugerido al principio, solo cabe hablar propiamente de definiciones en los diccionarios monolingües y, por supuesto, de tipo semasiológico. Pero aun en este último caso es muy probable que no todo el mundo esté dispuesto a llamar *definición* a cualquier tipo de equivalencia o explicación contenida en los artículos. De ahí la condena frecuente, por ejemplo, de la llamada **definición sinonímica**, porque se parte del supuesto de que toda definición debe caracterizarse por ser analítica o perifrástica, o que, por otro lado, se consideren poco ortodoxas las denominadas **definiciones descriptivas** por referirse más a las realidades que propiamente a las palabras que las representan. Ante semejante situación nosotros creemos preferible partir del concepto más amplio posible de 'definición lexicográfica', llamando así a todo tipo de equivalencia establecida entre la entrada y cualquier expresión explicativa de la misma en un diccionario monolingüe.

1.1.1. Esto supuesto, toda definición habrá de estar constituida por dos elementos entre los que se produce la equivalencia: el **definido** o **definiendum**, representado por la entrada del artículo lexicográfico, y el **definidor** o **definiens**, que es la expresión explicativa y que en el lenguaje corriente llamamos más específicamente también **definición.**

1.1.2. El **definiens**, según lo que hemos dicho, estará constituido siempre por una palabra o conjunto de palabras, las cuales están sujetas a ciertas restricciones sintácticas. Por ejemplo, nunca pueden constituir una oración, a menos que ésta se halle traspuesta a una categoría léxico-gramatical coincidente con la del definido. Lo normal es que se trate de un sintagma nominal, verbal, adjetival, etc., según la naturaleza categorial de la palabra definida.

1.1.3. La expresión constitutiva del **definiens** pertenecerá, por otro lado, a la misma lengua que el **definiendum**, lo que equivale a decir que estará representada por un texto metalingüístico. Ahora bien, como ya observamos antes, en las definiciones lexicográficas se distinguen dos niveles o metalenguas diferentes, como muy bien han hecho notar Rey-Debove y M. Seco[3]: una **metalengua de signo** o **segunda metalengua** junto a una **metalengua de contenido** o **primera metalengua**[4].

---

[3] Cfr. J. Rey-Debove, «La définition lexicographique: bases d'une typologie formelle», ya citado, págs. 142-145; M. Seco, *Estudios*, pág. 22.

[4] No se trata propiamente, como ya hemos señalado más atrás (cfr. Cap. 7, § 1.2.3.2), de metalenguas distintas, sino más bien de discursos metalingüísticos diferentes, uno que forma parte de lo que podríamos llamar *enunciado lexicográfico* (en correspondencia con lo que se viene llamado **metalengua de signo**) y otro lo que constituye el *enunciado definicional* (coincidiendo con la **metalengua de contenido**). Véase para esto J. A. Porto Dapena, «Metalenguaje y lexicografía», *Revista de Lexicogafía*, VI (1999-2000), pág. 146 y ss.

1.1.3.1. La metalengua de contenido se utiliza para definir el significado de la palabra que actúa como entrada o **definiendum**, por lo que es sin duda la más frecuente y, desde luego, se adopta siempre que es posible, con preferencia frente a la segunda metalengua, que, por su parte, deberá reservarse más bien para palabras que carecen de verdadero significado léxico. En este caso la definición, tachada de «impropia» por algunos[5], no se refiere evidentemente al significado, sino a las funciones o valores de la palabra como mero signo. Así, estas dos definiciones tomadas del *DRAE*,

> **Hebra.** Filamento de las materias textiles.
> **Hasta.** prep. que sirve para expresar el término del tiempo, lugares o entidades.

están, respectivamente, formuladas en metalengua de contenido y metalengua de signo.

1.1.3.2. Precisamente el primer fallo que con frecuencia puede detectarse en los diccionarios consiste en la utilización inadecuada de esos dos niveles metalingüísticos –esto es, lo que algunos llaman «metalengua de signo» y «metalengua de contenido»– en las definiciones, al mezclarlos innecesariamente o incluso al adoptar la metalengua de signo en casos en los que es posible el uso de la de contenido, que, como queda dicho, debe gozar siempre de todas las preferencias. Así, por citar tan solo un par de casos, el propio *DRAE* nos da en otra acep. de *hebra* la definición

> **Hebra.** Nombre aplicado a ciertas fibras vegetales o animales.
> **Lato, ta.** Aplícase al sentido que por extensión se da a las palabras, sin que exacta o rigurosamente les corresponda.

En el primer caso, efectivamente, nos encontramos ante una definición híbrida, con mezcla de la metalengua de signo, pues se habla en primer lugar del tipo de palabra de que se trata («nombre aplicado...»), y de la metalengua de contenido («ciertas fibras vegetales o animales»); la definición, aunque resulte un tanto vaga, debería haberse formulado así:

> **Hebra.** Cierta fibra vegetal o animal.

---

[5] Cfr. M. Seco, *Op. cit.*, pág. 22.

En el segundo caso se usa exclusivamente la metalengua de signo, cuando podría haberse utilizado la de contenido:

Lato, ta. No estricto o riguroso

a lo que podría en todo caso añadirse una aclaración contextual, fuera de la definición: «Se aplica al significado o sentido de una palabra o expresión lingüística».

1.2. *Principios que rigen la definición*

1.2. Pero para hablar de corrección e incorrección a propósito de la definición lexicográfica debemos ante todo referirnos a los principios, requisitos o condicionamientos en los que aquélla debe fundamentarse, principios de los cuales unos se refieren al contenido y otros tan solo a la forma. Se suelen citar a este respecto seis principios distintos: uno de carácter general, que es el **de equivalencia**, junto a otros más particulares, representados por el **de conmutabilidad** o **sustitución**, el **de identidad categorial** o **funcional**, el **de análisis**, el **de transparencia** y, finalmente, el **de autosuficiencia**. No todos, sin embargo, como vamos a ver, poseen la misma importancia.

1.2.1. Según el principio de equivalencia, para que una definición sea correcta, el **definiens** deberá contener todo el **definiendum** y nada más que el **definiendum**. Es decir, entre ambos deberá darse una equivalencia total tanto en extensión como en comprensión. Y así, por ejemplo, una definición como

Hombre. Animal mamífero

cumpliría la primera condición, la de la extensión, pues *todo* hombre es un animal mamífero; pero no cumpliría la segunda, la de la comprensión, puesto que no *solamente* el hombre es un animal mamífero. Esta otra definición, en cambio,

Hombre. Animal racional

podría aceptarse como válida, puesto que *todo* hombre es un animal racional, y *solamente* el hombre ofrece esas características.

1.2.2. Este principio general, por otro lado, habrá de traducirse, según sostienen algunos, en otros dos principios particulares que, a su vez, deberá cumplir, según ellos, toda definición lexicográfica correcta. Se trata de los principios, antes señalados, de **conmutabilidad**, también llamado **de insertabilidad**[6], y de **identidad categorial** entre **definiendum** y **definiens**, de acuerdo con los cuales estos dos elementos serán, por una parte, intercambiables en cualquier contexto, y, por otra, pertenecerán a idéntica categoría gramatical, de modo que si, por ejemplo, el primero es sustantivo, el segundo será asimismo un sustantivo o sintagma equivalente, si es un verbo también lo será el otro, y así sucesivamente[7].

1.2.2.1. El principio de conmutabilidad parece lógico, cuando la definición está formulada en metalengua de contenido y, por lo tanto, entre **definiendum** y **definiens** existe una equivalencia de tipo semántico, o lo que es lo mismo, entre ambos componentes de la definición se produce sinonimia. Como dice M. Seco, la sustituibilidad es el mejor banco de pruebas para determinar si una definición es o no correcta[8]. Por eso estas definiciones, tomadas del *DRAE*,

> **Enloquecer.** Volverse loco.
> **Embajada.** Residencia del embajador.
> **Marroquí.** Natural de Marruecos.

serán totalmente correctas, puesto que, además de darse equivalencia semántica entre dichos componentes, éstos son perfectamente intercambiables, por ejemplo, en contextos como

> *Don Quijote* enloqueció *con tanta lectura* → *Don Quijote* se volvió loco *con tanta lectura.*
>
> *Anoche estuve en la* Embajada → *Anoche estuve en la* residencia del Embajador.
>
> *Abdel es* marroquí → *Abdel es* natural de Marruecos.

---

[6] Cfr. L. F. Lara, «Tipos de definición lexicográfica en el Diccionario del español de México», en A. Alonso, B. Garza y J. A. Pascual, *II Encuentro de lingüistas y filólogos de España y México,* Univ. de Salamanca, 1994, pág. 154.

[7] Cfr. M. Seco, *Op. cit.,* pág 21-22.

[8] Cfr. *Ibid.,* pág. 21.

No ocurre, sin embargo, lo mismo cuando la definición está expresada en metalengua de signo, puesto que en ese caso la equivalencia entre definido y definidor no se produce en el nivel semántico, sino en el meramente semiológico. Por eso estas otras definiciones, tomadas también del diccionario académico,

A. Indica la dirección que lleva o el término a que se encamina alguna persona o cosa.

Ser. Verbo sustantivo que afirma del sujeto lo que significa el atributo.

Hache. Nombre de la letra h.

Pedante. Dícese de la persona engreída que hace inoportuno y vano alarde de erudición, téngala o no en realidad.

para muchos no serían verdaderas definiciones[9], dada la imposibilidad de conmutar los definidos por los correspondientes definidores:

Voy a *Almería* → **Voy* indica la dirección... *Almería.*
Ana es *inteligente* → **Ana* verbo sustantivo... *inteligente.*
Hambre se escribe con hache → **Hambre es escribe con* nombre de la letra h.
Este profesor es un pedante →**Este profesor es un* dícese de la persona engreída...

1.2.2.1.1. Debemos advertir, sin embargo, que aun en el caso de definiciones formuladas en metalengua de contenido no siempre se cumple de hecho el principio de conmutabilidad, lo que significa que, si bien toda definición que lo cumple ha de calificarse invariablemente de correcta, su incumplimiento no debe llevarnos al juicio contrario. Con ello queremos decir que este principio no constituye ni mucho menos una prueba indispensable para determinar la idoneidad de una definición lexicográfica, dado que la sinonimia o equivalencia semántica entre **definiendum** y **definiens** no tiene por qué ir indefectiblemente asociada a la posibilidad de conmutación. Considérense, en efecto, las siguientes definiciones:

---

[9] Así, por ejemplo, M. Seco (art. cit., págs. 22-23) les llama «definiciones impropias».

Difícil. Que no se logra, ejecuta o entiende sin mucho trabajo.
Corte. Acción o efecto de cortar.
Hijo. Persona o animal respecto de su padre o de su madre.

cuyos definidores no podrían sustituir a los correspondientes definidos en contextos como

Esto es difícil → **Esto es* que no se logra...
Se hizo un corte *en un dedo* → **Se hizo un* acción o efecto de cortar *en un dedo.*
Conozco al hijo *de D. Miguel* → **Conozco al* persona o animal... *de D. Miguel.*

1.2.2.1.2. Parten, evidentemente, quienes proponen el principio de conmutabilidad, en este caso, de un concepto demasiado estrecho de 'sinonimia', al presuponer que dos unidades de idéntico significado deberán, paralelamente, coincidir asimismo en su comportamiento sintagmático. Pero ello no es necesariamente así, ya que, como se ha señalado a propósito de la sinonimia[10], ésta puede ser no solo **total**, en la que se da, efectivamente, identidad de comportamiento, sino también **parcial**, en la que los sinónimos presentan una especie de distribución complementaria, como la que se da, por ejemplo, en español entre los verbos *recordar* y *acordarse*, que se construyen, respectivamente, con implemento (*recordar una cosa*) y suplemento (*acordarse de una cosa*).

1.2.2.2. De acuerdo con el principio de **identidad categorial**, que por cierto tan solo se cumple asimismo en las definiciones formuladas en metalengua de contenido, la categoría gramatical del **definiens** habrá de coincidir, como ya queda dicho, inexcusablemente con la del **definiendum**. Y así, definiciones como éstas

Sopera (sustantivo) = Vasija honda en que se sirve la sopa en la mesa (sintagma nominal).

Manejar (verbo) = Usar o traer entre las manos una cosa (sintagma verbal).

Feliz (adjetivo) = Que tiene o goza felicidad (oración adjetiva).

---

[10] Cfr., por ejemplo, J. Lyons, *Introducción en la lingüística teórica*, Barcelona, Teide, 1975, págs. 460-461.

Francamente (adverbio) = Con franqueza y sinceridad (sintagma adverbial).

presentan, como puede verse, no solo equivalencia semántica sino también categorial. No se puede decir, en cambio, lo mismo de

Esclavo (sustantivo). Dícese de la persona que por estar bajo del dominio de otra carece de libertad (oración impersonal).

Yo (pronombre). Nominativo del pronombre personal de primera persona (sintagma nominal).

Haber (verbo). Verbo auxiliar que sirve para conjugar otros verbos en los tiempos compuestos (sintagma nominal).

que por ser definiciones formuladas en metalengua de signo no cumplen dicho principio de equivalencia categorial. Pero notemos que aun tratándose de definiciones en metalengua de contenido, en las que por tanto se da identidad categorial, ésta –contra lo que suele suponerse– no siempre lleva asociada la identidad funcional en el sentido de que el **definiens** puede desempeñar idénticas funciones sintácticas que el definido. Por ejemplo, en el caso de las definiciones de adjetivos realizadas por medio de oraciones de relativo, éstas nunca pueden funcionar como predicados nominales, como lo demuestra el ejemplo antes propuesto a propósito de la palabra *difícil*.

1.2.2.3. Finalmente, los denominados **principios de análisis, de transparencia** y **de autosuficiencia** se refieren, respectivamente, a que una verdadera definición debe representar un auténtico análisis semántico y, por lo tanto, habrá de estar constituida por toda una frase o sintagma, cada uno de cuyos componentes pondrán, lógicamente, de manifiesto una parte o aspecto del contenido del **definiendum**; por otro lado, tales componentes estarán siempre representados por palabras más comprensibles –es decir, más corrientes y conocidas– que la representada por el definido, y en todo caso habrán de constituir a su vez entradas dentro del mismo diccionario, a fin de evitar de ese modo las denominadas «pistas perdidas»[11], haciendo así que éste cumpla a su vez el llamado **principio de la autosuficiencia**.

[11] Cfr. U, Weinreich, art. cit., pág. 80; F. Lázaro Carreter, «Pistas perdidas en el Diccionario», *BRAE*, LIII (1973), págs. 249-259.

1.2.2.3.1. De acuerdo con el primero de estos principios, una verdadera definición vendría a equipararse *grosso modo* con el «análisis componencial» de la semántica, si bien con la diferencia de que la definición lexicográfica habrá de cumplir una serie de condicionamientos formales, como el tener que estar representada por una frase o enunciado sometido a las reglas sintácticas de la lengua y, a la vez, constituido por palabras pertenecientes al léxico común, frente a los análisis realizados por los semantistas, consistentes más bien en puras fórmulas realizadas con un lenguaje formalizado especial[12]. Añádase, por otro lado, que, según esto, no se considerarían correctas las llamadas definiciones sinonímicas, esto es, aquellas en que el **definiens** no es más que un sinónimo del **definiendum**, como ocurre, por ejemplo, en

Mísero. Desdichado.
Dormir. Pernoctar.
Fizón. Aguijón.

donde más que una definición lo que se ofrece es una mera equivalencia léxica. No sería justo, sin embargo, como observaremos más adelante, desechar totalmente de los diccionarios este tipo de indicaciones sinonímicas, siempre naturalmente que los sinónimos definidores se definan a su vez analíticamente en el lugar correspondiente.

1.2.2.3.2. El principio de **transparencia**, por su parte, es más difícil de aplicar, a menos que se trate de definiciones referentes a un léxico especial perteneciente, por ejemplo, a una determinada terminología, pues en este caso de lo que se trata es de explicar en lengua común o corriente lo que corresponde a un dominio particular del léxico. El principio de transparencia, no obstante, resulta lógico, pues de lo que se trata es de hacer comprensible al lector o usuario lo que presumiblemente no lo es, y, por lo tanto, las correspondientes explicaciones habrán de realizarse en un len-

[12] Hay que observar, no obstante, que de hecho las investigaciones semánticas toman con frecuencia como punto de partida las definiciones lexicográficas y que éstas pueden alcanzar un más alto grado de perfeccionamiento en la medida en que tengan en cuenta los resultados del análisis componencial. Digamos, en fin, que una definición lexicográfica viene a ser un análisis componencial expresado en lenguaje corriente.

guaje más llano o sencillo. Pero el problema está en decidir qué palabras resultan más comprensibles o sencillas al usuario... Y en cuanto a que éstas habrán de estar, en todo caso, definidas dentro del mismo diccionario, dependerá, lógicamente, de la naturaleza de éste: la exigencia parece justificada tratándose de un diccionario monolingüe de carácter general, pero no en un diccionario restringido o especial, esto es, sobre una determinada parcela léxica, lengua funcional o estilo.

2. Tipos de definicion lexicográfica

2. A decir verdad, los principios anteriores han sido formulados pensando casi exclusivamente en un determinado tipo de definición lexicográfica, la que aquí vamos a llamar **conceptual perifrástica**, que, si bien es la ideal y más frecuente en los diccionarios, no constituye ni mucho menos la única. Un vocablo, efectivamente, puede ser definido desde diversos puntos de vista, y –lo que es más importante– no todos los vocablos se dejan definir bajo todos esos aspectos. En primer lugar hay que tener en cuenta que toda palabra es un signo y, como tal, puede considerarse en su significado, en su significante o en su funcionamiento sintáctico o pragmático; pero, a su vez, por ser precisamente un signo, representa una realidad en sí misma, la cual puede ser asimismo objeto de definición. Todas estas consideraciones nos llevan, consiguientemente, a señalar diversos tipos de definición, cada uno de los cuales vamos a tratar de caracterizar a continuación[13].

2.1. *La definición enciclopédica*

2.1. Según se trate de definir una palabra o la realidad por ésta representada, vienen distinguiéndose dos tipos básicos de definición: la **lingüística** o definición lexicográfica propiamente dicha y la **enciclopédica** o definición de las cosas. La distinción se remonta, como es sabido, a la filosofía aristotélica, donde se habla, respectivamente, de **definición nominal** y **real**, denominaciones utilizadas por cierto por J.

---

[13] Seguimos en lo sustancial la clasificación propuesta por J. Rey-Debove en su artículo, ya citado, «La définition lexicographique: bases d'une typologie formelle».

Casares en su *Introducción a la lexicografía moderna*[14], y se correspondería, por otro lado, con la separación entre diccionarios de palabras o diccionarios en sentido estricto y enciclopedias o diccionarios de las cosas (cfr. Cap. 2, § 1). En la práctica lexicográfica, sin embargo, las definiciones enciclopédicas no son exclusivas de este último tipo de obras, sino que, inevitablemente, aparecen también en los diccionarios propiamente dichos o diccionarios de la lengua.

2.1.1. Para ejemplificar esto último, considérense las siguientes definiciones contenidas en el *DRAE*:

> **Capuchina.** Planta trepadora de la familia de las tropeoláceas, de tallos sarmentosos, que alcanza de tres a cuatro metros de largo, con hojas alternas abroqueladas y flores en forma de capucha, de color rojo anaranjado, olor aromático suave y sabor algo picante. Es originario del Perú, se cultiva por adorno en los jardines, y es comestible.

> **Lechuza.** Ave rapaz nocturna, de unos 35 centímetros de longitud desde lo alto de la cabeza hasta la extremidad de la cola, y aproximadamente el doble de envergadura, con plumaje muy suave, amarillento, pintado de blanco, gris y negro en las partes superiores, blanco de nieve en el pecho, vientre, patas y cara; cabeza redonda, pico corto y encorvado en la punta, ojos grandes brillantes y de iris amarillo, cara circular, cola ancha y corta y uñas negras. Es frecuente en España, resopla con fuerza cuando está parada, y da un graznido estridente y lúgubre cuando vuela. Se alimenta ordinariamente de insectos y de pequeños mamíferos roedores.

Donde, como puede verse, lo que se hace no es más que una descripción, relativamente pormenorizada, de las realidades representadas por las palabras *capuchina* y *lechuza*. De hecho este tipo de definiciones son bastante frecuentes cuando los definidos vienen representados sobre todo por palabras referentes a la fauna y a la flora o corresponden a alguna terminología[15].

2.1.1.1. Lo que ocurre en estos casos es que, pese a la posibilidad –y conveniencia– teórica de distinguir los planos significativo

[14] Cfr. J. Casares, *Introducción a la lexicografía moderna*, C.S.I.C., Madrid, 1069, pág. 159.

[15] Cfr. I. Anaya Revuelta, *La definición enciclopédica. Estudio del léxico istionímico*, CSIC, Madrid, 1999, especialmente pág. 89 y ss.

de un signo y el de la realidad que éste representa, tal separación en la práctica no siempre es posible ni conveniente. Es evidente que de todas las características objetivas que presentan las cosas podemos decir que la lengua se basa tan solo en algunas para establecer los rasgos distintivos de las palabras que las representan. Así, por poner un par de ejemplos sencillos del español, no hay duda de que, lingüísticamente, lo que diferencia a *muro* de *pared* es el carácter grueso del primero[16], y, siguiendo el clásico ejemplo potteriano de los asientos, la distinción entre *silla* y *taburete* estriba en la existencia de respaldo en aquélla, frente al segundo, que carece de él. Pero de los rasgos apuntados por el *DRAE* para *capuchina* y *lechuza* ¿cuáles son los que de hecho se toman como lingüísticamente pertinentes para constituir los respectivos significados de ambas palabras? La cuestión no es en verdad fácil de responder, ya que dependerá, en definitiva, del conocimiento y experiencia particular que cada hablante tenga de las realidades representadas. Es difícil, efectivamente, determinar en qué característica o características se basa la lengua para llamar a la lechuza *lechuza* y no *búho* o *murciélago*, por ejemplo, y a la capuchina *capuchina* y no con el nombre de otra planta. Al utilizar estas palabras unos hablantes se fijarán sin duda en unas características y otros probablemente en otras diferentes. Por eso, en definitiva, al lexicógrafo no se le presenta otra alternativa que acumular, enciclopédicamente, todo cuanto de un modo u otro contribuya a una más efectiva identificación de la realidad designada por la palabra que sirve de entrada en el diccionario. Probablemente una pretendida definición lingüística en estos casos no sería eficaz ni, desde luego, objetiva. Como muy bien señala G. Salvador[17], «confundir lo real con lo lingüístico es peligro que constantemente nos acecha, pero tampoco debemos llevar las precauciones hasta el extremo que dejemos lo lingüístico reducido a unas cuantas generaliades que prácticamente no explican nada».

2.1.1.2. De hecho, como ha notado expresamente E. Coseriu[18], no todo el léxico se halla lingüísticamente estructurado. Precisamente el correspondiente a terminologías, incluyendo en éstas las

---

[16] Cfr. G. Salvador, «Lexemas puente y lexemas sincréticos», en *Semántica y lexicología del español*, Paraninfo, Madrid, 1984, pág. 47.

[17] *Ibid.*, pág. 46.

[18] Cfr. E. Coseriu, «Introducción al estudio estructural del léxico», en *Principios de semántica estructural*, Gredos, Madrid, 1977, pág. 95 y ss.

nomenclaturas populares referentes, por ejemplo, a las clasificaciones zoológicas y botánicas –como es el caso de los anteriores ejemplos– presenta esta característica, es decir, no refleja estructuras lingüísticas, sino, por el contrario, estructuraciones de las realidades representadas. Por eso, como observa el lingüista rumano, en este tipo de palabras se produce una coincidencia entre la significación y la designación, razón por la que «los diccionarios unilingües tienen grandes dificultades para definir lingüisticamente los términos en cuestión y deben recurrir para ello a la terminología científica o bien a descripciones e imágenes de los objetos designados»[19].

2.1.2. Bien mirado, es en cierto modo la definición enciclopédica la que más propiamente debería llamarse **lingüística**, puesto que en ella el **definiens** juega un papel estrictamente lingüístico, al tratar de explicar o identificar por medio de la lengua la realidad o referente representado por la entrada. Frente a ella, la que antes hemos llamado **definición lingüística** debería calificarse, por el contrario, de **metalingüística**, puesto que lo que pretende es identificar o explicar un signo de la lengua, la palabra-entrada misma. Pero cuestiones terminológicas aparte, cabe subrayar, por otro lado, que las llamadas definiciones enciclopédicas suelen estar representadas por las que algunos llaman **descriptivas**, en la medida en que más que de definiciones propiamente dichas, las cuales responderían a la pregunta «¿qué es el definido?», lo que hacen es indicarnos las propiedades o características de éste, o lo que es lo mismo, responden a la pregunta «¿cómo es el definido?». Junto a este tipo, por cierto, J. Casares[20] nos habla también de definiciones **teleológicas** y **genéticas**, en las que, en vez de una descripción, lo que se hace es caracterizar, respectivamente, el objeto por su finalidad o destino y por su origen o causa, como ocurre, por ejemplo, en

> **Barómetro.** Instrumento que sirve para determinar la presión atmosférica.

> **Lupus.** Enfermedad de la piel o de las mucosas, producida por tubérculos que ulceran y destruyen las partes atacadas.

---

[19] *Ibid.*, pág. 99.
[20] Cfr. J. Casares, *Introducción a la lexicografía moderna*, pág. 159.

A veces pueden darse definiciones con carácter híbrido. Así, en

> **Gasolina.** Combustible que se usa en los motores de combustión interna, como automóviles, etc., compuesto de hidrocarburos líquidos volátiles e inflamables obtenidos del petróleo crudo.

Es teleológica y genética a la vez. O esta otra, en que se combina lo descriptivo con lo teleológico:

> **Digital.** Planta herbácea de la familia de las escrofulariáceas cuyas hojas se usan en medicina.

2.1.3. Finalmente, al lado de la **definición enciclopédica**, de la que con frecuencia es mero complemento, hay que situar la llamada **definición ostensiva** o **mostrativa**, que no es propiamente una definición, puesto que consiste en colocar el referente en lugar del **definiens** o como componente de éste. Es el caso, por ejemplo, de la siguiente definición del *DUE* de M. Moliner:

> **Be.** Letra «b».

Naturalmente, en este caso la presencia del referente es posible gracias a su naturaleza gráfica; pero como no siempre ocurre esto, el referente suele aparecer representado mediante fotografías o imágenes, como frecuentemente ocurre en la enciclopedias y en los denominados por ello diccionarios ilustrados. Nos hallamos entonces ante definiciones ostensivas de tipo icónico, al lado de las cuales hay que situar también las realizadas mediante imágenes verbales, como es el caso de la utilizada por el *DRAE* a propósito de *azul*[21]:

> **Azul.** Del color del cielo sin nubes.

2.2. *La definición lingüística y sus tipos*

2.2. No hace falta insistir, naturalmente, en que la definición lexicográfica por antonomasia o propiamente dicha es la que antes hemos llamado **lingüística** –o quizás mejor **metalingüística**–, puesto

[21] Véase I. Bosque, art. cit., pág. 111.

que su objeto es explicar las palabras o unidades léxicas en general. Cabe distinguir dos tipos esenciales y muy diferentes, según la metalengua utilizada: la **conceptual**, formulada en la primera metalengua o metalengua de contenido, en la que se pretende expresar en otras palabras de la misma lengua el contenido significativo o conceptual del definido, junto a la **funcional** o **explicativa**, realizada en la segunda metalengua o metalengua de signo, mediante la cual se informa acerca de los valores, funciones o usos de la palabra definida. Más arriba (§ 1.1.3.1) hemos visto los casos, respectivamente, de las definiciones correspondientes a *hebra* y a la preposición *hasta*; pero obsérvense, entre otros, estos ejemplos:

> **Escaño.** Banco con respaldo y capaz para sentarse tres, cuatro o más personas.

de carácter claramente conceptual, frente a

> **Yo.** Nominativo del pronombre personal de primera persona en género masculino o femenino y número singular.

que constituye una definición funcional.

2.2.1. De estas dos clases de definición, por otro lado, viene considerándose como más propiamente lexicográfica –y, por lo tanto, preferible– la de tipo conceptual, reservándose la funcional, tachada por algunos de «impropia»[22], únicamente para los casos en que, como ocurre con las palabras gramaticales, el **definiendum** carece propiamente de significado léxico. Se trata, por lo demás, en este caso más que de una definición, de una explicación o caracterización del definido desde el punto de vista de su funcionamiento gramatical, contextual y pragmático. Por eso cabe distinguir al menos tres subtipos de definición funcional: **morfosintáctica**, **contextual** y **pragmática**. Veamos un ejemplo de cada una de ellas, respectivamente:

> **Su, sus.** Forma del pronombre posesivo de tercera persona en género masculino y femenino y en ambos números singular y plural que se utiliza antepuesto al nombre.

---

[22] Cfr. M. Seco, «Problemas formales de la definición», ya citado, en *Estudios*, págs. 22-23.

Entornar. Dícese también de los ojos cuando no se cierran por completo.

Gentilhombre. Palabra con que se apostrofa a alguno para captarse su voluntad.

2.2.2. No es infrecuente, por cierto, encontrar en los diccionarios definiciones de tipo híbrido, con mezcla de información conceptual y funcional. En realidad esto es lo que ocurre generalmente en las definiciones funcionales de tipo contextual, en las que, en principio, se habla de la aplicabilidad de la palabra-entrada a un determinado tipo de realidad, en lugar de establecer una equivalencia directa entre ésta y aquélla, como de hecho ocurre en una definición conceptual o de tipo enciclopédico. Así, por ejemplo,

Ene. Nombre de la letra n.

Gitano. Dícese de los individuos de un pueblo originario de la India, extendido por gran parte de Europa, que mantienen en gran parte un nomadismo y han conservado rasgos físicos y culturales propios.

Diablo. Nombre general de los ángeles arrojados al abismo, y de cada uno de ellos.

Donde, como puede verse, una definición funcional introducida por la expresión *nombre de* o *dícese, aplícase,* etc., sirve de marco a otra de tipo conceptual o enciclopédico, de modo que con eliminar simplemente tales fórmulas introductorias nos encontraríamos con estas otras definiciones, sin duda preferibles:

Ene. Letra n.
Gitano. Individuo de un pueblo originario de la India...
Diablo. Ángel arrojado al abismo.

2.2.2.1. Esta es la razón por la que Rey-Debove ha tachado de «expresiones parásitas» esas fórmulas introductorias, de las que sin duda los diccionarios tradicionales abusan con demasiada frecuencia. Desde luego, como ya hemos dicho más arriba, entre una definición conceptual y otra funcional es siempre preferible la primera; pero esto no debe llevarnos a pensar que el tipo de definición híbrida a que nos estamos refiriendo sea absolutamente condenable. Por el contrario, a veces es perfectamente justificable –por ejemplo, cuando existen solidaridades o colocaciones–, como fácilmente puede observarse en casos como estos:

> **Aguileño.** Dícese del rostro largo y delgado.
> **Atenorado.** Dícese de la voz parecida a la de tenor y de los instrumentos cuyo sonido tiene timbre parecido.

Donde, si elimináramos las expresiones *dícese del rostro* y *dícese de la voz*, la definiciones conceptuales resultantes serían claramente insuficientes puesto que no nos delimitarían el contexto o contextos en que tales vocablos ofrecen dichos significados[23].

2.2.2.2. Es cierto que en casos como los que acabamos de ver, siempre cabría la posibilidad, siguiendo otro procedimiento ampliamente utilizado en nuestra lexicografía tradicional, de separar la parte funcional de la propiamente conceptual, utilizada como verdadera definición, presentándola o bien antes o bien después de ésta, como una pura aclaración. Así,

> **Aguileño.** Largo y delgado. Se dice del rostro.
> **Atenorado.** Parecido a la voz del tenor. Se dice de la voz y de instrumentos musicales.

Pero notemos que esta solución no siempre es posible, de modo que no queda otro remedio que acudir de todas formas a la definición híbrida. Es lo que ocurre, por ejemplo, en casos como este:

[23] Ocurre en estos casos lo mismo que en definiciones como

> **Ladrar.** Emitir el perro sus gritos característicos.
> **Encallar.** Dar la embarcación en arena o piedra, quedando en ellas sin movimiento.

Donde *el perro* y *la embarcación*, que asimismo resultan aquí imprescindibles, tampoco corresponden propiamente a lo que más adelante llamaremos «enunciado parafrástico», esto es, a aquella parte del **definiens** que repite analíticamente el contenido conceptual del **definiendum**, sino al «contorno» o contexto –expresado en metalengua de contenido, esto es, en lo que nosotros llamaríamos enunciado definicional– en que dicho **definiendum** habrá de emplearse. Siguiendo a Coseriu, diríamos que aquí existe solidaridad entre, por una parte, *ladrar* y *perro*, y, por otra, entre *encallar* y *barco*.

Gemelo. Aplícase ordinariamente a los elementos iguales de diversos órdenes que, apareados, cooperan a un mismo fin.

2.3. *La definición sinonímica*[24]

2.3. Centrando ahora nuestra atención en la definición conceptual, cabe señalar dos tipos diferentes: la **sinonímica** y la **perifrástica**, las cuales se diferencian en que el **definiens** está constituido en el primer caso por un sinónimo del definido, y por una frase o sintagma en el segundo. Así, por ejemplo, las siguientes definiciones, tomadas del *DRAE*,

Alba. Amanecer.
Cable. Maroma gruesa.

serán, respectivamente, sinonímica y perifrástica. Propiamente hablando, toda definición conceptual posee carácter sinonímico, puesto que en cualquier caso consiste siempre en una equivalencia semántica entre **definiendum** y **definiens**. Por eso, quizás, sería más apropiado hablar de «definiciones analíticas», cuando el **definiens** constituye un verdadero análisis semántico y, por lo tanto, está compuesto por toda una construcción sintáctica, y «no analíticas», que serían las que corrientemente llamamos **sinonímicas**, en el caso contrario.

2.3.1. Con frecuencia se suele decir que la definición sinonímica no es una verdadera definición, y ello por dos razones básicas: en primer lugar porque, según una opinión muy extendida, en una lengua no existirían verdaderos sinónimos y, por lo tanto, **definiendum** y **definiens** no constituirían una verdadera ecuación sémica, y en segundo lugar porque en una definición sinonímica no se cumpliría el principio de análisis, como sería de esperar en una definición propiamente dicha.

2.3.1.1. Aunque, en principio, parece lógicamente razonable suponer que en una lengua, entendida como sistema funcional, no existen verdaderos sinónimos, pues ello iría contra el principio

[24] Cfr. C. Castillo Peña, «La definición sinonímica y los círculos viciosos», *BRAE*, LXXII (1992), pág. 464 y ss.

de economía lingüística, de lo que no hay ninguna duda es de que, como muy bien señaló Coseriu, en un mismo idioma o lengua histórica pueden convivir diversos sistemas o lenguas funcionales entre las cuales a su vez pueden –como de hecho ocurre– producirse coincidencias semánticas entre algunos de los componentes de sus respectivos paradigmas léxicos, produciéndose así una cierta sinonimia intersistemática o, como se llama a veces, geosinonimia. No tendrá, pues, nada de extraño que la palabra popular *almorrana* pueda definirse, como se hace en el *DRAE* con un término más específicamente propio del lenguaje médico, *hemorroide*; así,

> **Almorrana.** Hemorroide.

Este procedimiento de definición mediante un sinónimo, como ya señalamos anteriormente, no resulta en absoluto condenable, siempre que, como ocurre, en el ejemplo propuesto, se defina perifrásticamente en el lugar correspondiente el sinónimo utilizado como **definiens:**

> **Hemorroide.** *Med.* Tumorización en las márgenes del ano o en el tracto rectal, debida a varices de su correspondiente plexo venoso.

Por el contrario, la adopción de la definición sinonímica evita, como es obvio, tener que repetir la misma definición en diversos artículos.

2.3.1.2. Pero a todo esto debe añadirse que en realidad la sinonimia, como certeramente señaló G. Salvador en un memorable artículo sobre el tema[25], no solo se da diasistemáticamente en una misma lengua histórica, sino también –contra la opinión más extendida y generalizada– dentro de un mismo paradigma léxico, como puede ser el caso, por ejemplo, de los verbos *empezar, comenzar, iniciar* o de sustantivos como *estío - verano, barriga - vientre* o *zafa - palangana.* Pueden darse diferencias de tipo geográfico o estilístico, pero que nada, según el parecer de este autor, tienen que ver con el sistema lingüístico, sino más bien con la mera norma o uso. Existen, pues, verdaderos sinónimos, lo que, por tanto, hace viable la definición sinonímica. Ahora bien, otra cosa, claro, es suponer que las

---

[25] Cfr. G. Salvador, «Sí hay sinónimos», en *Semántica y lexicología del español*, Paraninfo, Madrid, 1985, pág. 51 y ss.

definiciones así llamadas que aparecen en los diccionarios lo sean realmente.

2.3.2. La utilización de la definición sinonímica plantea, en efecto, problemas de orden práctico que conviene no olvidar: de una parte, la determinación de la existencia de una verdadera relación sinonímica entre **definiendum** y **definiens**, y de otra, el problema planteado por sinónimos polisémicos u homónimos.

2.3.2.1. Naturalmente, no puede aceptarse como verdadera definición aquella cuyo definidor no constituye un auténtico sinónimo del definido. Por ejemplo, si se trata de un hiperónimo, como sería el caso de

Maroma. Cuerda.

pues *maroma* es una 'cuerda gruesa'; o, por el contrario, de un hipónimo:

Calzado. Zapato o alpargata.

dado que tanto *zapato* como *alpargata* significan diversos tipos de calzado. O también de un cohipónimo, como, por ejemplo,

Bote. Lancha.

donde tanto el definido como el **definiens** se refieren a sendos tipos distintos de 'embarcación pequeña'. En lugar, pues, de **sinonímica**, había que hablar, lógicamente, en estos casos de **definición parasinonímica**, que por no cumplir el principio de equivalencia semántica no sería, como es obvio, en modo alguno aceptable.

2.3.2.2. El otro problema ocurre cuando el **definiens** es una palabra polisémica, o con homónimos, y sólo es verdadero sinónimo del **definiendum** en alguna de sus acepciones, pues, de no precisarse la acepción o de qué palabra homónima se trata, la definición, por imprecisa, resultaría también inaceptable. Así, por ejemplo, si definiéramos

Estadía. Estancia.

no sabríamos en qué sentido se toma aquí *estancia*. Y lo mismo

Cabo. Mango.

no se sabría si estamos hablando de la parte por donde agarramos ciertas herramientas, o bien de un árbol tropical o del fruto de éste. La solución en estos casos, adoptada normalmente por el *Diccionario* de la Academia, consiste, por una parte, en señalar mediante un exponente el homónimo de que se trata; así,

Bordear. Frisar[1].
Coloño. Cesto[1].
Embarrotar. Abarrotar[1].

y, por otro lado, en los casos de polisemia, se añade al sinónimo utilizado como **definiens**, el cual se expresa frecuentemente en negrita, una palabra o frase indicadora de la acepción correspondiente. Obsérvense, por ejemplo, los siguientes casos:

Marrano. Cerdo, animal.
Matagallegos. Arzolla, planta.
Chucho. Perro, mamífero.

A veces se llega a una auténtica redundancia, ya que la aclaración constituye en realidad una nueva definición, por lo que se produce o una duplicación de sinónimos o una definición mixta, esto es, sinonímica y perifrástica a la vez:

Enflautar. Hinchar, soplar.
Adeudar. Deber, contraer una deuda.

No es, finalmente, infrecuente la acumulación de varios sinónimos (o parasinónimos) en el mismo **definiens**, como ocurre, por ejemplo, en estas otras definiciones también del *DRAE*:

Chorizo. Ratero, descuidero, ladronzuelo.
Galimatías. Asombro, pasmo, admiración.
Obnubilar. Anublar, oscurecer, ofuscar.

2.3.3. Cabe, en fin, como se ve, establecer toda una subclasificación a propósito de la definición sinonímica: por una parte, la **sinonímica** propiamente dicha junto a la **parasinonímica** –que desde luego no es una auténtica definición–, y, por otra, la que podríamos llamar **simple**, constituida por un único sinónimo, y **compleja** o **acu-**

mulativa, representada por un **definiens** formado por varios sinónimos, o por un sinónimo y una definición perifrástica, circunstancia en la que puede hablarse de definición **mixta**. Pero todavía a todos estos subtipos de definición sinonímica es necesario añadir uno nuevo, del que por cierto no suelen ser conscientes los propios lexicógrafos que lo utilizan. Se trata de una clase de definición que, pese a estar constituida por toda una construcción sintáctica, no se puede en modo alguno interpretar como **perifrástica**; vamos a llamarla, por ello, **definición pseudoperifrástica**.

2.3.3.1. Sean, en efecto, las definiciones

Génesis. Origen o principio de una cosa.
Acusar. Imputar a alguien algún delito, culpa, vicio o cualquier cosa vituperable.
Conservar. Mantener una cosa.
Gastar. Emplear el dinero en una cosa.

Si nos fijamos un poco, los elementos que verdaderamente expresan el contenido del **definiendum** vienen representados únicamente por la primera palabra de cada uno de los **definientes**, esto es, *origen* (o *principio*), *imputar, mantener* y *emplear*, respectivamente, los cuales, por lo tanto, no vienen a ser otra cosa que sendos sinónimos de los vocablos definidos. Los otros componentes de cada **definiens** corresponden, en efecto, a lo que más adelante llamaremos **contorno definicional**, pues en realidad lo que representan no son más que los contextos semántico-sintácticos en que el definido posee tal significado; de ahí que en la conmutación del **definiendum** en cualquier contexto sólo quepa hacerlo por la primera palabra del **definiens**:

He ahí la génesis *del problema* → *He ahí el* origen *del problema.*
Acusan *a Vicente de prevaricación* → Imputan *a Vicente* [un delito] *de prevaricación.*
Conservar *la salud* → Mantener *la salud.*
Gastó *cuatro millones en el coche* → Empleó *cuatro millones en el coche.*

Podemos decir, pues, que nos encontramos aquí ante verdaderas definiciones sinonímicas (o parasinonímicas), aunque camufladas dentro de una expresión pluriverbal.

2.3.3.2. Pero todavía podemos señalar un nuevo caso –también relativamente frecuente– de este camuflaje: cuando el **definiens** está constituido por una locución o expresión fija, la cual, lógicamente, por tratarse de una lexía no representa ningún análisis semántico, siendo, por el contrario, léxicamente equiparable a una palabra simple. Es lo que ocurre, por ejemplo, en

> **Atender.** Tener en cuenta.
> **Ejecutar.** Poner por obra una cosa.
> **Agradecer.** Dar gracias.
> **Por.** En lugar de.

cuyos **definientes**, como se ve, están representados por auténticas lexías o unidades léxicas, con un significado global que no es derivable del de sus componentes. Nos encontramos, pues, también aquí ante definiciones **pseudoperifrásticas** y, por lo tanto, **sinonímicas**.

2.4. *La definición perifrástica*

2.4. Aunque la definición sinonímica sea, como queda dicho, viable y justificable en cualquier diccionario, ello no impide, naturalmente, que el tipo de definición preferible continúe siendo la perifrástica. Solo ésta, en efecto, tiene carácter analítico y, por lo tanto, cumple el principio de análisis, exigible, como hemos visto, a una definición propiamente dicha o en el estricto sentido de la palabra. No ha de extrañarnos, pues, que a su vez sea este tipo de definición el más utilizado en la lexicografía monolingüe tradicional. Y ello pese a su indudable complejidad formal, tanto desde el punto de vista semántico como sintáctico, lo que lleva por cierto a la necesidad de distinguir diversas clases de definiciones perifrásticas, que siguiendo a Rey-Debove[26], podemos reducir a dos generales: la **sustancial**, que es la que intenta responder a la pregunta «¿qué es el **definiendum**?», y la **relacional**, así llamada por fundarse en la relación capaz de establecer el definido con otra palabra de la lengua. Así, por ejemplo,

> **Grito.** Voz muy esforzada y levantada.

---

[26] Cfr. J. Rey-Debove, art. cit., pág. 145 y ss.

Dorar. Cubrir con oro la superficie de una cosa.
Madrileño. Natural de Madrid.

son definiciones sustanciales, mientras que

Imparcial. Que juzga o procede con imparcialidad.
Honestamente. Con honestidad.

serían relacionales. Todavía, desde otro punto de vista, concretamente atendiendo a la relación entre los componentes del **definiens** y del **definiendum**, cabe añadir un nuevo tipo de definición, la **morfosemántica**, caracerizada por una correspondencia total o parcial entre los componentes del **definiens** y los del **definido**, cuando éste es una palabra compuesta o derivada.

2.4.1. Ejemplos de este último tipo de definición pueden ser

Intranquilo. Falto de tranquilidad.
Ilegítimo. No legítimo.
Releer. Leer de nuevo.
Entristecer. Poner triste.
Colmenero. Persona que tiene colmenas.
Barbiluengo. Que tiene la barba larga.

donde, como se ve, la definición consiste en representar con palabras los elementos morfemáticos de que se compone el **definido**, produciéndose incluso –aunque no necesariamente[27]– la repetición del lexema o lexemas de la palabra que se define, lo que aproxima este tipo de definición a la sinonímica, por cuanto que, como ésta, se pueden presentar problemas de circularidad.

2.4.2. Evidentemente, una definición morfosemántica puede ser a su vez tanto relacional como sustancial. Volviendo a la distinción entre éstas, digamos ante todo que vienen asimismo marcadas sintácticamente, pues, mientras la **sustancial** se expresa siempre mediante un sintagma de tipo endocéntrico, la **relacional**, por el contrario, lo hace con un sintagma exocéntrico. Dicho de otra manera, el **definiens** en el primer caso está constituido por un

---

[27] Por ejemplo,

Impertinente. Que no viene al caso.
Decapitar. Cortar la cabeza.

núcleo, perteneciente a la misma categoría gramatical que el **definiendum** (en los ejemplos anteriores *voz, cubrir* y *natural*), con una serie de complementaciones o adyacentes; en el segundo caso, en cambio, no hay núcleo, sino un transpositor, representado por un relativo o una preposición, cuya misión es convertir en la categoría del definido una oración o sintagma nominal. Así, en el caso de *imparcial* tenemos:

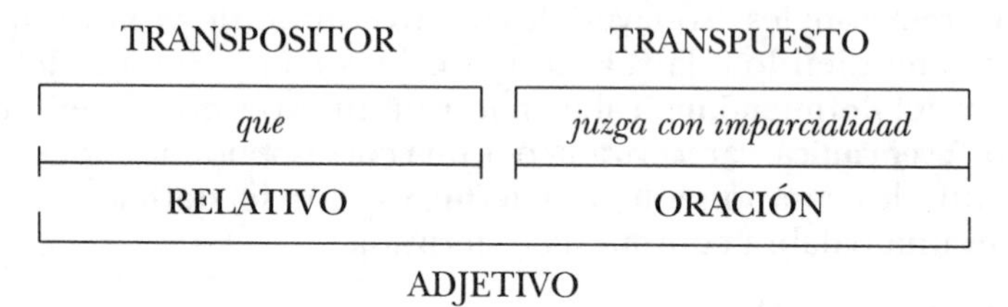

2.4.3. Refiriéndonos ahora en concreto a la definición **sustancial**, sin duda la más frecuente en los diccionarios, cabe subclasificarla todavía, desde el punto de vista de su estructura lógica, en **incluyente** (subdividida a su vez en **positiva** y **negativa**), **excluyente**, **participativa**, **aproximativa** y **aditiva**.

2.4.3.1. La **incluyente positiva**, también llamada **hiperonímica**, viene a ser el prototipo de definición aristotélica, al estar constituida por un **género próximo** (archilexema o hiperónimo), esto es, una palabra cuya carga semántica se halla contenida en el definido y una **diferencia específica** encargada de concretar el significado de aquél. Sintácticamente, consiste en un sintagma endocéntrico de tipo subordinativo, cuyo núcleo está representado por el archilexema, y el elemento o elementos adyacentes por la diferencia específica. Así,

> **Casa.** Edificio para habitar.
> **Gatear.** Trepar como los gatos.

son definiciones de esta clase, en las cuales *edificio* y *trepar* son, respectivamente, los hiperónimos, archilexemas o géneros próximos, y *para habitar* junto a *como los gatos* las diferencias específicas. No hace falta subrayar que representa este el tipo ideal de definición lexicográfica hasta el punto de que, como observa I. Bosque, «el hipotético diccionario que estuviera constituido únicamente por definiciones hiperonímicas con un índice mínimo de circularidad sería probablemente el diccionario perfecto» [28]. Pero, desgraciadamente, no todas las palabras del léxico se dejan definir de esa forma, al carecer en muchos casos de verdaderos hiperónimos, circunstancia en la que, no obstante, suele acudirse a términos de significado muy general, como *objeto, cosa, acción, cualidad* para los sustantivos, *hacer, ser, estar, poner* para los verbos, *perteneciente, propio, semejante* para los adjetivos, etc., con lo que, al menos estructuralmente, puede mantenerse la misma estructura endocéntrica propia de este tipo de definición.

2.4.3.2. Una estructura definicional idéntica es la representada por la definición que Rey-Debove llama **incluyente negativa**, que se diferenciaría de la anterior en que el incluyente lógico posee sentido negativo. Por ejemplo,

> **Impropiedad.** Falta de propiedad.
> **Olvidar.** Dejar de tener en la memoria.
> **Ciego.** Privado de la vista.

Como puede verse, *falta, dejar* y *privado,* que actúan aquí como núcleos de los sintagmas definicionales, indican inexistencia o privación y, por lo tanto, poseen un claro carácter negativo. Un caso particular de incluyente negativa es la que Bosque, siguiendo a R. Borsodi, llama **definición mesonímica**, consistente en una doble exclusión de dos extremos, para indicar un punto medio, como ocurre, por ejemplo, en

> **Templado**. Que no está frío ni caliente, sino en un término medio.

2.4.3.3. No hay que confundir, sin embargo, la definición incluyente negativa con la **excluyente** que también podríamos llamar **antonímica**. Ésta es también negativa, pero la negación no viene dada por el incluyente lógico o archilexema, sino por una simple partícula negativa, de modo que la definición consiste en negar un antónimo del **definiendum**. Se trata, por tanto, de una exclusión, al definir la palabra por «lo que no es», y no por «lo que es», al contrario de lo que ocurre en los casos anteriores. Veamos algunos ejemplos:

---

[28] Cfr. I. Bosque, art. cit., pág. 107.

Imposible. No posible.
Imperfecto. No perfecto.
Desconocer. No conocer.

Desde el punto de vista sintáctico, el **definiens** está asimismo representado por un sintagma endocéntrico de tipo subordinativo, pero, frente a los casos anteriores, donde el núcleo es un archilexema del **definiendum**, aquí es un antónimo, en lugar del cual puede utilizarse también toda una perífrasis semánticamente equivalente, es decir, una definición del propio antónimo, que, por cierto, tendrá que ser a su vez incluyente positiva o aditiva. Así, comp.

Ilicíto. No $\underbrace{\text{permitido legal y moralmente}}_{\text{lícito}}$

Desobedecer. No $\underbrace{\text{hacer uno lo que le mandan}}_{\text{obedecer}}$

2.4.3.4. Clases particulares de definición sustancial, relativamente frecuentes en los diccionarios, son las que aquí llamamos **participativa** y **aproximativa**, llamadas, respectivamente, por otros, **metonímica** y **analógica** porque, a pesar de ofrecer una estructura sintáctica idéntica a la incluyente, el núcleo del sintagma no está constituido por un archilexema[29], sino en la primera por una palabra de sentido general como *parte, órgano, pieza* o con significado distributivo, y, en la segunda, por un vocablo que indique aproximación o semejanza. Así, por ejemplo, son participativas

Grumo. Parte de un líquido que se coagula.
Contrincante. Cada uno de los que forman parte de una misma trinca en las oposiciones.

y aproximativas

Cimitarra. Especie de sable usado por turcos y persas.
Copano. Especie de barco pequeño usado antiguamente.

---

[29] Por eso Rey-Debove las considera incluyentes, postulando por eso la necesidad de dar al concepto de 'incluyente' un sentido más amplio que al de 'archilexema' o 'incluyente lógico' propiamente dicho. Cfr. art. cit., pág. 149 y ss.

Donde, efectivamente, los respectivos núcleos de los distintos sintagmas, representados por *parte, especie, cada uno* –y otras palabras semejantes–, no son en realidad incluyentes lógicos del **definiendum**, como tampoco lo son sus respectivos complementos, ya que *cimitarra* no es un *sable, copano* un *barco,* ni *grumo* un *líquido,* etc. Lo que ocurre es que los correspondientes definidos designan una parte o elemento constitutivo de esos otros objetos, o poseen una cierta similitud con ellos. Por lo demás, estos dos tipos de definición, que no constituye, desde luego, ningún ideal lexicográfico, resultan imprescindibles cuando el **definiendum** no es léxicamente clasificable, esto es, cuando no existe ningún archilexema en que poder incluirlo. Observemos, finalmente, que entre las definiciones participativas habría que colocar las que I. Bosque llama **seriales** [30], mediante las cuales el **definiendum** se caracteriza por el orden que, respecto a otros componentes o partes, ocupa dentro de un conjunto o serie. Así,

> **Lunes.** Primer día de la semana civil.
> **Marzo.** Tercer mes del año.

2.4.3.5. Más importante por su frecuencia es la **definición sustancial aditiva**, que, como su nombre indica, consiste en un análisis del significado mediante la adición o asociación de varios lexemas, que, sintácticamente, se unen por coordinación copulativa. Es decir, el **definiendum** viene a ser, semánticamente, la suma de dos o más palabras, las cuales pueden, a su vez, ir acompañadas de determinaciones. En este último caso podría hablarse de una especie de definición compleja, constituida por dos o más de tipo incluyente enlazadas por coordinación copulativa. Como ejemplos de definición aditiva considérense las siguientes:

> **Ordenanza.** Método, orden y concierto en las cosas que se ejecutan.
> **Rechoncho.** Grueso y bajo.
> **Conferir.** Tratar y examinar entre varias personas algún punto o negocio.
> **Confiscar.** Privar a uno de sus bienes y aplicarlos al fisco.
> **Condensar.** Reducir una cosa a menos volumen y darle más consistencia si es líquida.

---

[30] Cfr. I. Bosque, art. cit., pág. 109.

Un subtipo particular de esta definición lo tenemos en el caso de verbos que se definen mediante dos verbos, de los cuales uno es sintácticamente principal y otro subordinado, generalmente en gerundio o en oración final:

> **Abordar.** Acercarse a alguno para proponerle o tratar con él un asunto.
>
> **Abrir.** Separar del marco la hoja o las hojas de la puerta, haciéndolas girar sobre sus goznes.
>
> **Abrumar.** Causar a alguien encogimiento o empacho prodigándole alabanzas, atenciones, reconvenciones, burlas, etc.

9
OTROS ASPECTOS DE LA DEFINICIÓN LEXICOGRÁFICA

0.1. A lo largo del capítulo anterior hemos podido ver los distintos tipos de definición susceptibles de aparecer en una obra lexicográfica. Hemos sugerido también que no todos son idénticamente aceptables y viables, ni, por supuesto, se pueden aplicar en cualquier circunstancia de tal manera que un vocablo concreto sea indiferentemente definible utilizando un tipo cualquiera de definición. Se hace necesario, por ello, plantearnos ahora la aplicabilidad o utilización de cada una de esas fórmulas definicionales en el momento de redactar un artículo lexicográfico. Aunque a decir verdad con esto no basta: a la hora de elaborar una definición deben ser tenidas en cuenta otras cuestiones no menos importantes, como es, en primer lugar, la relativa al aspecto contextual, habida cuenta de que, evidentemente, cuando definimos una palabra, no podremos reducirnos a su escueto contenido semántico, contenido que es impensable fuera de un contexto sobre todo si se trata de una palabra con varias posibilidades significativas. Nos referimos en este caso a lo que se viene denominando *contorno definicional*, el cual, como vamos a ver, forma incluso muchas veces parte del propio enunciado de la definición. Pero todavía otra cuestión no menos fundamental que las anteriores y que no podemos olvidar en el momento de llevar a cabo la redacción de una definición lexicográfica, es la representada por dos problemas fundamentales que en esa tarea acechan siempre al lexicógrafo y que, por lo tanto, no podemos soslayar aquí: el círculo vicioso y la pista perdida.

0.2. Esto supuesto, vamos a referirnos a continuación a esos tres aspectos fundamentales en la elaboración de definiciones; es decir, por una parte vamos a ver la aplicabilidad o utilización de cada una de las distintas clases de definición que hemos estudiado anteriormente, nos referiremos luego al aspecto contextual o contorno de la definición, para terminar haciendo unas breves pero necesarias observaciones acerca de la circularidad –y más concretamente de los círculos viciosos– en el diccionario, y de las pistas perdidas o palabras utilizadas en la definición que, a su vez, no constituyen entradas del diccionario.

1. Utilización de los diversos tipos de definición

1. Refiriéndonos en primer lugar a la utilización o aplicabilidad de las distintas fórmulas definicionales, lo primero que hay que observar es que la elección de éstas depende ante todo de la naturaleza categorial y semántica del **definiendum**, el cual, si es, por ejemplo, una preposición, no puede definirse sustancialmente, y, tratándose de un sustantivo o verbo, no siempre es aplicable la definición incluyente positiva, considerada, según dijimos, como prototipo de definición lexicográfica. A esto hay que añadir que existe, como hemos sugerido repetidamente, un orden de preferencia a la hora de elegir el tipo de definición correspondiente a un vocablo, cuando éste es susceptible de ser definido de varias maneras, desde la conceptual perifrástica de tipo sustancial con incluyente positivo hasta la enciclopédica, pasando primero por todas las demás clases de definición sustancial y, luego, por la relacional, sinonímica y funcional. Aquí nos vamos a ocupar de todas las posibilidades de definición propias de cada categoría o clase de palabras, así como de algunas características formales más concretas y particulares de cada una de esas definiciones.

1.1. *Definición de los sustantivos*

1.1. En primer lugar, en el caso del sustantivo puede decirse que son aplicables –en términos generales, no en cada palabra concreta– todos los tipos de definición que hemos estudiado, si bien el más común es el conceptual perifrástico de tipo sustancial en cualquiera de sus modalidades. Pero a su lado pueden utilizarse también definiciones enciclopédicas, funcionales e incluso relacionales.

1.1.1. La definición enciclopédica es, desde luego, ineludible cuando el sustantivo corresponde a un léxico no estructurado lingüísticamente, como es el caso, por ejemplo, de las terminologías o nomenclaturas, que, lógicamente, solo pueden ser abordadas desde la óptica de una determinada disciplina, la encargada de estudiar las realidades por ellas representadas. Es lo que ocurre, por ejemplo, con los sustantivos referentes a la fauna y flora, que en nuestros diccionarios se vienen siempre definiendo desde un punto de vista enciclopédico. En la práctica se trata de definiciones consistentes en descripciones más o menos extensas del objeto designado por el **definiendum**, de donde la denominación de **definiciones descriptivas** que a veces se les aplica.

1.1.2. Por lo que se refiere a la definición funcional, debe utilizarse tan solo para sustantivos muy desgastados semánticamente o que han perdido su autonomía sintáctica al reducirse su empleo a unos determinados clisés y características situacionales o pragmáticas. Tal es el caso, por ejemplo, de sustantivos referentes a títulos, dignidades o tratamientos. Así, en el *DRAE* encontramos, entre otros, los siguientes casos:

> **Don.** Tratamiento de respeto, hoy muy generalizado, que se antepone a los nombres masculinos de pila. Antiguamente estaba reservado a determinadas personas de elevado rango social.
>
> **Conde**. Uno de los títulos nobiliarios con que los soberanos hacen merced a ciertas personas.
>
> **Señorita.** Término de cortesía que se aplica a la mujer soltera.
>
> **Atención.** Voz preventiva con que se advierte a los soldados formados que va a empezar un ejercicio o maniobra.

1.1.3. Por último, la definición relacional no es, en rigor aplicable al sustantivo, a no ser de un modo indirecto, esto es, por sustantivación, mediante el artículo, de una oración de relativo. Así,

> **Profeta.** El que posee el don de profecía.
>
> **Amo.** El que tiene uno o más criados, respecto de ellos.

Aunque formalmente idénticas a las de tipo sustancial de incluyente positivo, podría, sin embargo, considerarse como relacionales las definiciones –por otro lado, bastante frecuentes– constituidas por una oración de relativo y un antecedente de significado muy general, como *persona, individuo,* etc., así como las constituidas por *acción o efecto de* + **infinitivo**, y *cualidad de* + **adjetivo**. En el primer caso, efectivamente, resulta dudoso si dicho antecedente está empleado como archilexema del definido o, más bien, como indicador del contexto o «contorno» definicional, y en el segundo las palabras *acción* y *efecto* o *cualidad* podrían interpretarse muy bien como meros categorizadores o transpositores a sustantivo del infinitivo o adjetivo a que acompañan. En favor, por cierto, de esta interpretación parece hablar el hecho de que definiciones de este tipo sustituirían difícilmente a sus correspondientes definidos.

1.2. *Definición de los adjetivos*

1.2. El adjetivo, por su lado, admite todo tipo de definición lingüística, tanto la funcional como las distintas modalidades de definición conceptual, excepto la que hemos llamado **participativa**, que corresponde más bien a los sustantivos.

1.2.1. La definición funcional es la única aplicable en el caso de los adjetivos pronominales, también llamados determinativos o determinantes, dada su condición de palabras gramaticales. Por ejemplo,

> **Alguno.** adj. que se aplica indeterminadamente a una o varias personas o cosas respecto a otras.

> **Cada.** Pronombre en función adjetiva que establece una correspondencia distributiva entre los miembros numerables de una serie, cuyo nombre singular precede, y los miembros de otra.
> **Mío, a.** adj. poses. de primera persona.

1.2.2. En cambio los adjetivos pertenecientes al caudal léxico se definen siempre conceptualmente, bien mediante un sinónimo o, como es lo normal, perifrásticamente. En este último caso es tan frecuente la definición sustancial como la relacional, utilizándose ésta –preferentemente en su modalidad relativa– cuando no es posible la primera. Por ejemplo,

> **Sano.** Que goza de perfecta salud.
> **Mentiroso.** Que tiene la costumbre de mentir.
> **Despreciativo.** Que indica desprecio.

Pero, aunque menos frecuente, la definición relacional puede formularse también mediante un sintagma preposicional:

Plúmbeo. De plomo.
Desnudo. Sin vestido.

A veces pueden caber las dos modalidades de definición. Así,

Flaco { De pocas carnes.
Que tiene pocas carnes.

En este caso, pensamos que debe considerarse preferible la definición relativa, toda vez que la preposicional no indica a las claras si el **definiendum** es un adjetivo: una misma definición de este tipo puede servir, efectivamente, tanto para un adjetivo como para un adverbio. Compárense

Irreflexivo
Irreflexivamente } Sin reflexión.

1.2.3. Respecto a las definiciones sustanciales, el adjetivo, según ya hemos dicho, es susceptible de admitir todas las modalidades, excepto la participativa. Es decir,

a) La **incluyente positiva**:

Promiscuo. Mezclado confusa e indiferentemente.
Fresco. Moderadamente frío.

El adjetivo se define así mediante otro adjetivo, que actúa como archilexema o incluyente lógico, seguido de un complemento representante de la diferencia específica. Como en el caso de las definiciones de los sustantivos, también a veces se utiliza para el adjetivo un incluyente demasiado amplio, que propiamente no puede considerarse un verdadero archilexema, como es el caso, por ejemplo, de

Madrileño. Natural de Madrid.
Doctrinal. Perteneciente a la doctrina.
Cartilaginoso. Relativo a los cartílagos.

En realidad, sobre todo en los dos últimos casos, la función del adjetivo incluyente queda prácticamente reducida a la de transpositor o elemento adjetivador del sintagma definicional.

b) La **incluyente negativa**:

Ciego. Privado de la vista.
Mellado. Falto de uno o más dientes.

Donde, propiamente hablando, el adjetivo incluyente tampoco constituye ningún archilexema.

c) La **excluyente**:

Insospechado. No sospechado.
Incógnito. No conocido.

Este tipo de definición suele tener, además, carácter morfológico, al utilizarse en adjetivos derivados mediante un prefijo negativo.

d) La **aditiva:**

Grueso. Corpulento y abultado.
Sincero. Veraz y sin doblez.

1.2.4. Por último, una definición muy empleada por los diccionarios para los adjetivos es la de tipo híbrido, descrita más arriba (cfr. Cap. 8, § 2.2.2), consistente en introducir una definición conceptual dentro de otra funcional, mediante fórmulas como *dícese, aplícase* u otra equivalente para especificar el contexto o contorno en que aparece el **definiendum**. Además de los casos ya vistos, considérense estas otras definiciones:

Fulero. Dícese de la persona falsa, embustera o charlatana y sin seso.

Indoeuropeo. Dícese de cada una de las razas y lenguas procedentes de un origen común y extendidas desde la India hasta el Occidente de Europa.

Mestizo. Aplícase a la persona nacida de padre y madre de raza diferente.

Donde lo subrayado corresponde a la definición conceptual, que por sí sola sería en muchos casos suficiente.

1.3. *Definición de los verbos*

1.3. Es sin duda la definición de los verbos la que mayores problemas plantea, sobre todo a la hora de especificar el contorno o contexto semántico-sintáctico, ya que, frente al adjetivo, que tan solo puede ofrecer restricciones en cuanto al tipo de sustantivo a que puede juntarse, el verbo, como auténtico núcleo oracional, puede presentar restricciones no solo respecto al sujeto, sino a todo tipo de complementos de él dependientes. De esta cuestión, sin embargo, nos ocuparemos más adelante al tratar del contorno definicional. De momento veamos tan solo los tipos de definición de que son susceptibles los verbos.

1.3.1. Al igual que el sustantivo y el adjetivo, el verbo admite también los dos tipos básicos de definición lingüística: la funcional, en el caso de los verbos muy desgastados semánticamente –por ejemplo, los copulativos y auxiliares–, y, sobre todo, la conceptual tanto sinonímica como perifrástica en su modalidad sustancial. Veamos algunos ejemplos:

> **Ser.** Verbo auxiliar que sirve para la conjugación de todos los verbos en la voz pasiva.

> **Haber.** Verbo auxiliar que sirve para conjugar otros verbos en los tiempos compuestos.

Las cuales son definiciones claramente funcionales, junto a las conceptuales

> **Girar.** Moverse alrededor o circularmente.
> **Habitar.** Vivir, morar en un lugar o casa.

1.3.2. Lo normal es que el verbo se defina sustancialmente, admitiendo, lo mismo que el sustantivo, las modalidades incluyente positiva, incluyente negativa, excluyente, participativa y aditiva. Veamos cada una por separado:

a) De estos cinco tipos de definición, la más frecuente es la incluyente positiva. El verbo se define mediante otro verbo de significado más general, esto es, un archilexema, seguido de uno o varios complementos, que constituyen la diferencia específica. Así,

> **Entrar.** Pasar de fuera adentro.
> **Enunciar.** Expresar breve y sencillamente una idea.
> **Morir.** Acabar o fenecer la vida.

La diferencia específica puede estar constituida, como es lógico, por cualquier tipo de complemento verbal: un adverbio o expresión equivalente, un objeto directo, un predicativo, etc. Pero el archilexema o incluyente debe cumplir, según la categoría o clase de verbos a que pertenezca el **definiendum**, ciertas condiciones: si éste es intransitivo, aquél puede estar representado por cualquier tipo de verbo (transitivo, pronominal o intransitivo), pero no así cuando el definido es transitivo, en cuyo caso el archilexema ha de ser también transitivo, aun cuando, como veremos, esta regla no se respete siempre en el práctica.

b) Asimismo el verbo es susceptible de definición sustancial mediante un incluyente negativo, como es el caso, ya visto, de *olvidar.* No es, con todo, un tipo de definición frecuente, como tampoco lo es la excluyente, constituida por la negación y un verbo antónimo del definido:

Parar. No pasar adelante.
Prohibir. No permitir.

c) De participativas podrían calificarse, por ejemplo, las definiciones constituidas por el verbo *empezar* o *comenzar a* + **infinitivo**, correspondientes a los verbos de sentido incoativo, como

Adormecer. Comenzar a dormir.
Germinar. Comenzar a crecer las plantas.

donde los verbos *empezar* o *comenzar* no son propiamente archilexemas, pues no indican más que la modalidad, ni tampoco lo son los infinitivos, ya que *adormecer* no es *dormir,* ni *germinar, crecer,* por lo que parece más adecuado pensar que los definidos «participan», por así decirlo, de la acción indicada por los respectivos infinitivos del **definiens**.

d) Más frecuente que las anteriores es la definición de tipo aditivo, mediante coordinación copulativa de dos o más verbos, como ocurre, por ejemplo, en los siguientes casos:

Confesar. Reconocer y declarar uno, obligado por la fuerza de la razón u otro motivo, lo que sin ello no declararía ni reconocería.

Descifrar. Penetrar y declarar lo oscuro, intrincado y de difícil inteligencia.

Herrar. Ajustar y clavar las herraduras a las caballerías.

El verbo así definido consiste, pues, en dos acciones distintas, expresadas por cada uno de los verbos coordinados, cuya suma de significados es, por tanto, el significado del definido o **definiendum**. Puede ocurrir a veces que la suma de las dos acciones venga sintácticamente expresada mediante un verbo en infinitivo y otro en gerundio, como es el caso de

> **Encallar.** Dar la embarcación en arena o piedra, quedando en ellas sin movimiento.

> **Empantanar.** Llenar de agua un terreno, dejándolo hecho un pantano.

Cuyos gerundios son indudablemente de tipo copulativo[1]. Conviene, no obstante, advertir que, por lo general, las definiciones con gerundio no pertenecen a este tipo, sino al de incluyente positivo, dado que esta forma verbal juega un verdadero papel circunstancial en el sintagma verbal del **definiens**, como es el caso, por ejemplo, en

> **Moldear.** Formar una materia echándola en un molde.
> **Reptar.** Andar arrastrándose como algunos reptiles.

1.3.3. Aunque el verbo –lo mismo que el sustantivo– no es propiamente susceptible de definirse relacionalmente, podría pensarse que, al menos desde el punto de vista semántico, ciertas definiciones estructuralmente constituidas por sintagmas endocéntricos –y, por tanto, clasificables como sustanciales–, podrían, sin embargo, interpretarse en cierto modo como relacionales, dado que el incluyente no representa ningún archilexema, sino un verbo de sentido muy general que actúa más bien como auténtico categorizador o transpositor dentro del **definiens**. Es lo que ocurre, por ejemplo, en definiciones morfológicas como

> **Aturdir**. Causar aturdimiento.
> **Atenuar.** Poner tenue, sutil o delgado alguna cosa.
> **Gesticular.** Hacer gestos.

---

[1] Esta clase de gerundio se caracteriza por no expresar ningún tipo de «circunstancia» y es, por ello, transformable la construcción en otra de tipo coordinativo. Veáse J. A. Porto Dapena, *Tiempos y formas no personales del verbo*, Arco/Libros, Madrid, 1989, pág. 162.

Temer. Tener miedo o temor.
Vocear. Dar voces o gritos.

1.4. *Definiciones de pronombres y partículas*

1.4. Refiriéndonos, finalmente, a la definición de pronombres y partículas, digamos que éstos, excepto en el caso de los adverbios, no admiten normalmente otra que la de tipo funcional, evidentemente por tratarse de palabras gramaticales o, en el caso de las interjecciones[2], de signos pertenecientes al plano sintomático o apelativo del lenguaje.

1.4.1. Sean, en efecto, las siguientes definiciones:

Él. nominat. del pron. pers. de 3ª pers. en gén. m. y núm. sing.
Hacia. prep. que determina la dirección del movimiento con respecto al punto de su término.

O. conj. disyunt. que denota diferencia, separación o alternativa entre dos o más personas, cosas o ideas.

¡Oh! interj. de que se usa para manifestar muchos y muy diversos movimientos del ánimo, y más ordinariamente asombro, pena o alegría.

Todas ellas, referidas, respectivamente, a un pronombre, preposición, conjunción e interjección, son de tipo funcional. Solo en el caso de algunos pronombres pueden encontrarse definiciones conceptuales, como, por ejemplo, en los numerales cardinales

Cuatro. Tres y uno.
Cinco. Cuatro y uno.

de tipo sustancial aditivo, o las relacionales de los ordinales:

Segundo. Que sigue inmediatamente en orden al o a lo primero.
Cuarto. Que ocupa el último lugar en una serie ordenada de cuatro.

También los demostrativos y posesivos, junto a las definiciones funcionales que presentan en los diccionarios, serían susceptibles de admitir estas otras de tipo conceptual:

---

[2] Cfr. L. F. Lara, «Tipos de definición...», pág. 161.

Suyo. De él o ella, ellos, ellas, o de usted, ustedes.
Este. Que está cerca de mí o nosotros.

1.4.2. Por su parte los adverbios admiten, en general, todo tipo de definiciones lingüísticas, aunque la más frecuente es sin duda la relacional. Veamos algunos ejemplos:

a) De definición funcional:

Muy. adv. que se antepone a nombres adjetivados, adjetivos, participios, adverbios y modos adverbiales, para denotar en ellos el grado sumo o superlativo de significación.

b) Conceptual sinonímica:

Jamás. Nunca.

c) Conceptual perifrástica: Aunque raramente se encuentra la sustancial en su modalidad incluyente positiva, y, teóricamente, es también posible la incluyente negativa, excluyente y aditiva, la definición más utilizada, según ya queda dicho, es la de tipo relacional mediante un sintagma preposicional, constituido por una preposición seguida de un sustantivo o expresión sustantivada. Así,

Mucho. Más de lo normal (sustancial).
Lentamente. Con lentitud (relacional).
Aquí. En este lugar (relacional).
Inevitablemente. Sin poderse evitar (relacional).

2. El contorno de la definición[3]

2. Contra lo que comúnmente tiende a pensarse, una definición lexicográfica propiamente dicha, entendiendo por tal la de tipo perifrástico y expresada en metalengua de contenido, no siempre consiste en el puro análisis semántico del definido, sino que puede ir todavía más allá, al mostrarnos asimismo las condiciones sintag-

[3] Cfr. J. A. Porto Dapena, «Algunas observaciones sobre el contorno de la definición lexicográfica», en M. Almeida y J. Dorta (eds.), *Constribuciones al estudio de la lingüística hispánica. Homenaje al porf. R. Trujillo*, II, Montesinos, Sta. Cruz de Tenerife, 1997, págs. 211-226.

máticas o contextuales en que dicho definido debe ser empleado. Sean, por ejemplo, las siguientes definiciones:

> **Desinsectar.** *tr.* Limpiar de insectos.
> **Comprar.** *tr.* Adquirir algo por dinero.

Notemos que, mientras la primera cumple totalmente el principio de equivalencia, pudiendo sustituir al definido en un contexto cualquiera, por ejemplo en

> *Desinsectó la bodega = Limpió de insectos la bodega,*

no podemos decir lo mismo de la segunda, a no ser que eliminemos el vocablo *algo* y lo sustituyamos por el complemento directo del definido; así,

> *Compró un coche nuevo = Adquirió por dinero un coche nuevo.*

Esto quiere decir que en el **definiens** de la segunda definición se ofrece, junto al contenido propiamente dicho del **definiendum**, un elemento contextual, esto es, referente al aspecto sintagmático o combinatorio del mismo. Pues bien, este tipo de indicación viene a ser lo que ha dado en llamarse **contorno definicional**, término acuñado para la lexicografía española hace algunos años por M. Seco[4] como equivalente del francés *entourage*, empleado con el mismo valor por la lingüista francesa J. Rey-Debove, y al que probablemente hubiera sido preferible la palabra *entorno*, que, si bien sin una referencia concreta a la definición lexicográfica, había sido utilizada anteriormente, como es sabido, por E. Coseriu para referirse precisamente a las circunstancias que rodean al discurso[5], esto es, al contexto entendido en su sentido más amplio.

2.1. *Concepto y delimitación*

2.1. La consideración del contorno definicional plantea problemas que no han sido ni siquiera esbozados. Estos problemas vie-

---

[4] Cfr. M. Seco, «El 'contorno' de la definición», en *Estudios*, págs. 45-45.

[5] Nos referimos, claro está, al conocido trabajo del lingüista rumano, «Determinación y entorno», recogido en su obra *Teoría del lenguaje y lingüística general*, Madrid, Gredos, pág. 282 y ss.

nen representados fundamentalmente por el propio concepto de 'contorno' y su delimitación dentro de la definición lexicográfica, lo que produce no poco escepticismo entre lexicólogos y, sobre todo, teóricos de la lexicografía o metalexicógrafos. La existencia del contorno es, sin embargo, a nuestro juicio, indiscutible, siendo claramente detectable sobre todo en las definiciones de los verbos, en las que no representa otra cosa que lo que ha dado en llamarse valencias o argumentos verbales, argumentos cuya indicación en la definición es imprescindible cuando deben satisfacer alguna característica o condición concreta. Así, cuando leemos en el *DRAE*

> **Naufragar.** *intr.* Irse a pique o perderse la embarcación. Se usa también hablando de las personas que van en ella.,

se está definiendo un verbo monovalente o de un solo argumento, que sintácticamente expresado por el sujeto, puede ser tan solo una embarcación o, según se aclara fuera de la definición propiamente dicha, las personas que van en ella, lo que posibilita expresiones como

> *Naufragó una patera de inmigrantes en el Estrecho.*
> *Los tripulantes de una patera naufragaron.*,

e impide, por ejemplo, estas otras:

> **Naufragaron en una curva los ocupantes de un autocar.*
> **Naufragó el petróleo de un barco encallado en la entrada de la bahía de Santander.*

2.1.1. Así visto, el contorno definicional se identifica plenamente con los denominados rasgos contextuales (de subcategorización o selectivos) de que habla la gramática generativa o, también, con lo que E. Coseriu ha llamado **semas determinantes**, que dan, a su vez, lugar a las denominadas por este autor **solidaridades léxicas** o relaciones de **afinidad, selección** e **implicación** entre lexemas o unidades léxicas[6], o a lo que en alguna ocasión, tratando de

[6] Cfr. E. Coseriu, *Principios de semántica estructural*, Gredos, Madrid, 1977, págs. 140-141 y 144 y ss. Para las solidaridades véase tambien G. Salvador Caja, «Las solidaridades lexemáticas», *Revista de Filología de la Universidad de La Laguna*, 8-9 (1989-90), págs. 339-365, y P. Pernas Izquierdo, *Las solidaridades léxicas del español (selecciones e implicaciones)*, Univ. Complutense, Madrid, 1992.

adecuar la terminología tradicional a una conceptualización más moderna, hemos llamado **régimen morfemático** y **lexemático**[7]. Todo verbo –y en general cualquier palabra–, efectivamente, en su artículo léxico no solo debe abarcar los rasgos inherentes o semas internos, sino también los que determinan su combinabilidad, llámense semas determinantes, o rasgos seleccionales o de subcategorización. Pues bien, cuando todo esto se incluye en una misma definición, el **definiens** quedará automáticamente estructurado en dos partes: el **enunciado parafrástico**, que representa los rasgos inherentes, y el **contorno** propiamente dicho o rasgos contextuales.

2.1.2. Aunque, como veremos, a veces los diccionarios distinguen mediante algún procedimiento gráfico ambas partes de la definición, la distinción puede establecerse fácilmente en la práctica con la simple aplicación, según hemos sugerido antes, de la prueba de la conmutación. Habida cuenta de que en toda definición sustancial el **definiens** ha de ser semánticamente equivalente, esto es, sinónimo del definido, constituirá enunciado parafrástico la parte que realmente sustituya a dicho definido en cualquier enunciado, constituyendo todo lo demás el **contorno**, que en realidad representa otros elementos expresos o tácitos del contexto. Así, en esta otra definición

> **Confluir.** *intr.* Juntarse dos o más ríos u otras corrientes de agua en un mismo lugar.,

el enunciado parafrástico es sólo *juntarse*, siendo, por tanto, todo lo demás contorno definicional, como se demuestra si realizamos la conmutación del definido, por ejemplo, en el contexto

> *Aquí confluyen el Miño y el Sil = Aquí se juntan el Miño y el Sil.*

Ahora bien, *aquí*, representado en la definición por *en un mismo lugar*, y *el Miño y el Sil*, por su parte indicados por la expresión definicional *dos o más ríos u otras corrientes*, son elementos necesarios en el funcionamiento sintagmático de *confluir*, del que, por tanto, serán verdaderos argumentos.

2.1.3. La aplicación, con todo, de la conmutación puede plantear algunos problemas, contra los que conviene estar en guardia:

---

[7] Cfr. J. A. Porto Dapena, *Elementos de lexicografía*, pág 20 y ss.

a) En primer lugar no siempre que un elemento de la definición puede materializarse contextualmente, apareciendo al lado del definido, debemos concluir que se trata de un elemento del contorno. Así, a propósito de la definición

Vivir. *intr.* Tener vida.,

podríamos pensar que *vida* constituye el contorno, dado el contexto y consiguiente conmutación

Vivimos (=tenemos) una vida feliz.

Pero nada más lejos de la realidad, puesto que, como es obvio, aquí *vida* constituye lo que tradicionalmente viene llamándose «acusativo interno», precisamente porque forma parte del contenido inherente –no contextual o externo– del verbo *vivir.* Estos casos, sin embargo, son relativamente fáciles de detectar porque el elemento en cuestión suele estar constituido por el mismo lexema –o por un sinónimo de éste– que el definido, existiendo, por tanto, entre ambos una relación de lo que Coseriu llama **desarrollo**[8]. Otro ejemplo lo tendríamos en

Acuchillar. *tr.* Herir, cortar o matar con el cuchillo, y, por extensión, con otras armas blancas.

Donde, evidentemente, el complemento instrumental no es contorno definicional a pesar de poder aparecer en contextos como

Lo acuchilló con un enorme cuchillo.

b) Otro problema, por el contrario, lo plantean ciertos elementos del contorno o contextuales cuando no son sintácticamente obligatorios, pues a pesar de su carácter argumental, es sabido que no todo argumento es siempre obligatorio y, por lo tanto, puede plantearse la posibilidad de interpretarlo como inherente, esto es, perteneciente al enunciado parafrástico. Veamos un caso:

Comer. *tr.* Tomar alimento.

Donde *alimento* es contorno, que, sin embargo, no aparece en contextos como

[8] Cfr. E. Coseriu, *Op. cit.*, pág. 138.

Hemos comido a las cuatro de la tarde,

y donde *comer* es además conmutable por todo el sintagma definicional[9]:

Hemos tomado alimento a las cuatro de la tarde.

El problema, no obstante, puede solucionarse fácilmente si pensamos que en casos como éstos el definido es asimismo compatible con ese u otro elemento equivalente:

Hemos comido una paella a las cuatro de la tarde.

2.2. *Naturaleza y necesidad del contorno*

2.2. Dada la conmutabilidad del definido por el enunciado parafrástico, fácilmente se podría llegar a la conclusión –desde luego errónea– de que sólo éste constituiría la definición propiamente dicha, frente al contorno, que sería ajeno a ella, por lo que sería preferible eliminarlo o, en todo caso, expresarlo fuera de ella. Ambas soluciones se adoptan a veces en los diccionarios, como ocurre en estas definiciones tomadas también del *DRAE*:

Espantar. *tr.* Causar espanto.

donde no se especifica el complemento directo del definido, que en el **definiens** debería actuar como indirecto (*a alguien, a uno, a una persona o animal* u otra expresión por el estilo),

Florar. *intr.* Dar flor. Se dice de los árboles y las plantas, singularmente de los que se cultivan para cosechar sus frutos.,

en que aparece claramente separado lo que podemos llamar significado inherente, de las referencias contextuales concernientes aquí al sujeto o agente.

---

[9] A propósito de este verbo, aprovechamos para señalar que no parece correcta la interpretación que hace el *DRAE* al distinguir una acepción intransitiva cuando no lleva objeto directo, junto a otra transitiva para los casos en que sí lo lleva. Nos adherimos, por el contrario, a la posición de Cuervo a este respecto en su *Diccionario de construcción y régimen* s. v. *Comer.*

2.2.1. Puede decirse, pues, que existen dos tipos de contornos: **integrado**, cuando forma parte del sintagma definidor o **definiens** y al que consideraremos como contorno propiamente dicho, y el **no integrado**, cuando aparece fuera de la definición, según se ve en el ejemplo anterior. En el primer caso el contorno está escrito en metalengua de contenido o primera metalengua, como es normal en toda definición sustancial, mientras que en el segundo lo está en metalengua de signo (segunda metalengua), esto es, se halla expresado a modo de explicación sobre la utilización del definido. Ahora bien, en este último caso puede colocarse después de la definición, pero también antes como ocurre en el siguiente caso:

> **Helar.** *tr.* Hablando de árboles, arbustos, plantas o frutas, secarse a causa de la congelación de su savia y jugos, producida por el frío.,

cuyo contorno corresponde a la parte subrayada (naturalmente, el subrayado es nuestro)[10]. En la práctica se encuentra asimismo multitud de casos híbridos, esto es, en los que una parte del contorno se halla integrada y otra, en cambio, aparece como no integrada; así,

> **Merar.** *tr.* Mezclar un licor con otro, o para aumentarle la virtud y calidad, o para templársela. Se usa particularmente hablando del agua que se mezcla con vino.

Naturalmente, no vamos a entrar aquí en la compleja discusión acerca de cuál de estos procedimientos es el más aconsejable, ya que ello depende de las características semántico-sintácticas del propio **definiens**[11]. Lo que no debe hacerse, desde luego, es fun-

---

[10] Para distinguir en este caso el enunciado parafrástico del puro contorno, puede acudirse –según hace, por ejemplo, Cuervo en su *Diccionario*, como veremos– a la utilización de mayúscula inicial en aquél, de modo que tendríamos:

> **Helar.** *tr.* Hablando de árboles, arbustos plantas o frutas, Secarse a causa...

[11] Valgan como botón de muestra estos dos ejemplos: en

> **Apear.** Desmontar o bajar a alguno de una caballería, carruaje o automóvil.,

el contorno tiene que ser integrado porque, además de representar el implemento o suplemento del definido, también desempeña esta función dentro del propio sintagma definicional, donde su presencia es, por otro lado, necesaria: nótese, entre otras cosas, que si *desmontar* y *bajar* aparecieran sin objeto directo, se interpretarían como intransitivos. Por otra parte, en dir innecesariamente, como se hacía en otras épocas –y de lo que queda todavía alguna que otra reminiscencia en el *DRAE*– la metalengua de contenido con la de signo, propia de contornos no integrados, en definiciones híbridas del tipo

> **Agudo.** Aplícase al dolor vivo y penetrante.
> **Cursi.** Dícese de la persona que presume de fina y elegante sin serlo.

A veces el grado de confusión es tal que resulta imposible separar el enunciado parafrástico del contorno, como ocurre en la siguiente definición, tomada lo mismo que los dos anteriores del *DRAE*:

> **Entornar.** *tr.* [...] 2. Dícese también de los ojos cuando no se cierran por completo.,

que más bien debería haberse expresado así:

> Aplicado a los ojos, cerrarlos no por completo.

Es por cierto a propósito de casos de esta índole cuando cabe hablar respecto a ciertas indicaciones del contorno, como hace la lingüista francesa J. Rey-Debove[12], de «expresiones parásitas», en vista de su carácter generalmente innecesario dentro de las definiciones.

2.2.2. Ahora bien, esta última consideración nos lleva a plantearnos dos cuestiones asimismo importantes y muy relacionadas entre sí: por una parte la necesidad del contorno definicional y, por otra, su grado de integración dentro de la definición. En este último aspecto podría pensarse, en efecto, con la propia lingüista

---

> **Meter.** *tr.* Tratándose de chismes, enredos, etc., promoverlos o levantarlos.,

se prefiere el contorno no integrado (o en todo caso híbrido) para destacarlo claramente, ya que en una formulación integrada como, por ejemplo,

> Promover o levantar chismes, enredos, etc.,

se produciría ambigüedad, puesto que así el objeto directo podría interpretarse como inherente al definido.

[12] Cfr. J. Rey-Debove, «La définition lexicographique», pág. 143.

francesa que el contorno definicional es algo ajeno a la estricta definición, representada más bien por lo que aquí venimos llamando **enunciado parafrástico**. Según esto, pues, muchas de las definiciones perifrásticas de los diccionarios, como ya hemos apuntado anteriormente (cfr. Cap. 8, § 2.3.3.1), lo serían tan solo aparentemente, esto es, serían **pseudoperifrásticas**, dado que su enunciado parafrástico se reduciría a una sola palabra o a varias coordinadas, las cuales vendrían a ser, por consiguiente, meros sinónimos del definido. Es lo que ocurriría en los siguientes casos:

Conducir. *tr.* Guiar un vehículo automóvil.
Discrepar. *intr.* Disentir una persona del parecer o de la conducta de otra.

Mandar. *tr.* Ordenar el superior al súbdito.
Montar. *intr.* Ponerse o subirse encima de una cosa.

2.2.2.1. Pero la cuestión no resulta tan sencilla, si tenemos en cuenta que el contorno representa precisamente a veces el rasgo o rasgos por los que el definido se diferencia de otras unidades léxicas, como ocurre, por ejemplo, con

segar 'cortar mieses o hierba' / *talar* 'cortar árboles' / *tonsurar* 'cortar el pelo' / *trasquilar* 'cortar el pelo de los animales' / *decapitar* 'cortar la cabeza', etc.

todas ellas pertenecientes, como se ve, a un mismo paradigma cuyo archilexema sería *cortar*. Ni que decir tiene, pues, que en casos como este el contorno juega un papel semántico distintivo, viniendo a representar lo que Coseriu llama **semas determinantes**.

2.2.2.2. Semejante interpretación no sería, sin embargo, correcta si admitimos la opinión de R. Trujillo[13], para quien los rasgos contextuales determinantes no definirían invariantes, esto es, unidades paradigmáticamente diferentes, sino puras variantes combinatorias en la medida en que su elección por parte del hablante no es libre, sino condicionada por el contexto. Y, siendo esto así, tendríamos que concluir que el contorno, aunque de naturaleza semántica, definiría puras variantes contextuales, nunca unidades léxicas

---

[13] Cfr. R. Trujillo, *Elementos de semántica lingüística*, Madrid, Cátedra, 1976, pág. 74 y ss.

entre sí, lo que por cierto encajaría perfectamente con la idea –defendida tanto por Trujillo como por el propio Coseriu y que ya hemos discutido anteriormente– de que las definiciones de los diccionarios no corresponden propiamente a significados, entendido el significado en el sentido estricto de contenido paradigmático o de *langue*, sino a puras acepciones, esto es, a contenidos de discurso o meras variantes de los primeros. Pero dejando a los semantistas con sus discrepancias, notemos que esto no afecta para nada a la consideración del contorno como un elemento más de la definición, pues aun estando ésta enfocada hacia el plano concreto del discurso, de lo que no cabe duda es de que el contorno definicional seguirá siendo a veces imprescindible para describir, como hemos visto, el contenido –sea paradigmático o puramente sintagmático– de un signo frente a otro u otros.

2.2.3. Y esto nos lleva a enfrentarnos con la otra cuestión antes planteada, la del carácter imprescindible, necesario –o, por el contrario, prescindible o innecesario– del contorno definicional. No siempre, efectivamente, una definición necesita señalar explícitamente las circunstancias en que el significado descrito por ella adquiere vigencia, porque esas circunstancias pueden desprenderse fácilmente del puro contexto definicional, al ser a su vez la definición un enunciado o unidad discursiva, en el que, por tanto, se dan ciertas implicaciones o presuposiciones que no es necesario explicitar. Cabe hablar, por tanto, en este sentido de dos tipos de contorno: un **contorno explícito**, esto es, expresamente indicado, junto a un **contorno implícito**, de carácter inexpreso, pero que fácilmente se desprende del propio contenido definicional. Veamos un ejemplo de esto último: en

Flagelar. *tr.* Maltratar con azotes.

no hay necesidad, por una parte, de indicar el contexto categorial, esto es, la construcción con objeto directo, pues aparte de la categorización como *tr*[ansitivo] que precede al **definiens**, el núcleo de éste, representado por *maltratar*, no puede interpretarse más que como transitivo, ni, por otro lado, es necesario observar que dicho objeto directo ha de contener el rasgo seleccional **+humano**, porque esta característica se desprende fácilmente del significado del vocablo *azote* 'golpe en las nalgas' contenido en el **definiens**.

2.2.3.1. Aunque no se trata, desde luego, de una tarea fácil, sería justo exigir a la lexicografía teórica o metalexicografía que especificara y concretara en qué casos se hace necesario explicitar el contorno y, por el contrario, en cuáles dicha explicitación resultaría redundante y, por consiguiente, innecesaria. Precisamente, debido a la inexistencia de unas normas al respecto, los diccionarios suelen pecar por lo general tanto por exceso, es decir, utilizando contornos explícitos innecesarios, como por defecto, no especificándolos cuando son necesarios. Solo por citar unos pocos casos, tomados asimismo del *DRAE*, considérense las siguientes definiciones:

> **Esterilizar.** *tr.* Hacer infecundo y estéril lo que antes no lo era.

donde, lógicamente, sobra la aclaración *lo que antes no lo era*, pues se da por supuesta en *hacer infecundo y estéril*;

> **Degollar.** *tr. fig.* Representar los actores mal o con impropiedad una obra dramática.,

en que sobra sin duda la indicación del sujeto, pues ¿quiénes van a representar una obra dramática más que los actores, bien que éstos, lo más seguro en este caso, sean improvisados o meros aficionados? Por el contrario, en

> **Conmemorar.** *tr.* Hacer memoria o conmemoración.,

falta añadir *de alguna cosa*, que representa el elemento que actuará como objeto directo del definido, pues tal como está redactada la definición podría pensarse que dicho objeto es *memoria o conmemoración*; lo mismo ocurre en

> **Abanicar.** *tr.* Hacer aire con el abanico.,

donde haría falta añadir *a alguien* o *a otro*, ya que, de lo contrario, parece que lo abanicado es el aire.

2.2.3.2. Sin ánimo de agotar aquí la cuestión, que de por sí sería tema de un estudio aparte, pensamos que la necesidad del contorno –vale decir, la utilización del contorno explícito– viene determinada por dos factores distintos, que pueden actuar conjunta o independientemente: de una parte por la existencia de restricciones contextuales en el uso del definido y, de otra y sobre todo, por las características semántico-sintácticas del enunciado utilizado como **definiens.** Pues bien, en relación con estas últimas, veamos algunos casos representativos[14]:

a) Tratándose de verbos transitivos definidos mediante una oración transitiva cuyo objeto directo no forme parte del contorno, se hace por lo general necesaria, según acabamos de observar en los dos últimos ejemplos, la indicación de la palabra o palabras que han de funcionar como implementos del definido, aun cuando, naturalmente, en el sintagma del **definiens** no pueden aparecer con esa misma función.

b) También es obligatoria la indicación del objeto directo del definido cuando dicho objeto, aunque no se halle sometido a restricción, es en el **definiens** explícita o implícitamente constituyente de una oración subordinada. Es lo que ocurre, por ejemplo, en estas definiciones:

Equilibrar. *tr.* Hacer que una cosa se ponga o quede en equilibrio.
Enviar. *tr.* Encomendar a una persona que vaya a alguna parte.

c) Como norma general, la indicación del contorno es obligatoria cuando en el **definiens** desempeña una función sintáctica diferente a la que le corresponde con el definido. Es lo que sucede, por ejemplo, cuando éste es un verbo transitivo bivalente o de dos lugares, y el núcleo del **definiens** es también transitivo, pero de tres lugares:

Configurar. *tr.* Dar determinada figura a una cosa.
Forrar. *tr.* Poner forro a alguna cosa.,

cuyos contornos, objetos directos del definido, son, sin embargo, indirectos de *dar* y *poner*[15]. O también cuando el definido es transitivo y el verbo del **definiens**, intransitivo o pronominal:

---

[14] Cfr. J. A. Porto Dapena, «Notas lexicográficas: la información sintáctica de los diccionarios comunes», *LEA*, x/1, 1988, pág. 145.

[15] Nótese que, sin embargo, a veces en este tipo concreto de construcción definicional no se expresa tampoco el contorno por sobrentenderse fácilmente. Así,

Fatigar. *tr.* Causar fatiga.
Fortalecer. *tr.* Hacer más fuerte o vigoroso.

Se sobrentiende, naturalmente, en ambos casos *a un animal o persona.*

Merecer. *tr.* Hacerse uno digno de premio.

Asimismo cuando el contorno, objeto directo del definido, es complemento de un nombre en el **definiens**:

Estimar. *tr.* Hacer aprecio o estimación de una persona o cosa.

d) Cuando el verbo que actúa como núcleo del **definiens** por sus características semántico-sintácticas particulares no pueda construirse sin el complemento representado por el contorno. Y, a mi juicio, tal es, básicamente, la razón por la que los diccionarios, con el de la Academia a la cabeza, utilicen para los verbos transitivos definiciones unas veces con un contorno indicador del objeto directo o indirecto del definido y otras veces no. Así se explica, en efecto, la aparición del contorno, por ejemplo, en

Donar. *tr.* Traspasar uno graciosamente a otro alguna cosa.,

donde sería imposible utilizar *traspasar* sin los dos complementos objeto directo e indirecto, que a su vez lo serán de *donar*, frente a

Empapelar. *tr.* Envolver en papel.,

en que el contorno, representado por el complemento directo, está implícito, porque el verbo *envolver* admite construcción absoluta y, por lo tanto, no es imprescindible la presencia de dicho contorno. Debe admitirse, con todo, que es en casos como este, es decir, cuando puede prescindirse del contorno, en los que el *DRAE* y en general todos los diccionarios presentan vacilaciones a la hora de expresar aquél, y así, la misma razón que lleva a no indicar el contorno en el ejemplo anterior existe en este otro caso, en el que, sin embargo, aparece:

Liar. *tr.* Envolver una cosa [...] con papeles, cuerda, cinta, etc.

e) Y, finalmente, siempre que la sintaxis del **definiens** se pueda prestar a algún tipo de ambigüedad, como ocurre, por ejemplo, cuando el definido es un verbo transitivo y el núcleo del **definiens** puede interpretarse como transitivo o intransitivo. Así, una definición como ésta, tomada, como todas las anteriores, del *DRAE*,

Engaviar. *tr.* Subir a lo alto.,

no es correcta porque *subir* puede entenderse como transitivo en el sentido de 'elevar', que es el que aquí se le puede dar, pero también como intransitivo; por eso sería preferible esta otra redacción:

Subir una cosa a lo alto.

Esto es, con contorno indicador del objeto directo, para deshacer la ambigüedad.

2.3. *Características sintácticas del contorno*

2.3. Como puede fácilmente deducirse de todo cuanto se ha venido diciendo, el contorno definicional representa siempre uno o más argumentos del verbo definido –y por lo tanto susceptibles de desempeñar unas determinadas funciones sintácticas cuando aparecen con ese verbo en el discurso–, pero al propio tiempo, tratándose como es lo normal de un contorno integrado y, por ello, que forma parte del sintagma representado por el **definiens**, tales argumentos desempeñan asimismo unas funciones sintácticas en éste, funciones que, por cierto, pueden o no coincidir con las ejercidas cuando se construyen con el definido. Desde luego, el ideal es que se produzca esa coincidencia, como ocurre, por ejemplo, en

Contener. *tr.* Llevar o encerrar dentro de sí una cosa a otra.,

cuyo contorno, representado por el sujeto y objeto directo del **definiens**, corresponde a idénticas funciones con el definido; del mismo modo

Chocar. *intr.* Encontrarse violentamente una cosa con otra.,

donde también el sujeto y el complemento del **definiens** desempeñan las mismas funciones en la construcción con el definido. Pues bien, en este caso podemos hablar de **contorno integrado homogéneo**.

2.3.1. Semejante coincidencia, sin embargo, no siempre es posible, puesto que puede darse el caso de que la lengua no disponga de un sinónimo o hiperónimo del definido con, a su vez, idénticas características sintácticas que éste, de tal manera que ni siquiera, en contra de lo que predican algunos teóricos de la lexicografía[16], a veces resulta posible mantener, por ejemplo, la regla de que todo verbo transitivo debe ser definido mediante otro verbo transitivo, como demuestran estos casos, tomados también del *DRAE*:

Evitar. *tr.* Huir de incurrir en algo.
Frecuentar. *tr.* Acudir con frecuencia a un lugar.
Ocasionar. *tr.* Ser causa o motivo para que suceda una cosa.

Así pues, junto al contorno homogéneo hay que hablar también de un **contorno integrado heterogéneo**, que es probablemente el más frecuente en las definiciones de verbos. Veamos otros ejemplos:

Ondular. *tr.* Hacer ondas en el pelo.
Oprimir. *tr.* Ejercer presión sobre una cosa.
Fundir. *tr.* Dar forma en moldes al metal fundido.
Maldecir. *tr.* Echar maldiciones contra una persona o cosa.

En todos estos casos, como puede observarse, el contorno representa el implemento u objeto directo del definido.

2.3.2. Puesto que el contorno definicional, sea homogéneo o heterogéneo, forma parte del sintagma definidor, puede en principio desempeñar en éste cualquier función sintáctica, de manera que, desde este punto de vista, no se diferencia de cualquier otro elemento o elementos pertenecientes a lo que venimos llamando enunciado parafrástico. Es más, puede darse incluso el caso de que una misma expresión concreta puede desempeñar función de contorno en una definición y pertenecer, en cambio, al enunciado parafrástico en otra diferente, como ocurre, por ejemplo, en las siguientes definiciones:

Montar. *tr.* Ir a caballo.
Cabalgar. *intr.* Subir o montar a caballo.

[16] Cfr. J. Rey-Debove, «La définition...», págs. 148-149, y *Étude linguistique et sémiotique des dictionnaires français contemporains,* Mouton, The Hague-Paris, 1971, pág. 210; M. Seco, *Op. cit.*, pág. 38.

donde prácticamente el mismo sintagma definidor vale para dos verbos no sinónimos, con la diferencia de que *a caballo* es contorno en la primera, pero no en la segunda, en que representa un sema inherente.

2.3.2.1. Evidentemente, esta coincidencia en el nivel más concreto de las palabras se da muy raras veces, pero no así en el nivel de las estructuras sintácticas, donde no es infrecuente encontrarnos con que definiciones que responden al mismo tipo de construcción, tienen sin embargo una organización diferente de sus componentes definidores, esto es, del contorno y enunciado parafrástico. Así, por ejemplo, la estructura transitiva que aparece en esta definición:

> **Aforar.** *tr.* Otorgar fueros.

es idéntica a la que aparecen en esta otra:

> **Consentir.** *tr.* Permitir una cosa.

donde el complemento directo es el contorno y, por tanto, no forma parte, como en el caso anterior, del enunciado parafrástico. Del mismo modo

> **Cardar.** *tr.* Preparar con la carda una materia textil.

cuyo contorno está constituido por el implemento, frente a

> **Atascar.** *tr.* Obstruir o cegar un conducto con alguna cosa.

en que también forma parte del contorno el complemento instrumental.

2.3.2.2. Todo esto quiere decir que, por su estructura resulta imposible distinguir el contorno definicional del resto del **definiens**, lo que ha llevado, como bien ha observado M. Seco en su ya citado artículo sobre el contorno, a algunos autores de diccionarios a distinguir en ocasiones mediante algún procedimiento formal, como el uso de distinto tipo de letra o de paréntesis u otros signos diacríticos, el elemento o elementos del contorno cuando éste aparece integrado dentro de la definición. Si bien importante, se trata, no obstante, de una tímida solución al problema de la delimitación del contorno, dado que se ha aplicado únicamente a las definiciones de los verbos transitivos, concretamente al caso en que dicho contorno representa el objeto directo o implemento del definido. El primero, por cierto, en ensayar este procedimiento dentro de la lexicografía hispánica fue Cuervo en su *Muestra de un diccionario de la lengua castellana*, publicada en 1871, donde se encuentran definiciones como ésta (con el contorno entre paréntesis):

> **Ocupar** [...] Tomar posesión de (alguna cosa)[17].,

procedimiento que, sin embargo, no utiliza, como bien observa Seco[18], en su famoso *Diccionario de construcción y régimen*, donde sí, en cambio, distingue el contorno no integrado cuando éste precede a la definición, iniciándola con mayúscula; por ejemplo,

> **Dar** [...] Aplicado a personas, Poner a la disposición, cuidado o servicio de otro.

2.3.2.3. Por regla general, excepción hecha de algunos, como el *Diccionario Vox*, el *Diccionario de uso* de M. Moliner y sobre todo el *Diccionario del español actual* de M. Seco y otros, los diccionarios del español –incluido el de la Academia en su última edición– no se preocupan lo más mínimo por separar o indicar de alguna manera el contorno complemento directo del definido. Y no digamos cuando ese contorno se refiere a otras funciones sintácticas, como las de sujeto, objeto indirecto y suplemento o régimen preposicional, exigidas o regidas por el verbo que se define... De los diccionarios hoy existentes sólo el *Salamanca* y el *DEA* de M. Seco se preocupan por la indicación de estas últimas particularidades, lo que sin duda supone una información mucho más completa, puesto que de ese modo las definiciones no solo dan cuenta del contenido de las palabras, sino del contexto o contextos en que ese contenido aparece y, además –lo que es muy importante–, así se informa acerca del comportamiento sintáctico particular de los verbos en cada una de sus acepciones. Indudablemente, los diccionarios ganarían mucho adoptando este procedimiento sin que por ello tuvieran, por otro lado, que hacerse más voluminosos.

---

[17] Cfr. R. J. Cuervo, *Obras*, Instituto Caro y Cuervo, Bogotá, 1954, t. I, pág. 1151.
[18] Cfr. M. Seco, *Op. cit.*, págs. 191-192.

2.3.2.3.1. El procedimiento seguido por Seco es bastante sencillo, al consistir en encerrrar entre corchetes la parte o partes del **definiens** pertenecientes al contorno. Cuando éste tiene caráter heterogéneo –aunque en la práctica a veces también cuando es homogéneo–, la indicación de la función que le corresponde desempeñar con el **definiendum** se indica entre paréntesis y letra cursiva. Así, por ejemplo,

> **Abdicar.** Traspasar [un soberano (*suj*) su reino, el trono o la corona (*cd*) a otra persona (*compl.* EN)].

Es un prodimiento sin duda eficaz, productivo y, por supuesto económico, pero que, a nuestro juicio, podría explotarse mejor adoptando las convenciones formales que hemos propuesto en otro lugar[19] y consistentes en la utilización de tres tipos de paréntesis junto con unos subíndices encargados de expresar la función que cada elemento del contorno heterogéneo desempeña con relación al definido. Concretamente, proponemos utilizar paréntesis cuadrados o corchetes ([ ]) para indicar el contorno cuando éste ha de aparecer obligatoriamente con el definido, paréntesis angulares (< >) cuando, por el contrario, el contorno no es obligatorio, y finalmente paréntesis normales, esto es, ( ), para los casos de elementos inherentes o internos que, al igual que el contorno, pueden manifestarse mediante un complemento externo[20]. En cuanto a los subíndices indicadores de función, que, como decimos, tan solo se utilizarían cuando el elemento acotado mediante paréntesis correspondiese a un contorno heterogéneo, podrían reducirse a las siguientes siglas: s = sujeto, od = objeto directo, oi = objeto indirecto, cp = complemento preposicional, y a continuación de este último se escribiría la preposición o preposiciones en letra cursiva (o, también, podrían indicarse fuera de la definición).

2.3.2.3.2. Veamos a modo de ensayo algunos ejemplos de nuestra formalización:

---

[19] Véase J. A. Porto Dapena, «Algunas observaciones...», pág. 222.

[20] Nos referimos en este último caso a definiciones como

> **Vivir.** Pasar y mantener (la vida).,

donde, como hemos visto (§ 2.1.3.a), *la vida* no es propiamente contorno, pero puede a modo de «acusativo interno» aparecer, sin embargo, como implemento del definido:

> *Bartolo vive una vida muy tranquila.*

Abanicar. *tr.* Hacer aire a $_{od}$[alguien] (con un abanico u otro objeto a modo de abanico).

Abastecer. *tr.* Dar o vender a $_{od}$[alguien] $_{cp\ de,\ con}$ <todo lo que se necesita>.

Abismar. *tr.* Hundir a [una persona o cosa] (en el abismo).

Creemos que este procedimiento es también bastante sencillo y, desde luego, más rentable por ofrecer mayor información que el adoptado por Seco y otros en su *Diccionario de español actual*[21].

2.3.3. Y ya para finalizar con la consideración del contorno definicional, una última cuestión que debemos tener aquí en cuenta viene dada por el hecho de que, a veces, una diferente configuración sintáctica del definido con su contorno definicional puede –e incluso debe– provocar la aparición de acepciones diferentes en un mismo artículo lexicográfico (véase más atrás Cap. 6, § 2.2.6.2). No hay que olvidar, en efecto, que, como bien observa I. Ahumada[22], el diccionario organiza sus artículos desde el discurso y, por lo tanto, son las variaciones que se detectan en éste, incluidas al menos algunas de orden sintáctico, las que determinan la separación de las diversas acepciones de cada vocablo. Y así se explica, por ejemplo, la distinción que en estas cuatro acepciones establece el *DRAE* a propósito de la palabra *empapar*:

Empapar. *tr.* Humedecer una cosa de modo que quede enteramente penetrada de un líquido [...] || 2. Absorber una cosa dentro de sus poros o huecos algún líquido [...] || 3. Absorber un líquido con un

---

[21] Sin embargo tanto nuestra solución como la de Seco ofrecen un cierto inconveniente por el embarazo que para la lectura de la definición puede suponer la presencia de paréntesis, corchetes, etc. Quizás una solución más adecuada consistiría en despojar al máximo las definiciones de sus contornos, presentando éstos en un enunciado contextual prototípico al lado del definido. Así,

Abdicar. *tr.* ~ *un soberano su reino, trono o corona en otra persona.* Cedér*selos* o traspasár*selos.*

Aunque esta solución requeriría tal vez algo más de espacio, sus ventajas son indiscutibles no solo por la claridad de las informaciones sintáctica y semántica, que no necesitan mayores explicaciones, sino porque la palabra aparece definida en un contexto, lo que permite a su vez, una mejor identificación de la acepción que se busca.

[22] Cfr. I. Ahumada, *Op. cit.*, pág. 192.

cuerpo esponjoso o poroso [...] || 4. Penetrar un líquido los poros o huecos de un cuerpo.

donde propiamente no se produce ningún cambio en el significado del definido, sino tan solo en la configuración sintáctica de éste y sus argumentos, aquí representados por el contorno definicional. Notemos, en efecto, que, utilizando los mismos vocablos, podemos ejemplificar cada una de las acepciones anteriores con las siguientes construcciones (Véase lo dicho a propósito de este mismo ejemplo en Cap. 6, § 2.2.6.2):

1. *Empapé una esponja en agua.*
2. *La esponja empapó el agua.*
3. *Empapé el agua con una esponja.*
4. *El agua empapó la esponja.*

Del mismo modo, aunque en este caso con, a su vez, un cambio en el contenido categorial, también el *DRAE* registra estas dos acepciones para el verbo *empezar*:

Empezar. *tr.* Dar principio a una cosa [...] || 3. *intr.* Tener principio una cosa.,

que, como puede verse, obedecen asimismo a un cambio en la configuración sintáctica del definido y el contorno *una cosa* que, mientras representa el objeto directo en la primera acepción, pasa a sujeto en la segunda, estableciéndose así entre ambas lo que con Lyons podemos llamar relación ergativa[23].

2.3.3.1. Curiosamente, hay que señalar, sin embargo, que los cambios en la configuración sintáctica del contorno definicional no siempre se reflejan en los diccionarios mediante definiciones –y, por tanto, acepciones– distintas. Por no alargarnos demasiado, citaremos tan solo un ejemplo de los muchos que podrían ser tomados del *DRAE*:

Confrontar. *tr.* Cotejar una cosa con otra.,

definición que, si bien se adapta a contextos como

---

[23] Cfr. J. Lyons, *Introducción en la lingüística teórica*, Teide, Barcelona, 1971, pág. 365.

Confrontó la copia con el original,

no se correspondería sintácticamente, por ejemplo, con

Confrontó ambos escritos.

¿Debería, pues, formularse una nueva definición para este último tipo de contexto? En principio parece que esta sería la mejor solución, a menos que se adoptase una fórmula de compromiso mediante una explicación suplementaria que pusiese de manifiesto la otra posibilidad sintáctica, esto es, añadiendo, después de la primera definición, que el complemento directo puede venir representado por las dos cosas, la comparada y aquella con la que se compara.

2.3.3.2. Más grave que el caso anterior resulta sin duda que esa separación de acepciones no se efectúe cuando las distintas posibilidades sintácticas van acompañadas de un cambio en la subcategorización del definido. Es frecuente a este respecto que los diccionarios, para evitar una nueva definición, añadan indicaciones como «ú[sase] t[ambién] c[omo] tr. (o prnl., intr.)», que, si bien en algunos casos se justifican plenamente, como ocurre, por ejemplo, en

Enfermar. *intr.* Contraer enfermedad <u>el hombre o el animal</u>. Ú. t. c. prnl.,

puesto que la definición permanece invariable con el cambio de construcción, no se puede decir lo mismo en la mayoría de las ocasiones; por ejemplo, en

Enfriar. *tr.* Poner o hacer que se ponga fría <u>una cosa</u>. Ú. t. c. intr. y c. prnl.,

pues en la construcción intransitiva y pronominal, para las que sí se podría dar una sola definición, el contorno *una cosa*, representante del objeto directo en la definición, pasa a desempeñar la función de sujeto. Y todavía más problemático resulta el caso de, por ejemplo,

Desabotonar. *tr.* Sacar los botones de los ojales. Ú. t. c. prnl., ya que este verbo presenta dos posibilidades de construcción pronominal: o bien pasando a sujeto, como en el ejemplo anterior, el objeto directo, que por cierto no solo pueden ser los botones sino también la prenda que los posee (así, *Se me desabotonó la camisa*), o bien utilizando una construcción reflexiva indirecta, mediante un reflexivo con valor simpatético o posesivo:

Me desabotoné la camisa.

Los diccionarios, en fin, en éstos como en tantos otros casos confían excesivamente en la intuición y competencia lingüística del usuario, quien, por tanto, al consultarlos no tiene otro remedio muchas veces que convertir su consulta en un puro ejercicio de adivinación, como si de resolver un jeroglífico o crucigrama se tratase.

3. Problemas de la definición

3. El diccionario monolingüe tradicional, al ir destinado al hablante de la lengua cuyo léxico pretende describir, parte lógicamente del supuesto de que los usuarios poseen una fundamental competencia lingüística, que hace improcedentes por innecesarias ciertas precisiones o informaciones y que, al mismo tiempo, puede justificar y anular algunas deficiencias utilizadas tantas veces como piedra de escándalo por muchos, como es, por ejemplo, el tan llevado y traído caso de la circularidad de las definiciones. Cuando, efectivamente, definimos un elemento A como B y B como A, lo que constituye el más puro y duro de los círculos viciosos –por otro lado no tan frecuente, contra lo que suele suponerse, en los diccionarios–, aunque condenable por supuesto desde planteamientos lógicos, no lo será tanto en el uso práctico del diccionario (que es lo que interesa), en el supuesto de que el hablante conozca de antemano A o B. El fracaso de las definiciones se producirá en este caso tan solo si la competencia léxica del hablante no incluye ni A ni B. Y, evidentemente, el riesgo de fracaso se hará mucho menor cuanto mayor sea el número de definiciones implicadas, pues las posibilidades de que el usuario conozca alguno de los elementos definidores aumentarán, lógicamente. No pretendemos, como es natural, con esto minimizar –ni mucho menos justificar– este problema de la

circularidad tan común en nuestros diccionarios, pero sí relativizarlo un poco en el sentido de que, por una parte, el problema de la circularidad puede presentar diversos grados y, por otra, no siempre bloquea las posibilidades informativas del diccionario. En este apartado vamos a profundizar un poco en esta cuestión junto con el otro problema, también planteado por la metalengua de las definiciones, el correspondiente a las llamadas **pistas perdidas**.

3.1. *Los círculos viciosos*

3.1. Recordemos que de acuerdo con el principio de transparencia, al que nos hemos referido en el capítulo anterior (cfr. § 1.2.2.3), los vocablos que constituyen los **definientes** en un diccionario monolingüe de tipo general, al corresponder a la misma lengua de entrada, deberán ser a su vez objetos de definición y, por lo tanto, constituir definidos o elementos de la nomenclatura de ese diccionario[24]. Dicho de otra manera, el diccionario debe ser **autosuficiente**, lo que significa que en su microestructura no puede utilizar ninguna palabra que, a su vez, no se encuentre en su macroestructura. Pues bien, este hecho es lo que ha llevado por cierto a muchos a aceptar, de entrada, el carácter esencialmente circular de todo diccionario monolingüe, pues resulta lógico pensar que tratándose de un léxico finito constituido, pongamos por caso, por los elementos A, B, C y D, una de dos: o uno de ellos quedará indefinido –y entonces se produce lo que llamamos una **pista perdida**– o al final alguno tendrá que ser definido circularmente. Esto, además, se confirma en la práctica con la simple consulta de cualquier diccionario de estas características, si vamos encadenando los elementos definidores con sus correspondientes definiciones. De hecho, en la práctica, en todo diccionario se producen circularidades.

3.1.1. Más atrás ya hemos rebatido esta idea del carácter esencialmente circular de todo diccionario monolingüe, observando que ello sería invariablemente cierto tan solo en el caso de que las definiciones lexicográficas respondiesen a un único tipo: por ejem-

[24] Cfr. R. Martin, «Reflexions sur la structure logique du dictionnaire», en *Actas del XIV Congreso Internacional de Lingüística y Filología Románica*, Amsterdam, 1977, pág. 58.

plo, el sinonímico, antonímico o excluyente, o el hiperonímico o incluyente positivo, que son, sin duda, en los que se está pensando cuando se hace semejante afirmación. Pero lo cierto es que, al existir, como ya vimos, otras clases de definición (comprendiendo entre ellas también la de tipo funcional, realizada en metalengua de signo), creemos que, si bien al lexicógrafo que redacta las definiciones le acecha siempre el peligro de caer en el temido círculo vicioso, ello no tiene por qué ocurrir necesariamente. Es más, aunque no todos los casos de circularidad, según ya sugerimos anteriormente, son problemáticos en el mismo grado, creemos que, una vez redactadas todas las definiciones del diccionario –pues antes es, obviamente, imposible, como muy bien razonan M. Moliner y la Academia[25]– debe procederse a la total eliminación de las circularidades.

3.1.2. Dos posturas fundamentales, pues, cabe plantear por parte de los estudiosos a propósito de la circularidad lexicográfica: mientras para unos sería algo inevitable y consustancial al diccionario mismo, lo que no impide que ciertas circularidades, las que constituyen círculos viciosos propiamente dichos, deban ser evi-

---

[25] Dice M. Moliner en el prólogo de su *Diccionario de uso* (pág. XIV):

> «Era necesario en primer lugar eliminar el procedimiento cómodo de explicar una palabra por otra a la que se supone equivalente a ella y más conocida del lector, o por una suma de palabras a las que se supone del mismo significado y que se ayudan unas a otras a aclarar el de la palabra que se quiere definir [...]. Estos procedimientos, de uso en los diccionarios de todas las lenguas, conducen necesariamente a la presencia de círculos viciosos, ya que el diccionarista no puede tener presente si las palabras que emplea como equivalentes de la que se quiere aclarar están, a su vez, definidas satisfactoriamente en el diccionario.»

Por su parte la Academia también en el prólogo de su *Diccionario histórico* (pág. XII) observa:

> «Otra limitación es la necesidad de ir definiendo sobre la marcha del orden alfabético, sin poder disponer de toda la información relativa a la familia léxica y al campo semántico de la palabra en cuestión. Esto da lugar a innumerables tautologías y círculos viciosos.»

El lexicógrafo, en efecto, en el momento de redactar una definición no siempre dispone de las definiciones correspondientes a los vocablos que utiliza en el **definiens**. De ahí que sea difícil, por no decir imposible, prever las circularidades y pistas perdidas, que tan solo se detectarán posteriormente en una revisión total de la obra, una vez redactada.

tadas (en concreto, las producidas fundamentalmente por el uso de definiciones sinonímicas o por las que incluyen en el **definiens** el lexema del definido), para otros –punto de vista que aquí compartimos– todo tipo de circularidad debe ser evitado, aun cuando, evidentemente, no todos resulten idénticamente problemáticos.

3.1.2.1. De acuerdo con los primeros existirían, pues, dos tipos de circularidad, una que podríamos llamar «buena», porque es inherente a la naturaleza misma del diccionario, cuyas definiciones están entre sí conexionadas formando una cadena perfectamente cerrada, junto a una circularidad «mala», la constituida por los llamados **círculos viciosos** o conjuntos parciales de cadenas de definiciones también cerradas, esto es, que llevan a una repetición de dicha cadena. Así se pronuncia, por ejemplo, Carmen Castillo Peña en un estudio sobre los círculos viciosos en el *DRAE*[26], a quien se debe, por cierto, el desarrollo del sin duda útil concepto de 'cadena', que define como una serie de definiciones interdependientes en el sentido de que para entender el significado de una hay que acudir a otra y así sucesivamente; observa, por otro lado, que una cadena está **abierta** cuando admite conexión con una definición no antes mencionada, mientras que está **cerrada** cuando se conexiona con una definición ya presente en la serie. En la práctica para esta autora los círculos viciosos se reducirían a los casos, según ya queda señalado, de cadenas cerradas de definiciones sinonímicas o, también, tautológicas, es decir, aquellas en cuyo **definiens** se produce la repetición del lexema del definido. Así, podríamos pensar, respectivamente, a modo de ejemplos un tanto caricaturescos en

Alabar. Elogiar.
Elogiar. Ensalzar.
Ensalzar. Alabar, elogiar.,

que constituye una cadena cerrada de definiciones sinonímicas, o en esta otra de definiciones tautológicas,

---

[26] Cfr. C. Castillo Peña, *La definición sinonímica y los círculos viciosos en el DRAE*, tesis doctoral inédita y presentada en 1992 en la Universidad Complutense (Madrid), pág. 230 y ss. Véase también de la misma autora «La definición sinonímica y los círculos viciosos», *BRAE*, LXXIII (1993), pág. 155 y ss.

Amabilidad. Cualidad de amable.
Amable. Que tiene amabilidad.

Un ejemplo real detectado en el *DRAE* podría ser:

Alache. Haleche.
Haleche. Alacha.
Alacha. Haleche.

3.1.2.2. Para nosotros, sin embargo, cualquier tipo de circularidad es «viciosa» y, por lo tanto, constituye un fallo en el sistema de definiciones. Admitir que un diccionario es esencialmente circular equivale, a nuestro juicio, a negar la capacidad metalingüística de la lengua y, en definitiva, a echar por tierra la validez de las definiciones lexicográficas. Otra cosa, naturalmente, es que, como ya queda señalado, todas los casos de circularidad representen idéntico problema para el diccionario en su fundamental objetivo de informar al usuario sobre el significado de las palabras. Como ya sugerimos antes, la mayor parte de los círculos viciosos quedan resueltos en la práctica gracias a la competencia lingüística del usuario, lo que, sin embargo, no debe servirnos en modo alguno para justificar la existencia de tales círculos. Lo que pasa es que de las circularidades o series de cadenas cerradas que aparecen en los diccionarios unas están sin duda más expuestas que otras al fracaso, esto es, a proporcionar una información semántica nula, cosa que aumenta en proporción inversa a estos tres factores fundamentales: 1º) el número de definiciones de la cadena, 2º) el carácter analítico de las definiciones y, finalmente, 3º) lo que constituye un factor que podríamos llamar externo o pragmático, la competencia lingüística del usuario.

3.1.2.2.1. En realidad los problemas de la definición surgen únicamente cuando en el **definiens** existe algún vocablo desconocido para el usuario, lo que le lleva, lógicamente, a realizar una nueva consulta, consistente en otra definición, en la que, a su vez, puede encontrarse con un nuevo vocablo desconocido, lo que le llevará a una tercera consulta y así sucesivamente hasta llegar a una definición plenamente comprensible que le permita realizar el proceso de retorno hasta la primera definición, objeto de la consulta inicial. Naturalmente el riesgo de fracaso es total, si en la segunda o tercera definición consultada el usuario se encuentra empleada la primera palabra consultada. Pero también es cierto que este riesgo disminuye a medida que aumenta el número de definiciones de la serie, aunque ésta sea cerrada, porque es más fácil que el usuario no tenga necesidad de agotar toda la cadena para interpretar adecuadamente la primera definición. Existen, pues círculos viciosos constituidos por cadenas binarias, ternarias, cuaternarias, etc., y los diccionarios, por lo general, suelen contentarse con evitar las cadenas más cortas.

3.1.2.2.2. Como es obvio, la necesidad de realizar una nueva consulta aumenta o es prácticamente obligada cuando el definición no aporta ningún análisis semántico o éste es muy escaso. De ahí que las circularidades sean especialmente problemáticas cuando las cadenas que las constituyen están formadas, por ejemplo, por definiciones sinonímicas o que incluyen el lexema (núcleo fundamental de la significación) del definido[27]. Por eso en una definición como

> **Giro.** Acción o efecto de girar.,

que incluye, en forma de verbo, el lexema del definido, resulta prácticamente obligado consultar a su vez el significado de *girar*, cuya definición

> **Girar.** Realizar un giro.,

[27] Carmen Castillo (*op. cit.*, pág. 239 y ss., y art. cit., pág. 160) establece a este respecto el concepto de 'cadena formalizada', que sería la constituida por definiciones en las que, sea por su estructura o por algún procedimiento tipográfico, se obliga al lector a realizar una nueva consulta. Es lo que ocurre, según esta autora, en las equivalencias del *DRAE*, verdaderas definiciones sinonímicas cuyo **definiens** se expresa en seminegrita, o en las definiciones relacionales y sustanciales excluyentes, o en las incluyentes positivas cuando están introducidas por una palabra de sentido muy general (*acción o efecto de, calidad de*, etc.). A nosotros nos parece, sin embargo, innecesaria –y artificial– la distinción entre cadenas formalizadas y no formalizadas, porque en ningún momento el lexicógrafo (y tampoco la Real Academia en su *Diccionario*) pretende en una definición obligar al lector a una nueva consulta y, por lo tanto, indicarle la conexión de esa definición con otra, conexión que, evidentemente, existe ya desde el momento en que el **definiens** está realizado mediante palabras que actúan como **definienda** en el diccionario. En todo caso solo en lo que Castillo llama «equivalencias» hay una voluntad de remitir al lector a otra palabra, precisamente porque el lexicógrafo no pretende en ese caso realizar una definición sinonímica, sino una pura y simple remisión.

remitiría de nuevo a *giro*, cerrando la cadena y provocando un círculo vicioso imperdonable, dado el carácter binario de la cadena. Ya se sabe que, definiendo este verbo de modo que en el **definiens** no vuelva a entrar el lexema, como podría ser, por ejemplo,

> **Girar.** Moverse circularmente.,

quedaría subsanado el entuerto. Pero no cabe duda de que la mejor solución consistiría en evitar el riesgo de una segunda consulta realizando un verdadero análisis semántico del definido:

> **Giro.** Movimiento circular.

3.1.2.2.3. El grado de competencia lingüística del usuario, como ya dijimos, es factor sin duda fundamental en el planteamiento y solución de problemas por parte de las definiciones. Es evidente, según ya queda señalado, que un diccionario monolingüe es una obra hecha exclusivamente para hablantes de la lengua, hablantes que, por otro lado, pueden tener una competencia o conocimiento más o menos amplio de la misma. Es natural que a un estudiante extranjero del español, al menos en los primeros estadios de aprendizaje, no se nos ocurra aconsejarle que, para interpretar un texto de nuestra lengua, consulte el *DRAE*. Ni siquiera a un estudiante nativo de Primaria le haríamos esa misma recomendación. En realidad, cuando, al utilizar el diccionario, nos vemos obligados a realizar una nueva consulta, no se debe más que al hecho de que los elementos de la definición inicial no pertenecen en su totalidad a nuestro léxico pasivo, y, por lo tanto, cuanto más pobre sea nuestro conocimiento del léxico mayor necesidad tendremos de seguir la correspondiente cadena de definiciones, aumentando así el riesgo de agotarla, es decir, de encontrarnos al final con un círculo vicioso y fracasar, por tanto, en nuestro empeño de encontrar lo que buscamos en el diccionario. El riesgo, pues, de fracaso en la consulta del diccionario aumenta, lógicamente, a medida que disminuye el grado de competencia lingüística del usuario, cosa que, por otro lado, nos lleva a una conclusión lógica: que un diccionario deberá presentar un porcentaje de circularidad tanto más bajo cuanto menor sea el grado de conocimiento de la lengua por parte del público al que va destinado.

3.2. *Las pistas perdidas*

3.2. Pero, como dijimos anteriormente, los problemas de las definiciones lexicográficas no vienen planteados solo y exclusivamente por los casos de circularidad, sino también por los que vienen denominándose **pistas perdidas**, representantes de un defecto que asimismo consiste en una contravención del principio de transparencia de las definiciones –o, si se prefiere, del principio de autosuficiencia del diccionario– en el sentido de que alguna o algunas de las unidades léxicas empleadas en una definición no están a su vez definidas dentro del diccionario. Así, por ejemplo, la definición del *DRAE*

> **Quibdoano.** Natural de Quibdó.,

nos remite a *Quibdó*, que, por ser un nombre propio, no se encuentra en este diccionario.

3.2.1. Hace años F. Lázaro Carreter, se planteaba en un memorable artículo[28] algunos casos de pistas perdidas presentes en el *DRAE*, y que comprendían, precisamente, aquellas definiciones en cuyos **definientes** aparece un nombre propio, como es el caso, por ejemplo, de los gentilicios y en general de todos los adjetivos relacionales –esto es, que expresan una relación– cuyo elemento relacionado es un nombre propio. Pensemos en *quevedesco, académico* 'de la Real Academia', *felipista, madridista, europeísta, chomskiano,* etc.

3.2.1.1. Se trata, como puede verse, en estos casos de pistas perdidas debidas a la utilización en el **definiens** de elementos no pertenecientes a la nomenclatura del diccionario, pues resulta evidente que los nombres propios no forman parte del sistema léxico, habida cuenta de que no son más que meros significantes asociados directamente a un referente y no a un significado lingüístico propiamente dicho. No tendría sentido, por tanto, contra lo que parece sugerir Lázaro, incluir en la nomenclatura del diccionario aquellos nombres propios que aparecen en algunas definiciones, apoyándose para ello en el hecho de que el *DRAE* no es absolutamente respetuoso con el criterio de no registrar nombres propios

[28] Cfr. F. Lázaro Carreter, «Pistas perdidas en el Diccionario», *Bol. de la Real Academia Española,* LIII (1973), págs. 249-259.

entre sus entradas, pues en él encontramos algunos, como nombres de astros, constelaciones o que forman parte de expresiones fijas como *Villadiego*, para registrar *tomar las de Villadiego*, *Adán* para *bocado de Adán*, *Judea* para *bálsamo de Judea*, etc.[29]

3.2.1.2. Resulta, sin embargo, más aceptable la solución –también apuntada por el propio Lázaro Carreter– de añadir en la propia definición donde se utiliza el nombre propio, alguna indicación acerca de la realidad que éste representa, como ocurre, por ejemplo, en estas definiciones:

> **Leninismo.** Doctrina de Lenin, quien basándose en el marxismo, promovió y condujo la revolución soviética.
>
> **Kantiano.** Perteneciente o relativo al filósofo alemán Kant o al kantismo.
>
> **Josefino.** Natural de San José, provincia, cantón y ciudad de Costa Rica.

Se trata, con todo, de elementos claramente enciclopédicos que, como tales, no tienen por qué ser proporcionados por un verdadero diccionario de la lengua. En realidad la misión del lexicógrafo es informar únicamente sobre el significado de las palabras y, por lo tanto, su misión acaba donde empieza la del filósofo, historiador o científico en general que informa sobre las realidades nombradas.

3.2.1.3. No vale la pena insistir en que este tipo de pistas perdidas no pueden verse ni mucho menos como una quiebra o contradicción del principio de autosuficiencia del diccionario monolingüe general. Lo que tenemos que reconocer, eso sí, es que no todos los elementos que se utilizan en las definiciones lexicográficas realmente presentes en los diccionarios constituyen signos propiamente léxicos, como es el caso, como acabamos de ver, de los nombres propios; pero no exclusivamente, pues en la definición

---

[29] Sobre la presencia de nombres propios en la macroestructura de los diccionarios lingüísticos, veáse, por ejemplo, J. Gutiérrez Cuadrado, «Enciclopedia y diccionario», en E. Forgas (coord.), *Léxico y diccionarios*, Univ. Riovira i Virgili, 1996, pág. 143.

BE. Nombre de la letra b.

el elemento *b* no es ni siquiera una palabra, sino el puro signo gráfico correspondiente, el cual no tendría, por tanto, que constituir entrada del diccionario, como de hecho constituye, por ejemplo en el propio *DRAE*,

B. Segunda letra del abecedario español y primera de las consonantes.

Notemos que, por idéntico motivo, deberían registrarse los guarismos 1, 2, 3, etc. o, sin ir tan lejos, los signos de puntuación (.:,;¿?, etc.), pues, como las letras, también pertenecen a la grafía[30].

3.2.2. Digamos, pues, ya para finalizar, que los casos hasta aquí considerados no representan propiamente ningún defecto o error del diccionario por el hecho de no incluir éste en su nomenclatura ciertos elementos, utilizados ciertamente en algunas definiciones, pero que caen fuera del ámbito del sistema léxico de la lengua. No se puede hablar, pues, con propiedad aquí de verdaderas **pistas perdidas**, que vendrán dadas más bien por aquellos casos en que el elemento definicional omitido en la nomenclatura sea un verdadero vocablo o unidad léxica de la lengua. Es el caso, por ejemplo, de la definición del *DRAE*

Jorobado. Corcovado, cheposo.

Pero no aparece registrado *cheposo.* O de esta otra:

Toza. Pieza grande de madera labrada a esquina viva.

Pero no se registra en ninguna parte *a esquina viva* o *esquina viva.* Un tipo particular de pista perdida es el que se produce cuando el elemento definidor pertenece a la nomenclatura, pero en el artículo correspondiente no se registra el significado con que aparece utilizado en la definición. Un ejemplo, tomado también del *DRAE*, lo tenemos en el caso, señalado por C. Castillo[31], de la siguiente definición:

---

[30] Para este problema véase J. A. Porto Dapena, «Las letras como entradas del diccionario», *Revista de Lexicografía*, VII (2000-2001), págs. 125-154.

[31] Cfr. C. Castillo Peña, *Op. cit.*, pág. 258; art. cit., pág. 167.

> **Deslavar.** Limpiar y lavar una cosa muy por encima sin aclararla bien.

Si consultamos, sin embargo, el artículo correspondiente a *aclarar* observaremos que ninguna de las acepciones propuestas encajan con el uso en esta definición: la que más se aproxima es, sin duda, la acepción 3, que reza así:

> **Aclarar.** Tratándose de ropa, volver a lavarla con agua sola después de jabonada.

Pero es obvio que aquí queda restringida a su aplicación a *ropa.*

ÍNDICE DE AUTORES CITADOS

ÍNDICE ALFABÉTICO

---

* Los números remiten a las páginas. La cursiva se utiliza para palabras citadas, y las indicaciones seguidas de una abreviatura entre paréntesis representan marcas lexicográficas.